El impostor

books4pocket

Sp

Anne Stuart

El impostor

Traducción de Marta Torent López de Lamadrid

EDICIONES URANO

Argentina - Chile - Colombia - España
Estados Unidos - México - Uruguay - Venezuela

Título original: *Shadow Lover*

Aribau, 142, pral. – 08036 Barcelona
www.edicionesurano.com
www.books4pocket.com

Diseño de la colección: Opalworks
Imagen de portada: Getty images
Diseño de portada: Colucci

Impreso por Novoprint, S.A.
Energía 53
Sant Andreu de la Barca (Barcelona)

Fotocomposición: books4pocket

ISBN : 978-84-96829-90-9
Depósito legal: B-14.949-2008

Impreso en España – *Printed in Spain*

A Jennifer Todd Taylor,
por salvarme constantemente el pellejo
de cometer equivocaciones tremendas.

Y a Audrey LaFehr,
una excelente editora,
por detectar errores aún mayores.

Con todo mi amor, gracias.

1

Le despertó la cegadora luz blanca de una tormenta de nieve de fines de primavera. Profiriendo un sordo gemido, Carolyn se puso boca arriba, pero la deslumbrante luz se coló por una rendija de las gruesas cortinas y logró introducirse por debajo de sus párpados. Era imposible ignorarla.

Soltó un profundo y sufrido suspiro. Había dormido sola, siempre lo había hecho, y probablemente siempre lo haría, de modo que podía suspirar hasta saciarse. «Odio Vermont», murmuró con amargura.

En abril nevaba a raudales; también en septiembre y ya había tenido que pasar por ello. Ocho meses atrás no le había importado. Su lado más cándido se había deleitado con las neviscas derritiéndose sobre las hojas de intensos colores. Ocho meses atrás desconocía lo realmente largo y aburrido que podía ser el invierno en Vermont.

La casa estaba tranquila; cosa que era de esperar teniendo en cuenta que la finca de los MacDowell estaba cuidada por los criados más cualificados que el dinero pudiera comprar, y nada, ni siquiera una mota de polvo o un ruido involuntario, perturbaba nunca la aparente tranquilidad.

A veces, como ahora, Carolyn deseaba bajar hasta el vestíbulo de parqué de roble corriendo descalza y cantando con todas sus fuerzas. A veces quería reír en voz alta, gritar de rabia, llorar a solas. Pero en la actualidad esas veces eran menos frecuentes. Era una mujer sensible, que aceptaba lo bueno y lo malo de la vida. A todas horas rezaba en voz baja una oración que la serenaba, y la mayor parte de las veces se sentía tan tranquila y dócil como aparentaba. La buena y dulce Carolyn. Leal y noble, con quien uno siempre podía contar.

La nieve densa era una de las cosas que escapaban a su control. Se levantó de la cama y descorrió las cortinas, dejando que entrara la deslumbrante luz por la ventana. Fuera estaba silencioso y hacía frío; la noche había dejado más de un palmo de nieve en el sur de Vermont, pero los encargados de mantenimiento ya la estaban despejando de acuerdo con su habitual y discreta eficacia. Carolyn apoyó la frente en el traslúcido cristal, respirando profundamente. Tal vez se sentiría mejor envuelta por el aire fresco y frío del exterior. Incluso aunque necesitara desesperadamente los rayos del sol para calentar sus huesos y no congelarse.

Siempre podía volver a meterse en la cama, subiendo el edredón hasta taparse las orejas, pero por alguna razón esa nunca había sido una opción, no desde el otoño pasado en que, al volver a casa para cuidar de tía Sally, se había trasladado al antiguo cuarto de Alex. Hacía más de diez años que Sally había guardado las pertenencias de éste en el cuarto trastero, y Carolyn había comprado muebles nuevos, así como cortinas y alfombras, y una enorme cama antigua en un vano intento por sentirse como en casa. Pero eso no sucedió nunca.

Alex llevaba mucho tiempo fuera; de ser ingenua pensaría que le habían olvidado por completo. Sin embargo, todos se acordaban del hijo perdido, hasta los poderosos e inalterables MacDowell.

Suspiró. Tal vez debería reclamar la habitación pequeña y funcional del ala este, donde había dormido siempre que venía de visita. Al menos allí se sentía cómoda, y no como una impostora que usurpaba la mejor habitación de la casa.

Estaba siendo ridícula y lo sabía. Pero se sentía extrañamente inquieta desde hacía ya algunas semanas. Como si algo crucial estuviese a punto de ocurrir.

Se empezó a alejar de la ventana, que se heló. Alguien había dejado el coche aparcado en la entrada del camino que rodeaba la casa, justo enfrente de la puerta, a primera vista sencilla, del edificio principal. Había un jeep negro viejo y oxidado sobre la nieve, y a juzgar por la altura de la nieve que cubría los tapacubos, dedujo que debía hacer horas que estaba allí. La noche anterior Carolyn se había ido a la cama hacia las once y no lo había visto. Se había levantado un poco más tarde de lo habitual, pero aun así apenas pasaban unos minutos de las ocho. ¿Quién, por el amor de Dios, podía haber llegado en plena madrugada? ¿Le habría pasado algo a tía Sally mientras Carolyn había permanecido echada en la cama quejándose del tiempo?

Tenía un armario lleno de camisones de seda, regalos todos ellos de diversos miembros, carentes de imaginación, de la familia MacDowell. Carolyn usaba camisetas grandes para dormir, y así corrió hasta el vestíbulo, descalza y sin tomarse la molestia de ponerse un albornoz encima.

La casa principal de la mansión de los MacDowell consistía en un edificio central con un ala a cada lado. La habitación de Carolyn estaba en el segundo piso; las dependencias de tía Sally ocupaban la totalidad del primer piso del ala oeste. No se oyó ni un ruido mientras Carolyn bajaba las escaleras corriendo y llegaba a la habitación de Sally, cuya puerta estaba abierta, sin aliento y aterrada.

La anciana estaba tumbada en la cama de hospital que había al fondo de la habitación, tranquila, callada y con los ojos cerrados. Las cortinas estaban echadas, y sólo una tenue luz penetraba la artificial penumbra. Tía Sally llevaba más de un año postrada en la cama, cada vez más cerca de la muerte, pero por muy cerca que se esté de ella, uno nunca está preparado del todo.

—¡Tía Sally! —La voz de Carolyn se rompía mientras se adentraba en las sombras, dispuesta a arrojarse sobre la cama y llorar.

Un brazo salió disparado, agarrándola antes de que pudiera cruzar la habitación, y estaba demasiado asustada para hacer algo que no fuera dejarse llevar de puro pánico.

Con los ojos marchitos abiertos, tía Sally intentó reconocerla en la oscuridad.

—¿Eres tú, Carolyn? —preguntó con voz soñolienta pero sorprendentemente fuerte.

Quienquiera que la estuviese sujetando no parecía tener intención de soltarla, pero ahora la atención de Carolyn estaba centrada en la mujer que había sido como una madre para ella.

—¡Estás bien! —exclamó, sin tratar de disimular el alivio que sentía—. Pensaba que había ocurrido algo.

El arrugado rostro de tía Sally parecía extrañamente luminoso.

—Y así es, Carolyn. Ha ocurrido lo mejor del mundo.

Entonces Carolyn se dio cuenta de que alguien le seguía impidiendo acercarse a tía Sally. Se dio la vuelta; él le soltó el brazo y retrocedió. Ella alzó la vista y le miró fijamente, en silencio, asombrada, observándole de arriba abajo.

—Ha vuelto —anunció tía Sally, con voz inequívocamente alegre—. Ha vuelto a mí.

Hablaba como si acabase de recuperar a un amante perdido. El hombre debía de tener entre treinta y cuarenta años, cosa que hacía descartar tal posibilidad. Era alto, aunque no tanto como algunos familiares de tía Sally, delgado, llevaba unos tejanos desteñidos y un jersey grueso de algodón que había conocido épocas mejores. Su pelo con mechones rubios necesitaba un corte; su atractivo rostro, un afeitado. No había nada que reprocharles a sus impresionantes ojos, salvo desear que no la escrutaran con expresión tan cínica.

No le había visto en su vida; estaba completamente segura de eso.

—¿Quién? —preguntó, clavando los ojos en él—. ¿Quién ha vuelto?

Su sonrisa no era especialmente desagradable; tan sólo ligeramente burlona, como si hubiese esperado que ella reaccionara así.

—¿No te acuerdas de mí, Carolyn? —murmuró él. Su tono de voz era grave, algo ronco, la voz de un fumador—. ¡Menudo chasco!

—No te conozco. —No quería conocerle. Le envolvía un aura de peligro que era ilógica a la par que inconfundible.

—Es Alex, Carolyn —dijo tía Sally con júbilo—. Mi hijo ha vuelto a casa.

Carolyn, incrédula, se quedó paralizada. Tendría que haberse sorprendido, pero en el fondo una parte de sí misma había adivinado quién era. Quién fingía ser.

Alexander MacDowell, el único hijo de Sally MacDowell, heredero de la mitad de su fortuna, había vuelto en el momento oportuno, casi veinte años después de su desaparición. Demasiado bonito para ser verdad.

—¿Acaso no piensas darme la bienvenida, Carolyn? —le preguntó tras un largo y tenso silencio—. ¿A mí, el hijo pródigo que ha vuelto al seno de su adorada familia?

Sentía la mirada inquieta de Sally, que era más fuerte que el brillo burlón de los ojos azules de ese hombre. Quería gritarle, pero se lo impidió su amor por Sally. Sally le había aceptado; Sally había sido engañada. Carolyn tendría que ser realmente cauta.

—Bienvenido a casa —dijo, forzando las palabras.

Sally se reclinó y sonrió, cerrando los ojos. Pero con esas palabras no logró engañar ni por un momento al hombre que se hacía llamar Alexander MacDowell.

—Creo que mi madre necesita dormir —opinó con suavidad—. Me temo que la desperté ayer noche al llegar, y la emoción le impidió conciliar el sueño.

—Ha estado muy enferma —añadió Carolyn, tratando de contener la rabia que sentía.

—Se está muriendo —dijo él rotundamente. La miró a los ojos—. ¿Por qué no nos tomamos un café y me cuentas todos los detalles? Seguro que Constanza nos preparará algo de comida.

—¿Cómo sabes que Constanza aún trabaja aquí?

—La vi ayer noche. Ruben y ella lloraron de emoción al verme —explicó él—. No pareces alegrarte mucho de que esté aquí, Carolyn. ¿Acaso he estropeado algo con mi inesperado regreso?

—En absoluto.

Entonces sonrió; una sonrisa fría que seguía siendo sorprendentemente sexy.

—¿Por qué no lo hablamos? Por mí no es necesario que te vistas. Veo que te has convertido en una mujer muy guapa.

Probablemente su intención era ponerla nerviosa, pero aunque no corriera sangre MacDowell por sus venas, había estado rodeada por ellos toda su vida. Levantó la cabeza con aires de suficiencia, dejando a un lado el hecho de que llevaba únicamente una camiseta roja, con la figura de un tigre en su parte frontal, que le llegaba hasta la mitad de sus largas y desnudas piernas.

—Estaré lista en cinco minutos —dijo con frialdad—. Me reuniré contigo en el *office*. —Esperó a que le contestara.

—He estado fuera durante casi veinte años, Carolyn. Por aquel entonces no había ningún *office*.

—Pregúntaselo a Constanza —replicó, dándole la espalda, resistiendo el impulso de estirarse la camiseta hasta las rodillas.

Esperó a llegar a su habitación para dejar aflorar su reacción. Cerró la puerta tras de sí, se apoyó contra ella, y un escalofrío recorrió todo su cuerpo al recordar los ojos observadores y burlones de aquel extraño.

Porque se trataba de un extraño; de eso estaba totalmente segura. Había pasado gran parte de su más tierna infancia cerca de Alexander MacDowell, sus cicatrices, tanto físicas como psíquicas, aún podían atestiguarlo. Y el hombre que estaba en la habitación de tía Sally no era más que un impostor y, dada la enorme cantidad de dinero que estaba en juego, también un criminal.

Antes de volver a salir de la habitación, se vistió apresuradamente, abriendo y cerrando cajones de golpe y apenas deteniéndose a pasarse un cepillo por el pelo. No se fiaba de lo que él pudiera hacer por la casa estando solo. No se fiaba de él lo más mínimo.

Rondaba los catorce años cuando vio por última vez al único hijo verdadero de Sally MacDowell. Alex había sido un monstruo desde la niñez, o al menos eso es lo que le habían dicho, y la adolescencia no le ayudó mucho. Era salvaje, peligroso, demasiado guapo para no ser un creído, y no había quien le controlara; ni siquiera el estirado de su tío Warren, que consideraba que tanto su sobrino como el resto de niños en general eran desagradables extraterrestres; ni su estricta madre, que vivía conforme a unas reglas, pero que se ablandaba al estar cara a cara con su amado hijo. Robó, mintió, actuó de forma inmoderada, y Ruben y Constanza siguieron encontrando cigarrillos y marihuana en su cuarto.

Ruben le encubría, pero Carolyn había oído lo que comentaban los mayores. Y todas las noches rezaba para que le mandaran fuera, a un colegio militar, a un reformatorio, a algún sitio donde lograran quitarle tantas tonterías de la cabeza y se aseguraran de no dejarle volver nunca para atormentar a esa joven que en realidad no era su hermana, y que jamás pertenecería del todo a la distinguida familia MacDowell. A esa joven que bebía los vientos por él absurda e irremediablemente sin que nada pudiera impedirlo, fuese lo horrible que fuese.

Al final no le mandaron fuera. Simplemente se fue, llevándose consigo todo el dinero que había en la casa, la hucha de la cocina, los ahorros de Constanza, el cerdito de Carolyn lleno de dinero, que la última vez que contó sumaba ochenta y tres dólares, y seis mil setecientos dólares. No tuvo tiempo de echar mano de la impresionante colección de joyas de su madre, pero con motivo de sus cumpleaños y Navidad, Carolyn, a sus precoces trece años, ya había recibido valiosas joyas de oro. También se las llevó en su huida.

Ni los mejores investigadores privados ni las fuerzas policiales más experimentadas fueron capaces de encontrar rastro alguno de él durante los siguientes años. Warren había investigado e informó a su hermana de que su hijo, definitivamente, había desaparecido, y la lucha que se desató entre ellos les mantuvo distanciados durante casi una década.

Y ahora la oveja negra había vuelto. O alguien que se hacía pasar por Alexander MacDowell. Y Carolyn no estaba segura de cuál de los dos sería más peligroso; si el verdadero Alex o su impostor.

Le encontró en el *office*, sus largas piernas estiradas sobre la silla de al lado, y una taza de café en una mano. La delicada taza de Limoges, que a tía Sally le gustaba tanto, parecía ridícula en su mano grande y fuerte. Observó que ésta estaba morena y que no llevaba anillos. El Alex que conocía los hubiera llevado. A través de la ventana contemplaba el paisaje invernal, con los ojos entornados porque la luz intensa le deslumbraba; y ella permaneció de pie junto a la puerta, concediéndose el dudoso beneficio de mirarle.

No tendría que haber habido razón alguna para que ese hombre no pudiera ser Alexander MacDowell. En su adolescencia Alex había tenido el pelo rubio claro, pero podría haberse oscurecido hasta convertirse en la masa desgreñada de mechones castaños del extraño. Sus facciones atractivas y juveniles, su petulante boca y sus ojos hipnóticos, ligeramente entornados, bien podrían haber desembocado en el hombre que estaba allí repantigado, completamente a sus anchas. Había un millón de razones por las que podía ser Alexander MacDowell, y sólo una que se lo impedía.

—¿Vas a quedarte ahí, como un buitre al acecho? —preguntó perezosamente, sin tomarse la molestia de volverse para mirarla. Su silueta se reflejaba en los ventanales; debió de verla en cuanto llegó.

—Eso podría decirse más de ti que de mí —respondió con bastante calma, entrando en la habitación y sirviéndose una taza de café. La taza de Limoges encajaba perfectamente en sus manos. Sus manos, de largos dedos, delicadas, elegantes. Manos aristocráticas, en marcado contraste con las manos del extraño.

Se giró y la miró.

—¿Piensas que soy un buitre?

—¿No son los buitres los que se ciernen sobre los moribundos, esperando a darse un banquete? —Estaba sentado en la silla que Carolyn utilizaba habitualmente. La mesa tenía capacidad para ocho comensales, pero de algún modo se las había arreglado para apropiarse de lo único que ella reclamaba para sí.

La miró sonriendo con lentitud y picardía.

—Nunca te he caído demasiado bien, ¿no es cierto, Carolyn?

Pretendía ser amable, pero Carolyn era inmune. Se sentó frente a él y dio un reconfortante sorbo de café negro.

—Alex nunca me cayó muy bien —dijo con cautela, aunque el auténtico Alex lo hubiera sabido con toda seguridad—. Respecto a ti, no sé muy bien qué pensar.

—¡Ah! ¿Crees que yo no soy Alexander MacDowell? Entonces, ¿qué he venido a hacer aquí? —Sus dudas no parecían inquietarle lo más mínimo.

—Sally MacDowell se está muriendo. Cuando eso ocurra dejará a sus herederos una sustanciosa cantidad de dinero. Alexander MacDowell desapareció hace más de dieciocho años, tiempo suficiente para darlo por muerto. Eso es precisamente lo que ha ansiado hacer Warren al menos durante los últimos diez años. Si no hubiese aparecido nadie afirmando ser Alex, habría mucho más dinero para heredar.

—¿Así que eres codiciosa? —preguntó él, al tiempo que vertía con abandono una cucharada de azúcar en el café.

—No especialmente. Yo no soy uno de los herederos. A mí me da igual que Alex esté vivo o muerto; al menos económicamente. —Se sentía orgullosa de su voz fría e insensible. Le había costado mucho perfeccionarla, llegar a ser una perfecta MacDowell; ella que en realidad nunca había sido una verdadera MacDowell.

—¿Me estás diciendo que mi madre no te dejará nada? Me cuesta creerlo, has formado parte de esta familia prácticamente desde que naciste.

—No legalmente —puntualizó—. Nunca fui adoptada.

—¿Ni siquiera después de que yo me fuera?

—¿Qué te hace pensar eso? —le rebatió con brusquedad—. ¿No tendrías tú nada que ver con el hecho de que no me adoptaran, verdad?

—Estás sobrestimando mi influencia —contestó—. Además, me gustaba tenerte como hermana pequeña. No me hubiera importado que lo legalizaran. Todavía no has respondido a mi pregunta. ¿Estás intentando decirme que mi madre no te ha dejado nada en su testamento?

—¿Por qué te preocupa tanto su testamento? ¿Cómo sabes que aún figuras en él?

—Me lo has dicho tú misma, Carolyn —dijo con amabilidad—. Además, mi madre se alegró tanto de verme ayer noche que me lo contó todo, incluso lo que agradecía no haberlo cambiado cediendo a las presiones. Así que, ¿cuánto te ha dejado?

Se lo quedó mirando con profunda aversión.

—Puede que Alex tuviera muchos defectos —dijo ella—, pero no fue nunca un grosero.

Él se rió; su risa era suave y burlona y le crispaba los nervios.

—Has pasado demasiado tiempo cerca de Sally. Te sale a la perfección ese tono gélido. ¿Has tenido que practicarlo o ha sido simplemente por osmosis? —Obviamente no esperaba respuesta alguna. Puso los pies en el suelo y cogió la cafetera, llenando su delicada taza floreada y sirviéndose una cantidad de azúcar indecente. El verdadero Alex siempre había tenido debilidad por los dulces—. Los últimos dieciocho años de mi vida han sido muy duros. Tendrás que disculparme si mis modales están un poco oxidados.

—No lo dudo —dijo ella con frialdad—, pero tú no eres Alexander MacDowell.

—Debe de ser agradable estar tan segura de ti misma. —Se sirvió también leche, dejando el café de color beige claro. Levantó la vista y la miró; ella esperaba un arrebato de ira en sus ojos. En cambio sonrió—. ¿Vas a ser la más difícil de convencer? Mi madre, Constanza y Ruben me han recibido con los brazos abiertos. Todos deseaban que volviera.

—Todos menos yo.

Volvió a mirarla.

—¿Por qué no querías que volviera?

—Lo que no quiero es que un impostor se meta en la familia y les estafe.

—¿Y si soy el verdadero Alex?

—No quisiera que a Sally se le partiera el corazón. No le queda mucho tiempo y me gustaría que lo viviera en paz. Ya había aprendido a vivir sin su hijo. Lloró su ausencia y luego siguió adelante con su vida.

—La paz es un bien al que se concede demasiado valor —murmuró—. Creo que Sally preferiría varias semanas de alegría que varios meses de agonía.

—No te corresponde a ti decidirlo —dijo enardecida.

—A ti tampoco.

Punto muerto. La mirada de Carolyn cruzó la mesa y se clavó en él, sin esforzarse en disimular su antipatía.

—Supongo que tendrás alguna prueba.

—Supón lo que te dé la gana —le replicó con indiferencia.

—Warren y Patsy no te aceptarán sólo por tu cara bonita. Exigirán respuestas, alguna prueba física. Hay huellas dactilares, muestras dentales…

—A Alex MacDowell no se le tomaron nunca las huellas dactilares, ni siquiera cuando le pillaron con una bolsa de marihuana a los catorce años. Su familia tenía demasiado poder. Vete a saber si hay pruebas dentales, pero como no me hicieron ningún empaste antes de los veintitrés años, dudo que te sirvan de mucha ayuda.

—Veo que no has dejado nada al azar —dijo ella, sin ocultar la amargura que había en su voz.

—Míralo de esta forma: en el peor de los casos haré muy feliz a una anciana, y en esta maldita familia hay dinero más que suficiente para repartir. No echarán de menos mi parte.

—¿Estás admitiendo que no eres Alexander MacDowell?

Se puso de pie con la misma elegancia con que el joven Alex lo hubiera hecho, y movió la mesa. Ella no se asustó ni se movió. Solamente estrechó con fuerza la delicada taza entre sus manos y siguió sentada, mirándole.

Él apoyó las manos en el mantel de lino a la altura de Carolyn y se inclinó sobre ella. Demasiado cerca. Se descubrió a sí misma conteniendo la respiración; no estaba dispuesta a respirar el mismo aire que Alex.

—¿Por qué me tienes miedo, Carolyn?

Estaba demasiado cerca. Podía ver los mechones dorados de su pelo castaño, las vetas de color verde de sus ojos azules. Tan cerca que hasta olía el café en su aliento, la nieve derretida, el suave aroma del champú. Le miró a los ojos, y por un momento pensó en Alex tiempo atrás, mucho tiempo atrás.

—Yo no te tengo miedo —respondió ella.

—¿Tienes miedo de que vuelva a quitarte el sitio? ¿De que Sally me quiera más que a ti? ¿De ser de nuevo excluida?

Soltó la taza, consciente de que en cualquier otro momento habría destrozado la frágil porcelana entre sus manos. Se reclinó sobre el respaldo, apartándose de él, y curvó sus labios sonriendo de esa manera fría e insensible que había perfeccionado hacía ya años.

—Aparte del bienestar de Sally —manifestó Carolyn—, no hay nada más que me preocupe.

—De pequeña no eras tan angelical —dijo él—. Recuerdo que te pasabas el día gimoteando y tratando de seguirme. ¿Cuándo decidiste tomar carrera para convertirte en la próxima Madre Teresa?

—¡Déjame en paz! —No pudo evitarlo; las palabras brotaron de sus labios con rabia y firmeza.

Eso era lo que él quería. Su sonrisa se hizo más amplia; ella tuvo ganas de pegarle. Carolyn puso las manos en su regazo y mantuvo la espalda erguida mientras él se alejaba.

—Te han entrenado bien, Carolyn —murmuró—. Han hecho contigo lo que nunca pudieron hacer conmigo.

—¿El qué?

—Te han convertido en uno de ellos. Te han sorbido el seso y el alma. —Sacudió la cabeza—. ¡Qué lástima no haberte llevado conmigo cuando huí!

—Has olvidado algunos detalles que deberías recordar. Por aquel entonces yo sólo tenía trece años.

—Es cierto —dijo él en voz baja—. Lo que no significa que no supieras besar.

Carolyn notó que perdía el color de la cara. Era imposible que lo supiera. Nadie podía saberlo.

—¿A qué... a qué te refieres?

Él se dirigió hacia la puerta abovedada.

—Será mejor que vaya a ver cómo está mi madre. La he echado de menos más de lo que me imaginaba.

—No has contestado a mi pregunta. —Carolyn se puso de pie y apoyó las manos sobre la mesa para que él no viera que estaba temblando.

—No, no lo he hecho. —Sonrió con dulzura—. Tendrías que llamar a Warren y Patsy y decirles que vinieran. Tal vez se les dé mejor que a ti desenmascarar al impostor.

Y se fue antes de que ella pudiese pronunciar palabra.

Escondido que el miedo [illegible] se hizo [illegible] tuvo ganas de [illegible]. Carolyn [illegible] las manos en su [illegible] y mantuvo la espalda erguida mientras él se alejaba.

— [illegible] —murmuró—. [illegible] que me [illegible]

— Claro.

— Es una [illegible] de ella. [illegible] y [illegible] —sacudió la cabeza—. ¿Qué [illegible]

[illegible] algunos detalles que deberías [illegible] aquel [illegible]

— Es cierto [illegible] — lo que [illegible] que no [illegible] bien.

Carolyn [illegible] la [illegible]. Nadie podía saberlo.

— ¿A qué [illegible]?

Él se [illegible] hacia la [illegible] ventana.

— Será mejor que [illegible]. La [illegible] de [illegible] más de lo que me [illegible]

[illegible] de pie y [illegible] sobre la [illegible] temblando.

— [illegible] hecho [illegible]

[illegible] antes de que ella pudiese [illegible] palabra.

2

—¿Qué demonios pasa aquí? —Warren MacDowell entró vociferando en la pequeña biblioteca, decorada a la perfección, y procedió a intimidar a Carolyn.

Con aparente tranquilidad ésta cerró el talonario de tapas de cuero. El temperamento arrogante y bombástico de Warren tenía la virtud de alterar siempre su estado de ánimo, pero hacía años que había aprendido a disimularlo. Warren era el tipo de hombre que se crecía en las debilidades ajenas, y Carolyn disponía del suficiente sentido común para no mostrar las suyas más de lo necesario.

—Te he llamado —dijo ella, mirándole—, pero ya habías salido.

—Me ha llamado Sally en plena maldita noche —dijo Warren bruscamente, incluso de peor humor que de costumbre—, para contarme no sé qué ridícula historia sobre la reaparición de Alexander. ¿Dónde está?

—No le he visto desde esta mañana. He estado aquí trabajando.

—Debe haberle pillado una tormenta de nieve de camino a casa. Yo he tardado una eternidad en llegar. Así pues, ¿qué opinas?

Warren no era un hombre que se interesara normalmente por la opinión de otros, en especial por la suya.

—¿Qué opino de qué?

—¡No seas obtusa! ¿Qué opinas del hijo pródigo? ¿Es él realmente?

—¿Y quién iba a ser sino? —dijo Carolyn con precaución.

—Un impostor. Todos supusimos que Alex estaba muerto, que había muerto hacía años. Hay mucho dinero en juego; cualquiera podría intentar quedárselo. ¿Le has hecho alguna pregunta? ¿Le has pedido alguna prueba?

—No me considero la más adecuada para hacerlo. Tía Sally le cree, y está más feliz de lo que ha estado en años. No voy a ser yo quien le diga ahora que se trata de un impostor.

—Pero piensas que lo es —afirmó Warren con astucia.

Carolyn le miró. Warren, de casi setenta años, era un hombre atractivo, claro que los MacDowell no habían sido bendecidos únicamente con un tremendo encanto físico sino además con dinero. Era un soltero de oro más preocupado por su apariencia y sus posesiones que por cualquier otra cosa. Iba vestido, cómo no, con un traje gris de Armani y a pesar de ser ya un poco mayor para llevarlo, su aspecto seguía siendo elegante e intachable.

Nunca había sido un hombre que fomentara la intimidad y ella no estaba de humor para confiarle sus dudas.

—No lo sé —respondió Carolyn, mintiendo.

Warren sacudió la cabeza.

—Tendré que ver al chico, hacerle un par de preguntas capciosas…

—Ya no es un chico.

Warren encogió sus hombros estrechos y pulcros.

—¿Dónde está? ¿Dónde puedo encontrar a la oveja negra?

—Probablemente estará con Sally. Ha ido a su habitación después de desayunar.

—¡Qué escena tan bucólica! Sally es una mujer inteligente. Detectará con facilidad a un impostor. La verdad no tardará mucho en salir a la luz.

—No —repitió Carolyn—, no tardará. —Pero algo le decía que no iba a ser tan sencillo.

—Bueno —dijo Warren, cada vez más impaciente—, ¿vienes conmigo?

El día se iba volviendo más y más raro. Warren normalmente la trataba a caballo entre alguien con quien no se llevara bien y una criada de cierto rango, lo que de hecho describía bastante bien su posición en la familia MacDowell. En el pasado no había requerido nunca su opinión o su compañía, había aceptado su presencia sin más.

Ella se levantó.

—Si quieres, sí.

—Conocías a Alex tan bien como cualquiera. Por así decirlo, creciste con él. Tal vez adviertas algo sospechoso en su historia.

La idea no resultaba muy tentadora. El hombre que estaba con tía Sally era un mentiroso y un farsante, sin embargo Carolyn no tenía precisamente ganas de ser portadora de malas noticias. La tarea de desenmascararlo no era cosa suya sino de otro. Lo más importante era proteger a tía Sally ahora que su débil estado de salud le impedía protegerse a sí misma. La verdad y el dinero eran cuestiones secundarias.

Pero Warren estaba de pie junto a la puerta, prácticamente subiéndose por las paredes de impaciencia, y no era el mejor momento de hacerle frente. Ese momento llegaría con la inminente muerte de tía Sally, pero aún había que esperar.

La habitación de Sally estaba bañada de suaves sombras. Esta vez Carolyn no sacó precipitadas conclusiones macabras al verla dormitando tranquilamente en la cama de hospital que había sido instalada meses atrás. Esta vez no echó de menos la silueta tumbada sobre el diván victoriano de terciopelo verde pálido, leyendo reposadamente.

Warren se aclaró la garganta con imponente majestuosidad, y tía Sally se despertó de golpe. El hombre que se hacía pasar por Alex no se movió, se limitó a levantar la cabeza para mirarles con absoluta indiferencia.

—Warren. —No era de extrañar que tía Sally sonara más resignada que entusiasta. Sentía cierto cariño por su hermano menor, pero no mucho más—. Tu sobrino ha vuelto.

—Eso parece —dijo Warren en tono deliberadamente poco efusivo, aunque de todas formas nunca había sido un hombre dado a exteriorizar sus emociones—. Bienvenido a casa, Alex.

—Tío Warren. —¿Había una pizca de malicia en sus ojos al mirar a su tío? Claro está que el verdadero Alex siempre había tratado al arrogante de su tío con irónico menosprecio.

—¿Por qué no vamos al salón para no molestar a Sally? Como te puedes imaginar, quisiera que me respondieras a un sinfín de preguntas… —explicó Warren con suavidad.

—¡No! —La voz de tía Sally era sorprendentemente fuerte.

—No seas ridícula, Sally —protestó Warren—. Sólo quiero hacerle un par de preguntas al chico, concertar un par de pruebas médicas… Pura formalidad, por supuesto, pero es conveniente que seamos cautos. Después de todo han pasado dieciocho años, y aunque debo admitir que hay un ligero parecido, deberíamos tener algún tipo de prueba. Papeles, respuestas…

—¡No! —exclamó Sally de nuevo, más calmada—. No dejaré que le examines de arriba abajo. ¿Acaso crees que no conozco a mi propio hijo? Podrían haber pasado cincuenta años y le seguiría reconociendo, sino con los ojos, con el corazón.

—Tus ojos no ven nada bien —le interrumpió Warren bruscamente—. Y dudo que tus abogados acepten esto sin ningún tipo de prueba.

—¡Que se jodan los abogados! —exclamó Alex en voz baja.

Tras la sorpresa inicial, Sally se rió.

—Eso es, Warren —dijo con un hilo de voz—. Ya has oído a mi hijo. Que se jodan los abogados.

—¡Sally! —Warren protestó, visiblemente alarmado, pero Sally le ignoró.

—Ven aquí, Carolyn —ordenó con el autoritario encanto que la caracterizaba—. Hoy casi no te he visto.

—Pensé que tal vez te apetecería estar un rato a solas con Alex. —Ni por un instante dudó, algo de lo que se sentía orgullosa, que Sally se creería la mentira con tanta facilidad.

Como recompensa obtuvo la brillante sonrisa de Sally.

—Hoy cenaremos todos juntos, los cuatro. Ahora mismo me siento asombrosamente fuerte, lista para comerme el mundo. ¿Por qué no acompañas a Alex a su habitación y te aseguras de que no le falte de nada? Desde que llegó anoche no ha tenido ni un momento para ocuparse de sus cosas.

—¿En qué habitación le instalo? —preguntó Carolyn, aunque ya lo había deducido.

—Dónde va a ser, Carolyn, en su antigua habitación, la que le ha estado esperando durante todos estos años. —Volvió su cabeza hacia el impostor—. La redecoré cuando amplié la casa, pero creo que te gustará igualmente. Si quieres cambiar algo, díselo a Carolyn y ella se encargará de todo.

Carolyn sintió que él la miraba; era una sensación desagradable.

—Además de ocuparse de cualquier cambio, ¿a qué se dedica Carolyn ahora? —Su madre no percibía el tono burlón de su voz. A Carolyn no se le pasó por alto. Y no pudo evitar enfadarse.

—Se ocupa de mí —respondió Sally—. Se ha portado de maravilla, Alex. Insistió en dejar su trabajo para cuidar de mí cuando volví a enfermar de cáncer. No podría haber tenido una hija mejor.

Los párpados del impostor se cerraron sobre sus ojos, atónitos.

—Me imagino que no —afirmó. Carolyn sabía lo que él estaba pensando, aunque no lo dijera. Pensaba que había vuelto por dinero; que había dejado su piso de Boston y su carrera como asistenta social escolar y que había vuelto para cuidar a una anciana moribunda en sus últimos días de vida; a una anciana moribunda muy rica.

A fin de cuentas, por eso había venido él, ¿verdad? Y era una pérdida de tiempo insistir en que ella no tenía nada que ganar salvo la tranquilidad de conciencia.

—Eres muy generosa —dijo él. Y por alguna razón Carolyn se acordó de repente del auténtico Alex, de su voz cargada de insinuación sexual.

Después se recordó a sí misma que todo aquello no tenía nada de sexual. Era sólo un farsante, dispuesto a robarle la fortuna a una anciana, y lo único que les unía era su querida familia. Pero los MacDowell nunca habían sido muy cariñosos y sin embargo ahora Warren contemplaba al intruso con sorprendente aceptación.

—Adelante, pues, vete a instalarte —concedió Warren abiertamente—. Hablaremos más tarde. Estoy seguro de que Carolyn te atenderá mejor que nadie. —Se mostró dubitativo—. Me alegro de verte, muchacho.

Sally levantó su mano deformada por el dolor y dio una palmadita de aprobación a Warren.

—Se está bien en casa —dijo Alexander MacDowell. Y Carolyn debió de imaginarse el tono ligeramente burlón de su voz grave y ronca.

Podía sentir su mirada clavada en la espalda mientras le conducía al piso superior por la amplia escalera principal. Por suerte ya se las había arreglado para despejar toda su ropa y sus pertenencias de su cuarto prestado. Si el impostor se enteraba de que ella había estado durmiendo allí, lo utilizaría como un arma más.

Entró antes que él para dar un último vistazo y verificar que no quedaba huella alguna de su apropiación temporal. Alex se detuvo junto a la puerta, examinando la habitación con ojo crítico.

—Mi madre no esperaba que volviera —comentó.

Carolyn se quedó en el centro de la habitación, mirándole.

—Alex desapareció hace más de dieciocho años, y en todo este tiempo no ha habido ni una llamada, ni un indicio de que al menos estaba aún con vida. Tía Sally es una mujer realista; hace años que aceptó lo que era evidente.

De nuevo su boca dibujó una ligera y extraña sonrisa.

—¿Y no te alegras por ella? —preguntó con suavidad.

Carolyn permaneció callada, ignorando la inconfundible burla.

—La cama es nueva y todo es muy acogedor...

—¿Quién ha utilizado la habitación mientras yo estaba fuera?

—Nadie en especial —contestó, contenta de poder ser totalmente honesta—. Sólo algún que otro invitado.

—¿Por qué está repleta de telas estampadas de flores? Éste no es el estilo de tía Patsy. Esta madera es muy sencilla. A Patsy le gustan las cosas lujosas y recargadas.

Trató de ocultar lo asombrada que estaba. Alex había hecho sus deberes, eso saltaba a la vista. Conocía al dedillo a la consentida de tía Patsy.

—Si te parece demasiado femenino puedo ir a comprar algunos grabados con escenas de caza —propuso ella con voz ligeramente mordaz—. Un par de animales muertos le darían un aspecto un poco más masculino.

—¿Usabas tú este cuarto?

En esta ocasión no pudo ocultar su reacción. Saltaba a la vista que estaba muy bien informado; un impostor necesita estarlo. También tenía que ser observador, y probablemente a ella le había delatado la inevitable tirantez de su boca.

—Estuve viviendo en Boston hasta que Sally empeoró —explicó, sin dar una respuesta clara. Si al verdadero Alexander MacDowell no le debía nada en absoluto, menos le debía aún a su imitador. Constanza había eliminado de allí cualquier rastro de su presencia, y ella había vuelto a la pequeña habitación del primer piso, donde había estado casi toda su vida—. Saliendo a la izquierda hay un cuarto de baño nuevo con el que tendrás más que suficiente —añadió enérgicamente—. Le diré a Ruben que suba tus maletas...

—Puedo hacerlo yo.

El impostor estaba de pie entre la puerta y ella, de modo que no tenía más remedio que mirarle directamente a los ojos.

Hubiera podido ser Alex. Tenía sus mismos ojos claros, de un azul casi luminoso, y levemente rasgados que le conferían un aspecto eslavo, y su atractiva y adusta cara de adolescente podría haberse transformado en ese cuerpo marcadamente elegante, en esos fuertes pómulos y en esa boca exuberante, sensual. Hubiera podido ser Alex, salvo por una cosa.

Alex estaba muerto.

Él se movió, y ella suspiró levemente, aliviada. No quería pasar demasiado cerca de él al salir de la habitación.

Pero no se apartó del todo. Se movió acercándose a Carolyn. Ella permaneció inmóvil porque tiempo atrás había aprendido a no exteriorizar el miedo; sin embargo, en esta ocasión le estaba suponiendo un esfuerzo no hacerlo. Era alto. Lo suficientemente alto para que se sintiera un poco intimidada. Alex nunca había sido tan alto y cuando desapareció ya tenía diecisiete años. A esa edad se supone que uno ha crecido todo lo que tiene que crecer, ¿no es cierto?

—Así que te he robado la habitación —dijo con su voz suave y ronca—. Y te he quitado el sitio como cuidadora oficial de tía Sally. No me extraña que no me recibas con los brazos abiertos.

—No es mi estilo recibir con los brazos abiertos ni en el mejor de los casos —repuso ella.

—Apuesto a que no —murmuró él—. Aunque debo admitir que es una pena. ¿Vas a ayudar a tío Warren a demostrar que soy un impostor?

—Eso será si lo eres.

—¿Y tú qué piensas, Carolyn? —Estaba demasiado cerca de ella. Le recordaba misteriosamente al verdadero Alex, cosa que la alteraba y la confundía. Le hacía dudar de la verdad de la que nunca había estado del todo segura.

No era de extrañar que ejerciera una poderosa influencia sobre ella. Sólo alguien que pudiese hacerse pasar con éxito por el auténtico Alex intentaría llevar a cabo tal pantomima, y el impostor conocía todos los trucos. Todos los pequeños y sensuales hábitos que Alex había tenido, para hacerla sentir vulnerable, para hacerla sentir una extraña, una especie de anhelo despreciable.

Carolyn le miró con frialdad, desafiándole.

—Pienso que si haces daño a tía Sally, desearás no haberlo intentado nunca.

—¿No haber intentado ¿qué? —Su voz era suave, provocadora—. ¿Qué me harás?

Pero Carolyn no estaba dispuesta a seguirle el juego, por más que la aguijoneara. No estaba preparada para declararle su enemistad sin reservas, aunque él ya la hubiera detectado.

—Creo que estarás muy cómodo aquí —afirmó ella, dando un pequeño paso hacia atrás y esquivándole en lo que esperaba que fuera un educado acto fortuito.

—Sí, seguro que sí —replicó Alex en voz baja. La estaba dejando escapar deliberadamente y ella lo sabía, pero no le importaba; de pronto huir de él era muy importante—. Si en algún momento notas que echas de menos tu antigua habitación, no dudes en venir a visitarla —añadió.

—Estaré bien —dijo ella.

—La cama es grande. No tengo inconveniente en compartirla.

Carolyn dio un respingo; se había pasado de la raya.

—Eso será cuando el infierno se hiele.

Él contempló el paisaje invernal.

—Ya se ha helado, Carolyn.

El hombre que se hacía llamar Alexander MacDowell se permitió una leve sonrisa pícara cuando la puerta se cerró de un portazo detrás de Carolyn. Había intentado obtener una reacción sincera de Carolyn desde que ésta había entrado corriendo en la habitación de tía Sally, pero se había controlado de forma impresionante y molesta, reacia a dejar aflorar su feroz incredulidad y desaprobación por más que la presionara.

Se preguntaba por qué. Probablemente tendría algo que ver el hecho de que tuviera cariño a la mujer que le había proporcionado un hogar y una familia. A pesar de ser una mujer aparentemente tranquila y de estar ligeramente reprimida, estaba claro que Carolyn Smith sentía gran cariño y lealtad por Sally MacDowell. Tal vez su única debilidad.

Él sabía de ella más de lo que ella misma se podría imaginar jamás. Sabía dónde había trabajado, conocía a sus amigos, incluso había visto su piso próximo a Beacon Hill. Sabía cómo se llamaban todos los hombres con quienes se había acostado. Teniendo en cuenta que esa lista tenía un total de tres nombres, no había sido una hazaña difícil, suponiendo que sus fuentes fueran fidedignas. Hasta ahora lo habían sido, pero estaba preparado para cualquier cosa.

Los ojos azules de Carolyn le miraron con impasible antipatía, cosa que le molestaba a la vez que le excitaba. Necesitaba de un aliado en esta vieja y laberíntica casa. Necesitaba poder contar con alguien, alguien a quien pudiera utilizar. Carolyn Smith era, evidentemente, la candidata perfecta.

No iba a ser un trabajo fácil convencerla, pero lo cierto fue que algunos hechos, reveladores de por sí, vinieron rodados. Si conseguía que la fría y protectora Carolyn le creyese, nadie se atrevería ya a dudar de él.

No había respondido como él hubiese querido a sus ingeniosos intentos de conquista. Carolyn tenía algunos asuntos pendientes con el adolescente Alex MacDowell, probablemente relacionados con sus deseos de juventud. Alex MacDowell había sido un gamberro por excelencia, con un dominio asombroso para armar follones para lo joven que era. Y muy pocas mujeres, especialmente las adolescentes impresionables, habían podido resistirse a una oveja negra tan terriblemente encantadora. Había estado enamorada del joven Alex y la familia MacDowell lo sabía.

El hombre que había llegado a la finca de los MacDowell en el sur de Vermont también podía crear cierto revuelo. Y tenía toda la intención de hacerlo. Podía ser extraordinariamente cautivador, y pretendía que Carolyn acabara por encontrarle completamente irresistible. Demasiadas cosas dependían de que él consiguiera ganarse su confianza. Teniendo a Carolyn de su parte, nadie osaría cuestionarle.

A la anciana no le quedaba mucho tiempo de vida; lo había admitido con serenidad. Había visto morir a suficiente gente como para saber cuándo alguien estaba viviendo un tiempo prestado. En verano Sally MacDowell estaría muerta; sus millones y millones de dólares no podían hacer absolutamente nada para detener el inexorable avance del cáncer.

Durante ese tiempo se las arreglaría sin ninguna dificultad. Estaba acostumbrado a manipular a la gente, a lograr que ésta acabara haciendo lo que él quería. Se le daba bien hacerlo. Sally moriría en paz, con su hijo pródigo junto a ella; Carolyn vería realizadas sus fantasías románticas adolescentes en la cama que, contra su voluntad, había abandonado. Y al marcharse, tendría respuesta a todas sus preguntas. Podría volver a ser simplemente Sam Kinkaid, un solitario encantado de serlo.

Probablemente lo más seguro habría sido mantenerse alejado de Carolyn. Era una mujer inteligente; lo sabía más por lo que le decían sus claros ojos azules que por la cantidad de información que se le había proporcionado. Era lo de menos que se hubiera licenciado en Bennington con distinción honorífica; bastaba con que le mirara con esa expresión alerta y fulminante para que él tuviera la sensatez de no hostigarla.

Se le había preparado cuidadosamente para lidiar con todas las personas que había encontrado en la mansión de Vermont, pero quien le había informado se había equivocado describiendo a Carolyn. Bajo la ropa conservadora, el pelo hábilmente rizado, y los modales discretos y aparentemente tímidos, se ocultaba algo inesperado. Algo feroz y ardiente, reprimido con esmero.

Llegó a la familia MacDowell como hija adoptada cuando tenía tres años, y veintiocho años más tarde, después de que todos los demás se hubieran ido, volvía a estar al lado de Sally. ¿Qué le había hecho volver junto a Sally MacDowell? ¿El dinero? ¿La lealtad? ¿La codicia?

Alex tenía un gran respeto por la codicia. Era un estímulo poderoso que podía jugar a su favor.

Sabía por qué Sally la quería, por qué los MacDowell la veían con buenos ojos. Era básicamente una compañía gratuita, leal, incondicional, capaz de hacer cualquier cosa por su familia adoptiva.

Y contaba con aquello que los MacDowell consideraban de vital importancia.

Era guapa.

Es extraño el valor que concedía a la belleza la familia MacDowell en el sentido más amplio. Para empezar, habían sido bendecidos con unos genes extraordinarios y una salud abundante; y se habían reproducido de forma admirable. No había un miembro de la familia MacDowell que fuera feo: incluso en su lecho de muerte, el aspecto de Sally era sublime, su piel, pálida y fina como la seda, y sus ojos, preciosos.

Carolyn había sido el complemento perfecto para los gloriosos MacDowell. Los álbumes de fotos describían su evolución desde una infancia seria y sensible hasta una adolescencia juguetona. Ahora parecía estar contenida, como quien ve un gran cuadro mal iluminado, descolorido y borroso. Su ropa era clásica, insulsa, y a pesar de pegarse a su cuerpo y entallarlo, lograba esconderlo.

Él se acercó a la ventana y miró fijamente el paisaje cubierto de nieve. No estaba en Vermont desde hacía años; había olvidado cómo era la nieve en los últimos días de primavera. No podía haber programado mejor su reaparición: el tiempo, agitado, coincidía con el efecto perturbador del regreso del hijo pródigo.

Era un hombre que estaba más alerta que la mayoría. Oyó unos pasos en el pasillo que llevaba hasta su habitación y supo de inmediato de quién eran. Los pasos de Ruben eran silenciosos y discretos; los de Constanza, enérgicos. Y era imposible que Carolyn volviera a esta habitación sin un motivo de peso.

Alex se estiró en la cama, clavando la vista en el techo de vigas. Era una cama cómoda, lo suficientemente grande para que cupiese su cuerpo y aún sobrara espacio. Cuando llamaron a la puerta no se movió.

—Adelante, Warren —dijo con indiferencia, contemplando las grietas de las viejas vigas.

3

—Lamento molestarte, jovencito —dijo Warren con altivez, entrando en la habitación y mirándole con desaprobación—, pero pensé que podríamos aprovechar esta oportunidad para aclarar algunas cosas.

Alexander echó un vistazo a la puerta, completamente cerrada.

—Corta el rollo, Warren —le espetó con displicencia—. Esto no es *Misión Imposible*. La habitación no tiene micrófonos ocultos; nadie nos está escuchando.

La animadversión que Warren sentía por él, mudó su elegante rostro.

—Nunca se es demasiado prudente. —Alex esperaba que Warren hubiera hablado con desdén.

—La única que duda de mí es Carolyn, y ya me he asegurado de que se mantenga alejada, al menos de momento.

—Ya te dije que sería la más difícil de convencer —dijo Warren—. Es tímida pero lista. Y estaba más unida que yo al auténtico Alexander MacDowell.

El hombre que estaba tumbado en la cama sonrió con dejadez.

—No me preocupa. Creo que al irse el hijo de Sally, estaba medio enamorada de él. El sentimiento no tardará mucho en reavivarse.

—¡No seas ridículo! —protestó Warren—. Tenía sólo trece años. Puede que le gustara pero no debía de ser nada serio. Era demasiado joven para interesarse por los chicos.

—Por lo que me has dicho, Alex MacDowell no era un chico cualquiera. Y no subestimes los impulsos hormonales de la pubertad. Es probable que ella le deseara.

—¡Qué asco! —exclamó Warren, esta vez con desdén.

—¿Acaso crees que no puedo hacerlo? —preguntó Alex con tranquilidad.

—No, confío plenamente en tus aptitudes —murmuró Warren—. Espero que acabes convenciendo a todo el mundo de que eres Alexander MacDowell. Es sólo que creo que te será más fácil engañar a Carolyn que seducirla. Me da la impresión de que no está muy interesada en el sexo contrario.

Había un ligero tono de orgullo en la voz de Warren, y Alex creía saber el motivo. Para un hombre como Warren MacDowell la indiferencia sexual era una cuestión de poder. Un poder que Alex no tenía intención de cultivar, por lo menos en esta vida.

—Eso ya lo veremos —comentó Alex—. Si consigo que confíe en mí lo suficiente como para acostarse conmigo, no tendremos absolutamente ningún problema. A no ser que Patsy decida ponérnoslo difícil.

—Deja que me ocupe yo de mi hermana pequeña —sugirió Warren—. Sé cómo tratarla. No pierde el tiempo pensando en aquello que no le interesa. Los temas familiares no le atraen demasiado. Ella va a lo suyo.

—Pero mi repentino regreso, ¿no alterará sus planes?

—Sé cómo manejarla —repitió Warren—. Ha estado casada varias veces, tres para ser exactos, y confía en mí. En realidad estamos bastante unidos. Si yo te acepto, ella también lo hará.

—¿Y sus hijos?

—Puede que ellos no sean tan fáciles —concedió Warren—. Pero está claro que nunca me hubiera involucrado en esta farsa si no pensara que eres capaz de salir airoso de ella. Una vez hayas conseguido convencer a Carolyn, los demás no pasarán de ser un problema relativamente pequeño si te andas con cuidado.

Alexander le miró con recelo. No se hacía ilusiones respecto a su compañero de complot. De todos los célebres MacDowell, Warren, además de ser quien tenía el sentido del interés propio más acusado, tenía una provechosa falta de moralidad. Cuando se le ocurrió por primera vez la alocada idea de hacerse pasar por el desaparecido heredero, pensó en Warren como el mejor candidato para ser su cómplice.

Antes de dirigirse a Warren había considerado otras posibilidades, que descartó rápidamente. Constanza y Ruben eran leales en exceso, Patsy estaba demasiado ocupada con su eterna búsqueda de placer para hacer un esfuerzo en asegurarse de que podría continuar costeándoselo.

Y Carolyn Smith. Ella hubiera sido su primera opción. Tras años de independencia estaba viviendo con Sally MacDowell, cuidándola en la recta final de su enfermedad. Sabía más cosas que nadie de la familia MacDowell; con su ayuda los demás no se atreverían a enfrentarse a él.

Pero en lugar de ello un sexto sentido le condujo directamente a Warren, y ahora contaba con su habitual buena suerte. Carolyn nunca hubiera tolerado tal engaño; obviamente adolecía de un fuerte sentido de la moral.

—¿Crees que Sally sospecha algo? —preguntó Warren al cabo de un momento.

—En absoluto. Necesita creer en mí. Se está muriendo y no quiere dejar esta vida sin encontrar de nuevo a su hijo.

—Sólo asegúrate que no empiece a acceder a pruebas de ADN y cosas por el estilo. Tenemos ciertos límites y yo no puedo sobornar a todo el mundo.

—No te preocupes, no accederá —manifestó Alex tranquilo y seguro.

Warren le miró fijamente durante largo rato, luego asintió con la cabeza, satisfecho.

—Debo reconocer que hasta ahora todo ha salido a las mil maravillas. Los próximos días serán la prueba de fuego.

—Los próximos días serán fáciles —murmuró Alex—, si tú haces tu parte.

—Yo soy quien más tiene que perder aquí —anunció Warren malhumorado.

—Lo dudo. Si alguien me descubre, te limitarás a insistir en que has sido engañado como todos los demás. Me apuesto lo que sea a que no hay ni la más mínima prueba que me relacione contigo. ¿No es cierto?

—¿Crees que no confío en ti?

—Creo que, al igual que yo, no confías en nadie. —Alex se incorporó y se volvió para verle—. No te preocupes, Warren. No me descubrirán. Si lo hacen, cúbrete las espaldas y no te preocupes por mí; soy un experto capeando temporales.

—¿Debo pensar que no me traicionarás?

—Si no lo piensas, ¿por qué te has metido en esto? —replicó Alex con suavidad.

—Porque tienes el mismo aspecto siniestro que él —respondió Warren al momento.

—Y porque llamé a tu puerta ofreciéndote la posibilidad de sacar tajada de toda esa cantidad de dinero —añadió Alex sin rodeos—. No lo olvides.

—Mi hermana se está muriendo —dijo Warren—. Morirá feliz si cree que su hijo ha vuelto…

—Te importa un comino que tu hermana muera feliz o no. Lo único que te importa es que al morir su herencia no esté inmovilizada tras tantos años intentando demostrar que el verdadero Alexander MacDowell está muerto.

—¿Y si no está muerto? —preguntó Warren repentinamente—. ¿Y si el auténtico Alexander aparece de pronto?

—Está muerto, Warren —susurró Alex con frialdad—. Créeme, no volverá.

Es probable que a lo largo de su vida Carolyn hubiera estado en cenas mucho peores, pero en ese momento se sentía demasiado abatida para recordarlas. En la habitación de Sally se había dispuesto una mesa junto a la ventana que daba a la bahía, y Sally logró incluso sentarse en la silla de ruedas; la felicidad coloreaba sus pálidas mejillas. Alex se sentó junto a ella, encantador y solícito, y Warren se mostró sorprendentemente hablador. Carolyn se sentó frente al intruso, tranquila, hablando con recato, comiendo aún menos, y escuchando al embustero hilar su telaraña.

No es que él le recordara a una araña, pensó objetivamente. Su físico era demasiado bello y glorioso, con sus rasgados ojos de un azul verdoso, su pelo aclarado por el sol, su piel tostada estirada sobre sus pómulos. Tenía el mismo aspecto ligeramente eslavo que el auténtico Alexander, cosa que era un punto a su favor.

Era su boca lo que la fascinaba. La boca de un sátiro, un cínico, voluptuosa, total y completamente sexual. Sonrió y rió exhibiendo una dentadura blanca perfecta; habló con pausado encanto, hechizándolos a todos. Hechizando a Carolyn, pese a su resistencia.

Era bueno. Era más que bueno; era magistral, cautivando a tía Sally, hechizando a tío Warren, contando viejas historias de una infancia nunca vivida. «Alguien debe de estarle ayudando», pensó Carolyn, poniendo cara de interés mientras su cerebro trabajaba febrilmente. Algunas de las cosas que contaba sólo podían conocerlas los miembros de la familia. Alguien tiene que haberle hablado de la vez en que la policía pilló a Alex bañándose desnudo en South Beach, en Martha's Vineyard. Alguien tiene que haberle contado que Alex era extremadamente alérgico al crustáceo.

Alex levantó la vista de la fuente de cigalas rebozadas y la miró con un ligero destello de complicidad en los ojos.

—Carolyn, ¿ha sido idea tuya este menú? —murmuró, sin intención de servirse.

—El crustáceo es mi debilidad —respondió a la ligera.

—También la mía —dijo Alex—. Una debilidad funesta.

—¡Oh, cielos! —exclamó Sally sorprendida—. Había olvidado que eres alérgico a estas cosas, cariño. Carolyn, ¿cómo has podido hacer algo semejante?

—Han pasado dieciocho años. —Su voz sosegada no traicionó su inesperado sentimiento de culpabilidad: no por poner en peligro al impostor, sino por causarle problemas a Sally—. Yo también lo había olvidado.

—Entonces, ¿no era tu intención matarme? —preguntó Alex amablemente.

Ella jugueteó con su copa de vino y luego le sonrió con frialdad.

—No habría sido un modo muy eficaz de hacerlo, ¿no crees? En definitiva, es bastante fácil reconocer el crustáceo. Si uno sabe que es alérgico al crustáceo no lo prueba y ya está.

A Sally le pasó inadvertido su incisivo comentario.

—No hables con Carolyn de asesinatos —dijo Sally con lucidez—. Es una experta en el tema.

—¿En serio? —Sus ojos parecían lánguidos—. ¿A cuántas personas has asesinado?

—A ninguna —respondió ella. Y le sonrió—: Todavía.

—Le encanta leer basura —explicó Warren abiertamente—. Crímenes misteriosos y toda esa clase de porquerías. Se considera una experta en criminología moderna por haber leído unas cuantas novelas de suspense.

—Ni mucho menos. —Carolyn contuvo la irritación al hablar.

—Será mejor que te lo pienses dos veces antes de cometer un crimen, muchacho —prosiguió Warren—. Carolyn es la típica que te sorprende in fraganti. Es una Miss Marple en toda regla.

—No digas tonterías, Warren —le amonestó Sally con un vigor asombroso—. Yo leo novelas de espionaje y no por ello voy a ingresar en la CIA en la KGB. ¿Y tú qué lees, cariño? —Se volvió hacia Alex con una sonrisa casi coqueta.

—No tengo tiempo para leer —anunció Warren en voz alta.

—No me refería a ti —dijo Sally—. Y cualquiera con un mínimo de sentido común encuentra tiempo para leer, de lo contrario el cerebro se atrofia y el alma se marchita.

—¿Aunque se lea basura? —espetó Warren.

Carolyn apuró su vaso de vino. Tenía un dolor de cabeza terrible, pero de ninguna manera iba a dejar a Sally sola sin su protección. Warren tenía tendencia a hacerla enfadar, y el inesperado estímulo de su hijo pródigo sin duda alguna la afectaba negativamente. Desde el pasado otoño su salud había caído en picado; a Carolyn le daba pánico que algo pudiera acelerar el inevitable proceso.

—Depende de lo que entiendas por basura, tío Warren —intervino Alex con tranquilidad—. A mí me gusta leer novelas de terror.

—¡Típico! —murmuró Carolyn. En efecto, siendo adolescente, Alex había estado leyendo a Stephen King antes de desaparecer. Una vez más el intruso había hecho sus deberes.

—Dime, Alex, ¿qué planes tienes ahora que por fin has vuelto al seno familiar? —le preguntó Warren.

—¡Warren! —La voz de Sally tenía un fuerte tono de advertencia.

—No le estoy interrogando sobre su pasado —se defendió Warren con impaciencia—. Aunque debo admitir que me tiene intrigado. Hay razón por la que no se le pueda preguntar qué piensa hacer ahora, ¿no?

—No tiene que responder a nada que no quiera. Es maravilloso el simple hecho de tenerle de vuelta.

En medio de la discusión de los hermanos, los ojos de Alex se encontraron con los de Carolyn, que estaba frente a él. Les iluminaba la suave luz de una vela, y por un momento Carolyn se embriagó con la inmensa intensidad de sus ojos, con la suntuosa y perturbadora promesa de su boca.

—¿Siempre están así? —preguntó Alex en tono jocoso.

A Carolyn no le hacía gracia.

—¿No lo recuerdas?

Alex se levantó y se desperezó lentamente, con involuntaria elegancia. Un verdadero MacDowell nunca se desperezaría, pensó Carolyn, moviendo subrepticiamente sus agarrotados músculos. Todos ellos estaban demasiado bien criados, se les había enseñado con excesivo ahínco a comportarse educadamente.

—Solían discutir sobre mí —dijo él.

—Siguen haciéndolo.

Sally alzó la vista en medio de la discusión, había una sombra de preocupación en sus ojos marchitos.

—Lo siento, cariño. No tendrías que estar escuchando discutir a este par de viejos buitres en tu primera noche en casa.

—No me llames viejo —le espetó Warren—. Tienes diez años más que yo.

—Y además me estoy muriendo —le replicó Sally—. Tú eres viejo, yo soy antigua. —Se alejó de la mesa en su silla de ruedas—. Y ahora, marchaos. Carolyn, ve y dile a la señora Hathaway que venga a ayudarme, ¿quieres? Estoy bastante cansada.

—No hace falta que esté la enfermera esta noche —protestó Carolyn—. Yo puedo quedarme…

—Ni se te ocurra, querida —dijo Sally cariñosamente—. ¿De qué sirve tener una enfermera particular las veinticuatro horas del día si no la aprovecho? Además, tengo algunas… molestias. Le diré que me dé una inyección.

Sally no admitía nunca que algo le podía doler. En realidad, ningún MacDowell lo hacía. En ocasiones hablaba del largo y duro esfuerzo que había supuesto traer al mundo con dos semanas de retraso a Alexander MacDowell como si de un ligero dolor se hubiera tratado. Según la leyenda familiar, pasó dos semanas ingresada en una clínica privada, rechazando todas las visitas hasta que pudo aparecer con el bebé.

—Si eso es lo que quieres —concedió Carolyn con renuencia, consciente de haber sido derrotada. No permanecería junto a Sally hasta que se quedara dormida, pero por nada del mundo pasaría el resto de la velada en compañía de Alex—. Yo también estoy cansada. Si no te importa, me voy a la cama.

—¡Carolyn, no puedes dejar solo a Alex en su primera noche en casa! —protestó Sally.

—Está Warren. —Lo que dijo fue una grosería, casi una negativa, y a lo largo de su vida Carolyn jamás se había negado a acceder a una petición de Sally, por pequeña que fuese.

—Ambas sabemos que Warren es un pelmazo y que empezara a interrogar a Alex en cuanto tenga oportunidad. Y no te pongas furioso, Warren, sé que me estás escuchando y no tengo inconveniente en decírtelo a la cara. Carolyn os hará compañía a los dos y se asegurará de que dejes a Alex en paz.

—¿Quieres que me espíe, no? —preguntó Warren enfadado.

—Quiero que te portes como Dios manda —respondió Sally, casi sin voz—. Me encantaría encontrarme lo suficientemente bien para dar una fiesta…

Carolyn sintió náuseas sólo de pensar en ello.

—No te preocupes ahora por la fiesta, tía Sally —dijo con prontitud—. Concéntrate sólo en encontrarte mejor.

—No seas ridícula, niña. Las dos sabemos que no voy a mejorar.

—Eso nunca se sabe…

—Engáñate, si eso te hace sentir mejor —dijo Sally con un débil movimiento de la mano—. Al menos Alex acepta la verdad.

«No debería haberme dolido», pensó Carolyn, sin dejar que ningún sentimiento se plasmara en su cara. Lo había aprendido a hacer años atrás. Estuvo quieta mientras el impostor pasó junto a ella para posar la mano de Sally sobre la suya, fuerte y bronceada. Sally la quería, eso lo sabía. No había razón alguna para que se sintiera desconsolada y abandonada.

—Descansa un poco, mamá —aconsejó el embustero en voz baja—. Vendré por la mañana.

Sally suspiró, alegre.

—No te puedes imaginar durante cuánto tiempo he deseado que alguien volviera a llamarme mamá. Buenas noches, querido. —Levantó la mano y le acarició la cara suavemente.

Y Carolyn salió de la habitación en silencio.

Era una noche tranquila, fría, la luna creciente flotando en el cielo a poca altura. Dentro de unos días el frío inusual desaparecería, la nieve abundante y húmeda se derretiría en la nada, y una vez más la primavera iniciaría la lenta conquista de las desoladas y heladas tierras de Vermont.

Pero por el momento imperaba un silencio glacial que se extendía sobre el paisaje cubierto de nieve. Las ramas de los árboles eran negras en contraste con la blancura restante, y sobre ellas se cernían a distancia las montañas, una presencia milenaria y protectora.

Carolyn fue hasta la parte posterior de la casa, el abrigo que llevaba se ceñía a su cuerpo mientras caminaba por los senderos que habían sido cuidadosamente despejados de nieve con palas. Sus botas crujían ligeramente sobre el frío suelo, y podía oír los gritos de una lechuza a lo lejos. La oscuridad albergaba criaturas, criaturas salvajes que vivían sus vidas con asombrosa sencillez y libertad. Algún día esa libertad le pertenecería.

Nunca fue tan tonta para pensar que durante sus años en Boston había sido realmente libre. Sally era la única madre que había tenido, una mujer tranquila y desapasionada que siempre había estado allí. Si bien no había exteriorizado su cariño por ella ni tampoco había participado en su vida, al menos Carolyn sí había sentido su afecto y estabilidad.

Y había sentido ese afecto en el tiempo y en la distancia.

Se lo debía todo a Sally. No en un sentido físico; esa deuda ya había sido pagada. Se lo debía todo emocionalmente, por haberle permitido pertenecer a alguien. Los poderosos MacDowell no se habían fijado en que aquella niña reservada crecía a la sombra del tempestuoso Alexander, sin embargo Sally sí, y la siguió de cerca y la quiso a su manera.

Y Carolyn estaba en deuda con ella. Podía hacer un paréntesis en su vida durante unos meses. Podía quedarse durante unos meses.

Hasta que Sally muriese.

Todo el rechazo del mundo no cambiaría lo que iba a pasar; hacía mucho tiempo que Carolyn había aprendido esa lección. Sentiría su muerte profundamente, pero su vida, al fin, le pertenecería.

Incluso tendría dinero. Nada comparado con las gigantescas sumas de dinero que heredarían los verdaderos Mac-

Dowell; o con el dinero que el impostor intentaría usurparle a una anciana moribunda.

No tenía importancia. Eso la ayudaría a reclamar su independencia provisional. A pesar del cariño que tenía a la familia MacDowell, incluyendo al remilgado de tío Warren, a tía Patsy y su diversa descendencia, una vez Sally estuviera muerta sus lazos se romperían. Su deuda de lealtad y amor ya estaría saldada y ella sería completa y felizmente libre.

Pensó que debería sentirse culpable por ello, por anhelar ser libre, sin embargo no podía. Si pudiera cambiar las cosas, si pudiera dar años de su vida para mantener a Sally sana y feliz, lo haría con mucho gusto. Pero Dios no hacía ese tipo de tratos y Sally se estaba muriendo. Y Carolyn se iría.

Podía ver su aliento en el aire de la noche, pequeñas bocanadas de vaho que salían al exterior, mientras descendía por el sendero en dirección al estanque helado. Solía patinar en él, tiempo atrás, cuando los MacDowell iban a Vermont a pasar la Navidad. Eso fue antes de llevar allí a Sally para que muriera. Hacía mucho que no patinaba, pero Ruben se aseguraba de que la superficie estuviera siempre limpia de nieve. Ahora estaba lisa, los últimos restos habían sido apartados a un lado, por si había alguien suficientemente estúpido que quisiera patinar.

Carolyn se quedó en el margen del hielo, mirando fijamente la superficie cristalina, y tuvo un impulso repentino, absurdo e irrefrenable. Ni siquiera tenía un par de patines, aunque pedirlos y que se los compraran sería todo uno.

Empezó a caminar con cuidado sobre el hielo, que tenía casi un palmo de grosor. Trató de deslizarse por él, pero sus botas oponían demasiada resistencia.

Poco a poco fue acercándose hasta el centro del estanque, el silencio la rodeaba. Hacía años que no intentaba patinar. Hacía tanto tiempo que ni siquiera recordaba cuándo se había puesto unos patines por última vez.

Sí lo recordaba. Fue en la Navidad de hacía veintidós años, cuando ella tenía nueve. Le habían regalado unos patines nuevos, y un Alex sorprendentemente paciente la había llevado fuera para probarlos. Debería haber tenido más juicio y no haber confiado en él. Por gentileza de Alex, que intentó enseñarle los pormenores del patinaje sobre hielo, acabó el día con una fractura de muñeca y ya nunca más volvió a ponerse los patines.

Aún recordaba la expresión impasible y socarrona de la cara de Alex cuando Sally le había dado una reprimenda y más tarde perdonado, como solía hacer. Pero de alguna manera, en su memoria, la cara de Alex era exactamente igual a la del impostor.

—¿Has patinado mucho últimamente, Carolyn?

Su voz le llegó en forma de susurro desde el otro lado del estanque. Ella apenas se movió. Sabía que vendría, ya era tarde para reaccionar. Sabía que iba a seguirla.

Levantó la cabeza para mirarle a través de la extensión de hielo y nieve. Estaba de pie a la orilla del bosque, la luz de la luna recortaba su silueta, y no iba muy abrigado: iba sin guantes y con una fina chaqueta. No parecía tener frío.

Carolyn se hundió aún más en su abrigo de piel.

—Hace veinte años que no patino —respondió.

—Deberías intentarlo de nuevo —dijo él—. Quizá podría darte otra clase.

Seguro que se lo habían contado. No tenía por qué sorprenderse.

—No creo que necesite que me des ninguna clase de nada.

—Yo creo que sí —replicó él amablemente—. Necesitas clases para aprender a no preocuparte de nadie más que de ti misma. Necesitas clases para aprender a decirle a la gente que no te gusta que te manden a paseo. Necesitas clases para aprender a defenderte y no ser utilizada.

—Vete a la mierda.

Podía ver su boca tremendamente sensual sonreír irónicamente.

—A lo mejor no necesitas aprender todo eso. ¿Qué te parecería aprender a no desvivirte tanto por los demás? Te harán daño, Carolyn. Hasta un intruso puede percibirlo.

—¿Estás reconociendo que eres un intruso?

—Me he pasado dieciocho años fuera. Eso apenas me permite conocer con detalle el funcionamiento de esta familia; pero te diré una cosa: no has cambiado nada.

—¿Ah, no? —dijo ella sin moverse de donde estaba, en medio del hielo.

Alex se aproximó a ella. Sus zapatillas de deporte estaban cubiertas de nieve, y se resbaló un poco sobre el lábil hielo. Parecía estar divirtiéndose.

—Sigues siendo aquella niña pequeña que apoyaba la nariz contra los cristales de los escaparates de las tiendas —afirmó él; su voz era fría e insensible como el sólido hielo que había bajo sus pies—. Sigues queriendo lo que no puedes tener.

Se estaba acercando a ella demasiado, pero se mantuvo impertérrita, negándose a apartarse.

—¿Y qué es lo que no puedo tener?

—Una familia de verdad.

Carolyn inspiró profundamente.

—¿La habilidad de herir a la gente es inherente a los impostores? —preguntó—. ¿O se trata sólo de un don adicional? Me temo que te han informado mal; yo tengo una familia: Sally.

—No quiero herirte, Carolyn —dijo él—. Nunca he querido hacerlo. ¿Temes afrontar a la verdad? Antes no te daba miedo.

—Yo diría que tu concepto de verdad es realmente superficial.

—Eso duele —protestó él.

—Daría lo que fuera —dijo ella meditabunda— para que se partiera el hielo que tienes debajo.

Su sonrisa era rabiosamente alegre.

—Me temo que ésa no es una buena manera de matar a una persona. Alguien podría oírme pidiendo ayuda. Y lo más probable es que tú también te hundieras.

—Tal vez valga la pena —replicó ella.

—¿Quieres que me muera? —Parecía haber más que un interés casual detrás de esta pregunta.

—Quiero que te vayas adonde ya no puedas hacer más daño.

—¿Y estás dispuesta a matarme con tal de conseguirlo?

Carolyn suspiró.

—No seas vanidoso. Necesito un móvil mejor para cometer un asesinato.

Carolyn pasó por su lado, sentía una repentina claustrofobia. Él se movió bloqueándole el camino, cosa que de algún modo ella ya esperaba que hiciera.

—Quizá podría convencerte de que soy quien afirmo ser.

—Y quizá las ranas críen pelo, pero no espero que suceda ninguna de las dos cosas en un futuro próximo. ¿Puedo irme ya?

—¿Quién te lo impide? —Estaba tan cerca de ella que resultaba incómodo, pero tenía los brazos cruzados sobre el pecho y no hizo ademán de tocarla.

La noche era glacial, y Carolyn apenas podía parar de temblar dentro de su abrigo de piel. Allí estaba él, ligero de ropa y aparentemente a sus anchas.

—¿No tienes frío? —preguntó Carolyn de pronto.

—No te preocupes por mí —respondió Alex—. Hace más de dieciocho años que sé cuidar de mí mismo.

En ese aspecto, al menos, le creía.

4

Por primera vez en muchos años, aquella noche Carolyn volvió a tener el mismo sueño, un sueño que había deseado no tener nunca más, pero debía haberse imaginado que el regreso de Alexander MacDowell, y el recuerdo siempre cambiante de la noche en que murió, le causaría pesadillas recurrentes.

Había perdido la habilidad de separar la verdad de sus sueños. Hubo un tiempo, cuando tenía poco más de veinte años y estaba en su último curso en Bennington, en que las pesadillas crecieron hasta niveles incontrolables y finalmente se decidió a buscar ayuda. El terapeuta le sugirió que anotara sus sueños y todo lo que recordara de aquella noche para, a continuación, compararlo. El esfuerzo acabó en un fracaso estrepitoso. Había llegado hasta tal punto que dudaba de todo lo que debía recordar; realidad, memoria y pesadillas se mezclaban formando una espiral psicodélica. Al final, sencillamente, aprendió a olvidarse de aquella tarde, negándose por completo a pensar en el asunto. No había manera de entenderlo, de saber lo que en realidad ocurrió aquella noche. Ni siquiera estaba segura de querer saberlo. Tan sólo quería librarse de los sueños.

Y así fue; hasta que un hombre que afirmaba ser Alex MacDowell había surgido de una insólita tormenta volviendo su vida patas arriba.

El sueño empezaba igual que siempre. Estaban en la antigua casa de Edgartown, en Martha's Vineyard. Era de madrugada, pasada la medianoche, y ella dormía en una reducida habitación de la zona posterior de la casa, encima de la cocina, parte de la cual solía estar destinada a las habitaciones de los criados. Pero en verano Constanza y Ruben dormían en un piso sobre el garaje, y esas habitaciones habían sido transformadas en pequeños y acogedores dormitorios. Carolyn dormía en uno de ellos.

Por aquel entonces tenía casi catorce años. Les había oído discutir, el ruido traspasaba el techo y las paredes, pero no se tomaron la molestia de bajar el volumen de sus voces. Alex debe de haber hecho otra de las suyas, pensó medio dormida, tapándose la cabeza con la almohada.

Alex la llevaba por el camino de la amargura; era un niño mimado y egoísta, un completo salvaje. Hacía llorar a su tía, martirizaba a sus primos, y provocaba a Carolyn con una combinación letal de intimidación fortuita y encanto seductor demasiado fuerte para que una joven lo soportara. Y ella no sabía con seguridad qué era lo que más detestaba: su encanto o sus intimidaciones.

Le oyó entrar en su habitación. La misteriosa luz de la luna, que entraba a raudales por la ventana desprovista de cortinas, recortaba su silueta y le hacía parecer más alto, casi tanto como un adulto. Estaba en su tocador, revolviendo entre sus cosas.

—¿Qué estás haciendo?

Se volvió al escuchar su voz, pero Carolyn no había logrado asustarle.

—Me largo de aquí, Carolyn —había dicho con voz extraña—. Necesito dinero.

—No tengo dinero.

—Pero tienes esto. —Llevaba un puñado de joyas de oro en una mano, y ella se incorporó, ahogando un grito de protesta en su garganta.

—No puedes coger eso —dijo ella—. Son regalos de tía Sally. Oye, intentaré conseguirte algo de dinero...

Alex cabeceó.

—No tengo tiempo. Ya te comprará más. A mi madre nunca le ha importado comprar cariño a golpes de talonario. —Su voz era fría y amarga.

—Déjame al menos la pulsera de colgantes. —No debería haberse permitido esa debilidad. Cada año Sally añadía un colgante nuevo a la pulsera, algo cautivador y original. Simbolizaba sus años en la familia MacDowell y era su posesión más preciada.

—No puedo. Lo siento, Carolyn. Si eres sensata, te largarás de aquí cuando tengas edad suficiente para hacerlo. Te destrozarán. —Le parecía extraño y distante, como si ya se hubiera ido.

—Es mi familia —protestó ella. Y de inmediato se arrepintió de sus palabras.

Alex se acercó hasta su cama, proyectando su sombra sobre ella.

—No, no lo es —dijo él—. Y debería alegrarte. Hunden a los suyos en la miseria.

Alex extendió la mano y acarició su rostro a la luz de la luna.

—¡Es una lástima que no te pueda llevar conmigo, Carolyn! —exclamó él—. Pero me complicaría la vida tener que responsabilizarme de alguien tan joven. Cuídate mucho. —Y la besó.

Nunca la había besado, sin contar los breves y castos besos que le había dado en las mejillas cuando así se le ordenaba. Esta vez había sido en la boca, pero no se trataba de ningún Príncipe Encantado despertando a la Bella Durmiente. Era un beso áspero, apresurado y completamente sexual, la boca abierta sobre la de ella, los brazos estrechando el cuerpo de Carolyn contra el suyo propio. Fue un beso hambriento y perdido, y ella ni siquiera dudó en rodearle el cuello con los brazos y devolverle el beso con toda su inexperta pasión.

Aunque terminó en un abrir y cerrar de ojos, pareció que duraba una eternidad. Alex se esfumó en la oscuridad y se fue de su vida para siempre tras haber cogido un puñado de sus joyas de oro que incluía lo único que realmente le importaba.

Carolyn permaneció inmóvil por el impacto, le temblaba todo el cuerpo; luego se movió y se vistió con abandono. Alex la había estado provocando, molestando y atormentando desde que tenía uso de razón. No iba a salir impune de este robo, pretendiendo encima arreglarlo todo con un beso de despedida, que era más de lo que ella había soñado jamás. Al llegar a la acera de enfrente creyó verle dirigiéndose a Lighthouse Beach, y le siguió silenciosa y decidida.

Escaparse de una isla que está a seis millas de la costa continental no era tarea fácil. Alex lo había intentado con anterioridad, cuando tenía quince años, robando el catamarán de un amigo y desapareciendo durante más de una semana. La policía le halló en Boston y le devolvió a casa, impenitente, hostil y tremendamente experimentado.

¿Qué barca tenía intención de robar esta vez? ¿O acaso pensaba irse a lo grande y coger una de las pequeñas avionetas privadas estacionadas en el aeropuerto de la isla? Al cumplir los dieciséis, Sally le había costeado unas clases de vuelo, algo que desde entonces lamentó.

Pero iba en dirección a la playa, no al aeropuerto; si supiera hacia dónde se dirigía podría pillarle por sorpresa, amenazarle con gritar con todas sus fuerzas si no le devolvía la pulsera de colgantes.

Le dejaba quedarse con todo lo demás. Estaba dispuesta a pagar lo que fuera con tal de que saliera de su vida. Alex estaba en lo cierto: los MacDowell eran más que generosos con sus talonarios, cosa que no podía decirse de sus sentimientos. Si él se iba tendría a Sally para ella sola, sin que hubiera ningún chico perverso y guapo merodeando a su alrededor.

La luz de la luna creciente era intermitente, y unas nubes negras se deslizaban por el cielo, oscureciéndolo. Carolyn resbaló en las piedras sueltas que conducían a la playa y cayó sobre una rodilla, clavándose las conchas rotas a través de sus pantalones vaqueros. No le dio importancia. Volvió a levantarse, dejando firmemente a la vista su larga y esbelta espalda.

Se dijo una y otra vez que no le tenía miedo. A pesar de lo mucho que la había hostigado y atormentado a lo largo de los años, Alex había sido como un hermano para ella. No le preocupaba que intentara hacerla callar a la fuerza. Si ella empezaba a chillar para que alguien impidiera que se fuera, él probablemente se limitaría a encogerse de hombros y a sonreír.

Y desaparecería.

Esa noche había marea alta; el mar estaba agitado por los restos de una tormenta de las postrimerías del verano. Alex se detuvo al borde de la playa, mirando fijamente el estrecho canal de agua que llegaba hasta Chappaquiddick, luego se giró y miró hacia atrás, hacia Water Street y la antigua casa.

Sin pensarlo, Carolyn desapareció de la vista escondiéndose detrás de un bote volcado. Allí se ocultó, tratando de contener la respiración. Es una tontería sentir miedo, se dijo furiosa. Cuando empezó a incorporarse y a seguirle, oyó unas voces.

No estaba solo, allí, a la orilla del agua. Tendría que haberse imaginado que Alex no huiría de la isla a nado. Debía de haber acordado encontrarse con alguien.

Todo lo que Carolyn sabía era que estaban discutiendo. Levantó la cabeza con cuidado, asomándose por encima de la barca. Ahora las nubes habían tapado la luna y las dos siluetas permanecían en la oscuridad. Medían más o menos lo mismo y sus complexiones eran similares, no sabía siquiera cuál de los dos era Alex; ni si la persona con quien discutía era hombre o mujer, joven o mayor, conocida o desconocida.

—¡Vete a la mierda! —La voz de Alex inundó la noche. Le dio un empujón a la otra persona, le dio la espalda y empezó a caminar por la playa.

Ocurrió con tanta rapidez que Carolyn creyó haberlo soñado, se quedó contemplando la escena paralizada por el miedo mientras las espantosas imágenes se agitaban en su mente. El destello de una pistola a la luz de la luna. El movimiento súbito y rápido de la figura oscura y anónima. El estallido de un sonido en plena noche, un sonido que podía haber sido el de un coche ahogándose, pero no lo era. El cuerpo de Alex yacía desplomado sobre la arena debido al impacto recibido. Carolyn podía ver, incluso a esa distancia, el oscuro charco de sangre que salía del agujero de su espalda y se extendía a su alrededor; intentó gritar, pero el único sonido que logró emitir fue un ligero gemido.

Se dejó caer de nuevo, temblando, incapaz de aguantar la respiración, mientras una oleada de terror tras otra recorría su cuerpo. Era preciso que se moviera, que fuese a buscar ayuda, sin embargo su cuerpo estaba petrificado, rígido. El aire estaba atrapado en su pecho, la oprimía, y le costó mantenerse consciente, luchar contra el atrayente vacío que quería engullirla.

No tenía la menor idea del tiempo que permaneció allí sentada, luchando por respirar, por serenarse. Cuando dejó de sollozar, cuando logró ponerse de rodillas y mirar con atención por encima de un lado de la barca, ya era demasiado tarde.

La playa estaba vacía. Las nubes se habían ido y el haz de luz que emanaba de la luna iluminaba la arena desierta.

No había ningún indicio de pisadas. La marea había subido hasta las rocas, y quienquiera que hubiese caminado por la arena, no había dejado rastro alguno a su paso.

La marea había limpiado la sangre. Debió arrastrar el cuerpo de Alex hasta el mar. Probablemente, debido a las fuertes corrientes que producían las tempestades, tardarían días o semanas en encontrarlo. A lo mejor nunca lo encontrarían.

Debía ir a pedir auxilio. Tal vez aún no era demasiado tarde; había perdido la noción del tiempo, pero podían haber pasado sólo algunos minutos desde que habían disparado a Alex. A lo mejor no estaba muerto, a lo mejor la bala no le había dado en el corazón. Empezó a levantarse para, a continuación, dejarse caer de nuevo presa del pánico.

Había alguien que estaba de pie al borde del camino, esperando. Mirando. La farola estaba lo suficientemente lejos para que Carolyn pudiera ver únicamente su silueta, pero sabía a ciencia cierta que no era Alex. Era el hombre o la mujer que le había disparado. Y estaba esperando para comprobar que no hubiera ningún testigo.

Hacía un frío húmedo. El rocío le había empapado la camiseta, y el aire del océano que la azotaba en la piel estaba helado. Carolyn se acurrucó como un ovillo, envolviendo su cuerpo con los brazos en un vano intento por mantener el calor. Estaba segura de que nadie la había visto. Quien había matado a Alex se estaba limitando a ser prudente.

Ni siquiera sabía con seguridad si Alex estaba muerto. Había recibido un disparo y ella le había visto caer, había visto la sangre en la arena, pero en realidad no le había visto morir.

Carolyn cerró los ojos y enterró la cabeza entre sus huesudas rodillas, respirando con dificultad, buscando el calor en su aliento húmedo. Sólo tenía que esperar. En cuanto la costa estuviera despejada volvería corriendo a la casa de Water Street y despertaría a tía Sally y le diría...

¿Qué le diría? ¿Que su único hijo había muerto? ¿Que alguien le había matado y que ni siquiera sabía si ese alguien era hombre o mujer? ¿Y que Carolyn no había hecho nada para salvarle? Levantó la cabeza y clavó la vista en el mar encrespado, cuyas olas rompían en la tierra. Era imposible que un nadador, por fuerte que fuera, pudiera aguantar mucho tiempo en ese oleaje embravecido, y mucho menos alguien que acababa de recibir un balazo. Era demasiado tarde para pedir ayuda.

La figura seguía estando allí, mirando hacia el horizonte, esperando con una paciencia que parecía eterna. Y Carolyn no podía hacer nada salvo esperar también, temblando de frío.

El ruido de unos niños la despertó. Chillidos de regocijo, mientras una niñera bajaba sus bártulos a Lighthouse Beach para dar de comer a las gaviotas. Carolyn intentó moverse, pero se sentía revestida de hielo, sus huesos y sus músculos estaban congelados.

Aunque aún era muy temprano por la mañana, hacía sol. En lo alto las gaviotas revoloteaban y chirriaban de placer, y la marea estaba volviendo a bajar; llevándose consigo todo rastro del chico que en su día fue Alexander MacDowell.

Hizo acopio de todas sus fuerzas para ponerse de pie. Se sentía magullada y agotada, y retrocedió hasta el sendero andando como una anciana. Los niños la miraron extrañados y su niñera alemana los puso a salvo de todo peligro.

La casa de Water Street estaba tranquila y silenciosa. No había coches de policía aparcados fuera, ni luces encendidas. Había movimiento en el piso de encima del garaje; Ruben y Constanza empezaban ya su jornada. Entró sigilosamente por la puerta de servicio en la cocina desierta, temblando de frío. Subió a su habitación por las escaleras traseras, y se desplomó en la estrecha cama, cubriéndose con las mantas de los pies a la cabeza. Debería quitarse la ropa mojada, pero no le quedaban fuerzas. Necesitaba entrar en calor. Se acurrucó aún más bajo el montón de mantas, y tanto tiritaba que oía el crujido de los viejos muelles debajo del colchón nuevo. Lo oyó alejarse, hasta desaparecer, y cerró los ojos.

Había estado a punto de morir. Cuando los demás se inquietaron al descubrir que Alexander había huido con todo el dinero suelto o joyas que pudo llevarse consigo, el miedo se apoderó de ellos. Alguien debió de echar un vistazo a Carolyn para verificar que dormía, arrebujada bajo una sorprendente cantidad de gruesas mantas, pero luego se olvidaron de ella con tanto jaleo, policía, FBI, pánico, enfado y reproche. Cuando Constanza se percató de que no se la había visto en todo el día, Carolyn estaba a 40 de fiebre y las convulsiones sacudían su cuerpo.

No le dijeron que Alexander había desaparecido hasta que le dieron el alta hospitalaria unos cinco días después. Sally había estado todo el tiempo con ella, durmiendo en una silla junto a su cama, su rostro otrora hermoso destrozado por el dolor y la preocupación. Más tarde Carolyn se enteró de que había permanecido a su lado en vez de ir en busca de su consentido y extraviado hijo. Después de todo Sally la quería de verdad, y Carolyn, en adelante, no pronunció nunca el nombre de Alex en voz alta. Su hijo la había fallado, y a pesar del dolor y la rabia que sentía, sencillamente ignoró su existencia, dedicándose en su lugar a Carolyn.

Carolyn no recordó nada hasta al cabo de unos años, cuando se despertó de una pesadilla gritando, y la trágica noche le volvió a la memoria con toda su fuerza.

Alexander MacDowell había muerto, aquello lo recordaba. Alguien le había disparado y le había matado. Aparte de eso, los sueños se mezclaban con los recuerdos formando una maraña borrosa que le hacía sentir un pánico exacerbado. Había aprendido a no pensar en ello. A no cuestionarse nada.

Eventualmente los sueños pararon, y ella los desterró al olvido. Sally jamás le había preguntado si sabía algo de lo sucedido aquella noche, y con el paso del tiempo, a medida que empezó a añorar a su hijo, nunca se le ocurrió interrogarla. Por su parte, Carolyn nunca había querido perder la esperanza. Le resultaba más fácil olvidar aquella noche de verano de un pasado lejano, hacer ver que no había existido.

Sin embargo ya no tenía ese privilegio. No, con un extraño, un impostor, un criminal intentando ganarse la confianza de Sally y hacerse con su fortuna. No, con unas pesadillas que regresaban para arrancarla del sueño.

Tendría que haber confesado la verdad hacía tiempo, aunque hubiera destrozado a Sally; pero no lo hizo. No estaba dispuesta a desenterrar sus imprecisos recuerdos, a causarle tanto dolor a la persona que más quería en el mundo.

Difícilmente podría contar la verdad unos dieciocho años después. Se limitaría a mantener la boca cerrada y los ojos bien abiertos, y a esperar a que él se delatara a sí mismo.

Se limitaría a esperar que los sueños no volvieran.

Patsy MacDowell parecía más joven que su hijo George y sólo ligeramente más guapa. Cosa que no era de extrañar teniendo en cuenta que su rostro y su cuerpo, de cincuenta y ocho años, estaban en constante progreso, que continuamente daban fe de los milagros de la cirugía estética, el ejercicio compulsivo y todas las dietas de moda conocidas por las mujeres. Era una perfecta imitación de una Barbie, una combinación de maquillajes de setente y cinco dólares los cien gramos y bronceado artificial en las más sofisticadas máquinas de rayos ultravioleta. Esta MacDowell de ojos pardos clavó la vista en Carolyn con su habitual y ambiguo desinterés, y encendió un cigarrillo con experta elegancia.

—¿Cómo estás, Carolyn? —Ése era su saludo característico. No tenía el menor interés en la respuesta de Carolyn, pero eso no le impidió a ésta decir la verdad.

—Preocupada —respondió rotundamente.

La reacción de Patsy era más una mueca que una sonrisa.

—¿Acaso no lo estamos todos? ¿Dónde está el misterioso heredero desaparecido? No he alterado mis planes de hoy y me he arrastrado hasta aquí sólo para holgazanear y perder el tiempo.

Estaba estirada en el sofá del salón, sus piernas perfectas, decorosamente cruzadas. No era casualidad que se hubiera estirado en un sofá de color rosa que acentuaba su traje de chaqueta beige claro. Patsy sabía cómo escoger los complementos, incluso cuando se trataba de servir de adorno a los muebles.

—No he visto a Alex en toda la mañana —comentó Carolyn, omitiendo el hecho de que había procurado evitarle a toda costa desde su llegada a Vermont unos tres días antes—. ¿Hace mucho que has venido?

—Tengo la impresión de que hace horas, cariño —respondió Patsy bostezando con delicadeza—. Me ha traído George; siempre ha sido un hijo maravilloso. Aun así, todo esto es agotador, ¿no te parece? Anda, ve a buscar a Alex y dile que su querida tía Patsy se muere de ganas de volver a verle. Por no mencionar a su primo George. Los dos tenían la misma edad y de pequeños eran uña y carne.

—Siguen teniendo la misma edad y nunca se han soportado —señaló Carolyn. Patsy la ignoró, siempre dispuesta a cambiar la historia familiar como le convenía.

Las cosas habían ido de mal en peor. Patsy y Warren eran ciertamente malvados; George Clarendon, conocido en su juventud como George el Granuja, era el peor de todos. Un joven elegante, guapo, sarcástico, que parecía estar siempre observando a todo el mundo, haciendo una lista mental de sus defectos.

—Creo que Alex se ha ido con Warren otra vez. Al parecer se llevan muy bien —dijo con frialdad.

Patsy la miró fijamente.

—¡Qué sorpresa! —susurró—. Nunca me hubiera imaginado que Alex y Warren pudieran congeniar. Claro que han pasado dieciocho años. Las personas cambian.

—Sí.

—Aun así —continuó Patsy—, me parece realmente curioso. Si Warren le acepta sin reservas, entonces no creo que haya razón alguna para que yo dude que es el verdadero Alex. A fin de cuentas, Warren es mucho más observador y desconfiado que yo; me lo dice constantemente. Supongo que debo creerle cuando dice que es el auténtico Alex.

Carolyn no dijo absolutamente nada, ocasión que Patsy no desperdició.

—Sally cree que es él, ¿verdad?

—Totalmente.

—¿Y tú, querida Caro?

Carolyn odiaba que la llamaran Caro, y sospechaba que Patsy lo sabía. Logró esbozar una fría sonrisa.

—Soy desconfiada por naturaleza.

Patsy se encogió de hombros.

—Supongo que yo tendré que sacar mis propias conclusiones. —Miró por la ventana. El día era gris y frío, y aún quedaban restos de la reciente nevada cubriendo el paisaje pardo y llano—. No es la mejor época del año para convocar una reunión familiar. Tessa y Grace también vienen hoy, pero al menos he convencido a Grace de que no traiga a sus repugnantes hijos. Los niños me producen urticaria.

Carolyn no se había dado cuenta de que las cosas podían seguir empeorando de forma drástica, pero la inminente llegada del resto de los hijos mayores de Patsy era la gota que colmaba el vaso.

—Iré a decírselo a Constanza —se ofreció, dando vueltas por el salón, deseando largarse de ahí y dar un puñetazo a algo.

—No será necesario, querida —dijo Patsy con un lánguido movimiento de la mano—. Ya la he avisado. Aunque supongo que habrás estado durmiendo en la habitación que Tessa ocupa normalmente. ¿Te importaría dejarla libre? Tessa es muy especial para esas cosas, y si debe compartir habitación, preferirá que sea con Grace. ¿Lo entiendes, verdad? —Sonrió con dulzura.

—No hay problema —afirmó Carolyn sin inmutarse.

—Menos mal que Sally renovó la casa hace unos cuantos años, de lo contrario estarías instalada en las dependencias de los criados con Ruben y Constanza. No es que eso sea nada grave; Sally les mima muchísimo, siempre ha sido fácil sacarle el dinero. —Obsequió a Carolyn con una amable sonrisa.

Carolyn tardó algunos segundos en darse cuenta del hormigueo que sentía en los dedos. Apretaba las manos con tanta fuerza que había perdido toda sensibilidad en ellas. Se obligó a relajarse, a responder a su sonrisa de niña mimada con otra sonrisa. Conocía a Patsy de toda la vida, y sabía distinguir perfectamente entre lo que era pura malicia y lo que era simple consecuencia directa de sus intereses personales.

—Iré a trasladar mis cosas —anunció Carolyn—. ¿A qué hora vendrán Tessa y Grace?

—Oh, estarán aquí de un momento a otro —respondió Patsy con ligereza—. Busca a Alex, ¿quieres?

—Por supuesto —dijo, mintiendo más que hablando. La última persona del mundo que deseaba ver en ese momento era al falso Alexander MacDowell, aunque encontrarse con George el Granuja le iba a la zaga.

Como era de suponer, Alex la estaba esperando en el pasillo, justo frente a su habitación.

—Tienes cara de pocos amigos —le dijo con displicencia. Estaba apoyado contra la pared, observándola con ojos entornados y expresión indescifrable. Llevaba puestos unos tejanos desteñidos que se adaptaban a su largirucho cuerpo, un jersey grueso de algodón y zapatillas de deporte.

Carolyn se detuvo y le miró con expresión crítica.

—No vistes como un verdadero MacDowell —le espetó con brusquedad.

—Tu comentario no me ha dolido y ni mucho menos me matará —se defendió él—. ¿Y cómo se viste un MacDowell, si puede saberse?

—¿No te lo ha dicho tu fuente de información?

Alex chascó la lengua.

—¡Mira que llegas a ser cruel, Carolyn! ¿Por qué te resistes a confiar en mí?

—Averígualo tú mismo. —Le apartó de un empujón y entró en su habitación dando un portazo. Él detuvo la puerta, entró también y luego la cerró despacio. Estaban solos dentro.

Carolyn no le hizo caso. Abrió un cajón de golpe y sacó su ropa cuidadosamente doblada. Alex permaneció de pie observándola.

—¿Es éste el tipo de ropa que llevan los MacDowell? —preguntó con curiosidad, inclinándose para coger sus pantalones caqui perfectamente planchados—. La encuentro aburrida y yuppie.

—Dudo mucho que sea yuppie —comentó Carolyn secamente—. Los MacDowell no pueden ascender más socialmente; ya están en la cima de la pirámide social. Si quieres saber cómo vestirte, fíjate en tu primo George.

—¿Va a venir? —Alex dio un chasquido de disgusto—. ¿Sigue haciendo honor a su apodo?

—No —le respondió—. Ya está aquí, anhelando el conmovedor reencuentro. Si me disculpas, tengo que dejar libre esta habitación para sus hermanas y no dispongo de tiempo para una conversación trivial.

—¿También te echan de aquí? Siempre puedes venir a dormir conmigo.

Era lo que le faltaba por oír tras una serie de espantosos e interminables días. Sin pensárselo dos veces, Carolyn alargó el brazo y le dio una sonora bofetada que alteró la tranquilidad reinante en la habitación.

Alex no se inmutó, ni se movió. Su mirada azul verdosa se endureció unos instantes, pero a continuación su boca perversamente sensual dibujó una sonrisa.

—Eso ha sido un error, querida Carolyn —susurró.

—¿Tuyo o mío? —Le sorprendía lo que acababa de decir, pero no estaba dispuesta a exteriorizarlo. Era la primera vez en su vida que pegaba a alguien, y ahí estaba él, con una marca en la cara que enrojecía su piel dorada.

—Lleguemos a un término medio. Yo me guardo para mí mis pensamientos lascivos y tú vigilas que tus manos se estén quietecitas. —Su aspecto arrepentido resultaba cautivador, era tan similar al del auténtico Alex intentando recuperar el favor de alguien, que a Carolyn se le encogió el corazón.

Le tendió la mano. Tenía unas manos fuertes y bonitas, unas manos curtidas, de largos y elegantes dedos. Carolyn no lograba recordar cómo eran las manos de Alex.

—¿Hacemos las paces? —preguntó él con amabilidad, mintiendo.

Carolyn miró su mano fijamente.

—Por encima de mi cadáver.

Pensaba que se pondría furioso. Esperaba menosprecio y furia, en su lugar sonrió abiertamente con una suficiencia sagaz que seguía siendo irritablemente atractiva.

—¡Ay, Carolyn! —susurró Alex—. ¡Va a ser tan divertido ganarse tu confianza!

Y se fue, cerrando la puerta con suavidad al salir.

5

La pequeña de los hermanos MacDowell, Patsy, era pan comido, pensó Alex con aires de suficiencia mientras la contemplaba desde el otro extremo de la mesa. A Patsy le daba igual si él era o no era el auténtico Alex, siempre y cuando no la desviara de sus objetivos. Estaba tramando algo; Alex había visto bastante mundo como para apreciar hasta los síntomas más sutiles, pero Patsy, ayudada por un siempre exquisito Cabernet, estaba ahora bastante entonada.

Sus tres hijos eran harina de otro costal. George el Granuja le miraba como si fuera un terrorista brutal que pretendiera hacerles volar a todos por los aires. Tessa sacudía su melena de color castaño a la que tenía oportunidad, al tiempo que le observaba con ojos espléndidos y ardientes, y hacía todo lo posible por recordarle: a) que era una modelo famosa cotizada y muy solicitada, y b) que no se tragaba el anzuelo.

Ya era un poco mayorcita para ser modelo, pensó Alex con cinismo. Debía de rondar los treinta, aunque parecía una década más joven, pues ya luchaba contra el paso del tiempo con la misma dedicación que su madre. Si no iba con cuidado, la ligera sonrisa socarrona que estiraba sus labios, aumentados con colágeno, le crearía unas pequeñas y repugnantes arrugas alrededor.

Cuando Alex se fue, Grace, la menor de los primos, debía tener unos seis años, por lo que difícilmente podía acordarse de ella. Parecía darles cien vueltas a sus hermanos, que siempre estaban mirándose el ombligo. Incluso se atrevería a afirmar que era una joven agradable, y aunque le hablaba con educación, lo cierto es que apenas si le dirigía la palabra. Carolyn estuvo todo el rato hablando con Grace en una esquina mientras el resto de sus primos centraba su atención en Alex, ignorándola por completo.

Sally también la ignoró. No tenía fuerzas para sentarse a la mesa, pero congregó a todos junto a su habitación, ya que Ruben, para que pudiera participar en la cena, había trasladado su cama hasta las puertas de grandes ventanales que, abiertas, daban al comedor. Alex sentía los ojos de Sally clavados en él y se preguntaba en qué estaría pensando; se preguntaba si en lo más hondo de su corazón creía realmente que era Alexander MacDowell.

No tenía importancia. No protestaría, ni pediría la prueba de ADN ni ninguna otra prueba, ni nada parecido, de eso estaba completamente seguro. Sally se había convencido de que él era su hijo y nada la haría cambiar de opinión.

—¿Carolyn? —Hablaba en voz baja, debilitada por el dolor, sin embargo ésta llegó hasta el otro lado de la mesa, donde Carolyn y Grace estaban sentadas.

De inmediato, se produjo un respetuoso silencio en el comedor. Carolyn se levantó, y como ya era habitual Alex admiró su elegancia, a pesar de haberse presentado a la cena con un vestido de cóctel gris muy soso. A su lado Tessa llamaba la atención y parecía pomposa; nadie con buen gusto hubiera mirado dos veces a la famosa belleza.

Pero a Carolyn no le interesaban la ropa, ni los adornos ni la opinión de Alex, pensó éste con ironía, mirándola con los ojos entornados. La había estado mirando toda la noche, ahora que ella ya no podía evitarle con tanta diligencia.

—¿Estás cansada, tía Sally? —le preguntó, solícita—. Le diré a Ruben que te vuelva a llevar a la cama…

—¡No me mimes tanto, pequeña! —La ligera sonrisa de Sally le quitó hierro a la reprimenda—. Estoy bien. Soy perfectamente capaz de saber cuándo estoy o no estoy cansada. Quisiera que hicieras algo por mí, cariño, si no es pedir demasiado.

La expresión de Alex era imperturbable. Sospechaba que Carolyn se hubiera cortado las venas por Sally, aunque evidentemente preferían mantener un tono cordial. No lograba comprender qué había hecho Sally para merecer tamaña devoción, pero saltaba a la vista que Carolyn era demasiado leal.

—Lo que tú quieras —se apresuró a decir Carolyn.

—Alex y yo hemos estado hablando —explicó Sally, y los ojos de Carolyn se entornaron, aunque se abstuvo de mirarle—. Tiene curiosidad por saber dónde está su retrato. ¿Recuerdas cuál te digo, aquel que le hicieron cuando tenía doce años?

—Te deshiciste de él —respondió rotundamente.

—No seas ridícula, Carolyn —protestó Warren—. Era un retrato de Wicklander, y esos retratos valen su peso en oro. Sally jamás lo hubiera tirado a la basura.

—No me refería a eso. Me refería a que estaba tan indignada que ya no podía ni mirarlo —dijo Carolyn, esta vez lanzando una mirada furiosa a Alex. No era una actitud especialmente racional. Debería estar enfadada con el auténtico Alex MacDowell por haber huido, no con el hombre que sabía era un impostor.

—¿Dónde está, Carolyn? ¿Está guardado? —preguntó George, sonando más pomposo, si cabe, que su tío mayor.

George había nacido con un alma totalmente vieja y amargada, y ponía reparos a todo, hecho que contrastaba con su impresionante atractivo físico. De pequeño había sido un soplón y un chismoso; de adulto simplemente juzgaba a todo el mundo.

—Está en la casa de Edgartown —respondió reacia.

—Es lo que me suponía. Lo quiero recuperar —manifestó Sally.

—Me encargaré de que lo manden aquí…

—¡No! No quiero esperar, y además, como bien ha señalado Warren, es un Wicklander. Es demasiado valioso para confiárselo a cualquier empresa de transportes y no quiero extraños fisgando en mi casa. La casa de Vineyard es una joya familiar; no deberíamos ponerla en peligro.

¿Sabía Carolyn lo que sucedería a continuación?, se preguntó Alex con indiferencia. Parecía prudente pero confiada.

—¿Qué quieres que haga al respecto, tía Sally?

Sally le obsequió con la misma sonrisa que durante sus setenta y ocho años de vida había cautivado a hombres, mujeres y niños.

—Sabía que podía contar contigo, cariño. Quiero que vayas allí y lo cojas.

—Cómo no —concedió Carolyn efusivamente.

—Alex prefiere usar su coche, a pesar de haberle dicho que sería mejor ir en el Rover…

—¿Alex? —Su voz era un grito de horror ahogado. Alex cayó en la tentación de sonreírle beatíficamente.

—Le dije a mi madre que quería volver a ver la casa de Edgartown y que estaría encantado de llevarte. Así no tendrás que hacer todo el trayecto tú sola.

—Me gusta viajar sola —replicó Carolyn tajantemente.

—Además el retrato es bastante grande. Necesitarás ayuda para cargarlo.

—No necesito ayuda para nada. —La dureza de sus palabras causó un silencio momentáneo en la habitación, y Sally la miró sorprendida y dolida.

—¡Carolyn! —protestó Sally asombrada—. Harás que Alex se sienta incómodo.

—No es ésa mi intención —aclaró Carolyn, pero Alex supo sin duda alguna que mentía—. Es sólo que creo que serías más feliz si él te hiciera compañía. A fin de cuentas, tienes que recuperar los años perdidos…

—No estaréis fuera tanto tiempo, Carolyn —dijo Sally pacientemente para hacerla sentir culpable—. Serán una o dos noches como mucho. Verás, no pienso morirme en los próximos días. ¡Significaría tanto para mí! —No le costaba mucho trabajo engatusarla. Sabía que la tenía en el bote.

Como Alex esperaba, Carolyn cedió. Era evidente que se guardaba las fuerzas para luego.

—Por supuesto que iré —declaró Carolyn con aparente tranquilidad—. Y si Alex quiere conducir, estoy segura de que eso facilitará las cosas. Aunque no creo que sea necesario que durmamos allí. Si salimos de aquí por la mañana temprano, podremos coger el ferry de Woods Hole a mediodía, y estar de vuelta esa misma noche.

—No es necesaria tanta prisa. Has renunciado a tantas cosas para cuidar de mí, has estado a mi entera disposición durante los últimos ocho meses. Te irá bien distraerte un poco con un joven apuesto.

La cara de Alex se mantuvo seria y serena, pero de todas formas Carolyn le miró furiosa. Antes de que pudiera articular palabra, Tessa intervino.

—Tía Sally, a Carolyn nunca le han interesado especialmente los jóvenes apuestos —dijo con despreocupación—. Le gustan los estirados e intelectuales. Si quieres, yo estaré encantada de ir en coche con mi querido primo Alex. Así tendríamos oportunidad de recordar viejos tiempos.

Eso no era lo que Alex quería. Tessa era una actriz secundaria en este drama concreto. No le podía importar menos si ella pensaba que él no era el verdadero Alex MacDowell. Lo de Carolyn era harina de otro costal, y no quería perder ni un minuto. Viendo la cara pálida y demacrada de Sally, sabía que no quedaba mucho margen de tiempo.

—¡Esa sí que es una buena opción! —Carolyn parecía eufórica ante la idea de zafarse del viaje—. Yo puedo quedarme aquí y ocuparme de que todo vaya como una seda y Tessa...

—No —la interrumpió Sally. Su rotundo tono de voz no daba pie a discusiones—. Puede que me esté muriendo, pero sigo al mando de esta casa. No es necesario que te ocupes de nada, Carolyn. Constanza es perfectamente capaz de encargarse de lo que haga falta y, además, mis hermanos estarán conmigo. Te has pasado el invierno entero a mi lado encerrada aquí, y te irá bien salir un poco al mundo real.

—Pero es que no me apetece ir. —Estaba actuando como una niña testaruda—. Preferiría quedarme contigo.

Sally cerró los ojos, de pronto parecía muy cansada.

—No me lleves la contraria, Carolyn —dijo Sally con cansancio—. Casi no tengo fuerzas.

Jaque mate, pensó Alex, mientras la culpabilidad hacía sonrojar a Carolyn.

—¿Cuándo quieres que vayamos? —preguntó.

La sonrisa de Sally era deslumbrantemente alegre, pero la astuta anciana no bajó la guardia.

—Ésa es mi Carolyn —murmuró con debilidad.

Y Carolyn logró esbozar una sonrisa a cambio.

A Carolyn le temblaban tanto las manos que se le cayó el bote de tranquilizantes al suelo desierto de la cocina. Las diminutas pastillas blancas se desparramaron por los anchos listones de madera de roble, rodando hasta meterse debajo del inmenso frigorífico, y las vio esconderse desconcertada. El médico de Sally se las había recetado, insistiendo en que tal vez las necesitara mientras durase el largo y lento viaje de Sally hacia la muerte.

No las tomó hasta la aparición de Alexander MacDowell. Si las cosas no mejoraban pronto, además de esas pastillas blancas necesitaría todas las habidas y por haber.

Se arrodilló para recogerlas cuando oyó que alguien abría la puerta de golpe. Seguro que debe ser él, pensó amargamente. De las nueve personas que habitaban la casa, sólo podía ser aquélla cuya presencia trataba de evitar a toda costa.

—¿Qué estás rebuscando en el suelo? —La voz grave y ligeramente altanera de George asustó a Carolyn e hizo que se le cayeran las pastillas que tenía en la mano.

Sin prestarles atención, se levantó elegantemente, demasiado distraída por la inevitable certeza de sentirse decepcionada porque no era Alex, cuando hubiera jurado que se trataba de él.

—¿En qué puedo ayudarte, George?

Al igual que su hermana, George tenía rasgos de modelo y una personalidad a juego con ellos.

—Tengo hambre. ¿Podrías prepararme un sándwich?

—No. —Hacía ya tiempo que Carolyn había aprendido a tratar a George. Era un manipulador, un experto en conseguir que la gente hiciera lo que él quería, y ella no tenía la menor intención de satisfacer sus caprichos, como hacían su madre y sus hermanas.

George se encogió de hombros, evidentemente esperaba esa respuesta de Carolyn, y se adentró en la cocina arrastrando los pies. Fruto de acudir al mejor de los gimnasios, lucía un bronceado intenso y perfecto. Se mantenía en muy buena forma, y tenía tendencia a acercarse mucho a la gente, exhibiendo su cuerpo esbelto y musculado. En esta ocasión, la mesa de la cocina les separaba.

—Así pues, ¿qué piensas de él, Caro? —preguntó como quien no quiere la cosa—. ¿Crees que es el verdadero McCoy?

—¿Qué crees tú?

—No tengo ni la más mínima idea. A mí esto me trae sin cuidado; no soy yo el que estoy a punto de recibir dinero de Sally, bueno, sólo indirectamente, y con eso tengo más que suficiente para mis necesidades.

—Eso me cuesta creerlo.

La sonrisa de George dejó ver unos dientes pequeños y perfectos.

—Está bien, admito que cuanto más dinero tenga, mejor. Pero soy un hombre paciente y las cosas buenas les ocurren a aquellos que saben esperar. Tú, por otra parte, tienes mucho que perder si este hombre es realmente quien dice ser.

Carolyn le miró con frialdad.

—No seas ridículo.

—¡Oh! No me estoy refiriendo al dinero —dijo en voz baja—. Después de todo, ambos sabemos que no estás legalmente adoptada. Estoy convencido de que Sally te dejará una remuneración generosa, pero eres muy lista. Tampoco esperas más dinero. No, podrías perder algo más importante que el dinero.

—No sabía que pensaras que hay algo más importante que el dinero, George.

—Perderás el cariño incondicional de Sally —dijo George sin inmutarse—. Durante estos últimos meses ha dependido enteramente de ti, y la tenías para ti sola. Ya no te necesitará, Caro. Tendrá a su adorado hijo para quererle y darle cariño. Serás relegada a un segundo plano.

George no era un hombre muy inteligente, pero compartía con el resto de su familia cierto instinto animal, y tenía una misteriosa habilidad para hacer correr la sangre. Algo con lo que afortunadamente Carolyn ya contaba.

—Eso no me preocupa nada, George. Tengo un piso esperándome en Boston, y no creo que tarde mucho en encontrar otro trabajo. De todas formas, te agradezco que te intereses por mí.

George parpadeó, y sonrió al advertir la ironía de sus palabras.

—Si es un impostor, Carolyn, te corresponde a ti desvelarlo.

—¿Por qué a mí?

—Porque eres la que vive aquí, ¡por el amor de Dios! Tenías más relación con él que cualquiera de nosotros y estarás con él día y noche. Esta breve visita a Edgartown te irá de perlas para conocerle mejor. Intenta descubrir alguna de sus mentiras.

—¿Mentiras? —repitió ella—. ¿Acaso no crees que sea el verdadero Alexander?

—Yo no he dicho tal cosa. Soy un hombre prudente. Observo y escucho. Como te he dicho antes, no es mi dinero el que está en juego, pero pertenece a mi querida tía Sally, y no quisiera que se lo diera a cualquier criminal.

—¡Qué nobleza la tuya! —exclamó a la ligera.

George se le acercó.

—Oye, Caro, ¿por qué no pasas por Nueva York a tu vuelta de Vineyard? Echarás de menos la ciudad viviendo en este paraje agreste. Podríamos salir por ahí y divertirnos. Conozco un estupendo restaurante marroquí que te encantaría.

Carolyn le miró con incredulidad.

—¿Qué te hace pensar que querría ir?

—Podrías contarme lo que hayas averiguado de Alex. Además sabes que siempre me has gustado. Eres muy atractiva, Carolyn. —Hablaba en tono más grave, supuestamente para resultar más seductor.

La puerta giratoria se abrió y Tessa irrumpió en la cocina interrumpiendo tan comprometida situación.

—Te estaba buscando, Carolyn. Se requiere tu presencia. Warren, mamá y Grace quieren jugar al bridge, y yo preferiría morirme antes que jugar a eso.

—No. —Era la segunda vez que le decía que no a un MacDowell, y la experiencia estaba resultando intensa—. Lo siento, tengo muchas cosas que hacer. Tendrán que jugar tres.

—No digas tonterías. Seguro que lo que tienes que hacer puede esperar —dijo Tessa con arrogancia.

—No. —Iban tres veces. Carolyn se sentía tan satisfecha que incluso logró proferir una agradable sonrisa—. Tendrán que divertirse sin mí.

Y rodeó con agilidad la mesa de la cocina, dejando las pastillas esparcidas por el suelo de madera, escabulléndose con discreción.

A pesar de las importantes reformas realizadas, la finca de los MacDowell no lo era suficientemente grande para albergar holgadamente a toda la familia al completo. Con el recién llegado instalado en la habitación renovada de Alex MacDowell, y Tessa y Grace compartiendo, aunque a disgusto, la de Carolyn, ésta había sido oficialmente desterrada. Patsy, Warren y George habían exigido ocupar las tres suites y, a menos que se usara dinamita, nada ni nadie les sacaría de allí.

Lo que dejaba a Carolyn durmiendo en un sofá-cama en la biblioteca.

En circunstancias normales no le hubiera importado, pero es que nada de lo que estaba ocurriendo era normal. George tenía ideas de lo más disparatadas, Warren se mostraba demasiado simpático, y lo peor de todo, había un mentiroso desconocido en casa.

Y por si fuera poco, en la biblioteca, equipada con una gran pantalla de televisión y un bar, se habían instalado al menos dos de los primos MacDowell.

Por suerte Alex ya se había esfumado. Probablemente estaría haciéndole la pelota a tía Sally, pensó Carolyn amargamente. No tenía la menor idea de cómo iba a sobrevivir a los próximos días, incluso a las próximas semanas. Le aterrorizaba la sola idea de pasar horas interminables encerrada con él en un coche. Tanto la llegaba a molestar que ni siquiera quería pensar en ello. Era un mentiroso y un estafador, y tal vez mucho más que eso, y nada de lo que ella pudiera hacer o decir impediría que utilizara a los MacDowell para sus infames propósitos.

La casa era un enorme laberinto y sin embargo Carolyn no podía esconderse en ningún sitio. Los mayores estaban en el salón, los jóvenes en la biblioteca. No se atrevía a entrar en la cocina, ni siquiera para recoger sus pastillas, y esa noche hacía un frío glacial. No estaba de humor para dar otro paseo a la luz de la luna, sobretodo teniendo en cuenta con quién se había encontrado la vez anterior.

Era más de la una de la madrugada cuando Tessa y George desalojaron por fin la biblioteca. Carolyn esperó a que la casa estuviera tranquila y silenciosa, a estar segura de que todos dormían, antes de entrar sigilosamente en la cocina para buscar sus tranquilizantes.

No había ni rastro de las pastillas. Algún alma caritativa las había recogido del suelo sin dejar huella de ellas ni del frasco que las contenía. Quedaba la posibilidad de que Constanza hubiera ido a la cocina para comprobar que todo estuviera en orden de cara a evitar atracos nocturnos y demás, pero pensó que no caería esa breva.

Constanza había trasladado la mayor parte de su ropa a la habitación que ahora ocupaban Tessa y Grace, pero al menos había logrado coger algunas prendas y esconderlas en el trastero, que se usaba con poca frecuencia. Se puso un camisón de franela que le llegaba hasta los pies y, con un despertador en la mano, procedió a acostarse en el dudosamente cómodo sofá-cama. Aunque casi todos los MacDowell se levantarían tarde por la mañana, no estaba dispuesta a que ninguno de ellos la sorprendiera en la cama.

Las ventanas de la biblioteca no tenían persianas ni cortinas y la luna, clara y brillante, se reflejaba en la nieve derretida y deslumbraba a Carolyn por más que se girara a uno y otro lado.

Se durmió pasadas las cuatro; el intenso sonido del reloj de pared dando las horas resonaba en su cabeza.

Hacia las seis se despertó en medio de la tranquilidad oscura y lóbrega de la biblioteca. Aún dormida, desorientada, sin recordar dónde estaba, parpadeó soñolienta, y deseó únicamente seguir bajo el suave edredón de plumas y olvidarse de todo.

—Es hora de levantarse, encanto —le susurró alguien al oído con voz seductora—. Hay que ponerse en camino.

Carolyn arremetió contra él, presa de un pánico repentino e inexplicable, para darle de lleno en la cara. Alexander MacDowell estaba inclinado sobre ella y la agarró del brazo cuando ésta intentó pegarle.

—Cálmate, preciosidad —le dijo—. No me he metido en la cama contigo. Únicamente he pensado que, ya que pretendes hacer esto en un solo día, querrías salir temprano.

Carolyn retiró el brazo, estremeciéndose en la tranquilidad matutina mientras trataba de recobrar el equilibrio perdido.

—¿Hoy? —preguntó con atemorizada incredulidad.

—Es un buen día como otro cualquiera. Cuanto más tardemos en ir más cuesta arriba se te hará —respondió él.

No le contradijo.

—¡Lárgate! —exclamó con brusquedad.

Alex no se movió.

—¿Cuánto tardarás en estar lista?

Le habría dicho de todo, pero no tenía escapatoria. Se lo había prometido a Sally y nunca faltaba a su palabra. Sally no le había pedido nada del otro mundo, debería estar encantada de hacerlo.

—Una hora —le contestó.

—Está bien. No pierdas el tiempo acicalándote por mí —dijo él.

—Créeme, no lo haré.

Alex se levantó, y Carolyn casi deseó que no lo hubiera hecho. Le producía una extraña sensación estar echada en la cama suave y caliente con su esbelta figura cerniéndose sobre ella, mirándola con enigmáticos ojos azules.

Su sonrisa no facilitaba las cosas. Fría y estudiada, jugueteaba en su boca increíblemente sensual y parecía estarle diciendo que leía cada uno de sus pensamientos.

—Te he traído una taza de café —anunció Alex, haciendo una señal con la cabeza en dirección a la mesa.

—No tomo café por las mañanas.

—Pues Constanza me ha dicho que te gusta con leche y sin azúcar —continuó él, ignorando su flagrante mentira—. En mi opinión no te iría mal endulzarlo un poco.

—Cuanto más tardes en irte, más tardaré en estar lista —dijo Carolyn con frialdad.

Los ojos de Alex recorrieron su cuerpo de arriba abajo. No había nada que ver; casi todo estaba tapado por un mullido edredón y el resto lo cubría un camisón de franela que Carolyn solía reservarse para los días más fríos de enero. De todas formas sentía un ligero calor envolviendo su piel bajo las sábanas.

—Te esperaré en la cocina. Por lo menos Constanza se alegra de verme. —Miró en dirección a la puerta, se detuvo y se volvió de nuevo—. ¡Ah, se me olvidaba! —Tiró un pequeño objeto sobre la cama, y por el ruido que hacía Carolyn supo que era su frasco de pastillas—. Te dejaste tus pastillas esparcidas por todo el suelo de la cocina. Ve con cuidado, tía

Patsy es adicta a estas cosas. De haberlas encontrado, se las hubiera zampado todas.

Carolyn no se tomó la molestia de negar que eran suyas; su nombre figuraba en el frasco recetado.

—Son para el dolor de cabeza.

—Son tranquilizantes, Carolyn —le corrigió él—. Son suaves, pero no dejan de ser tranquilizantes. Y pienso asegurarme de que los necesites.

Y se fue con una pícara sonrisa dibujada en los labios.

6

Alex estaba tan ocupado desplegando sus encantos con Constanza que apenas desvió la vista cuando Carolyn entró en la cocina y dejó su taza vacía sobre la encimera de azulejos.

—Es fantástico que el señorito Alex esté aquí —declaró Constanza entusiasmada.

—¡Ufff...! —Carolyn se sirvió otra taza de café en la que metió deliberadamente un tranquilizante que había sacado de su frasco de pastillas. Alex no se sorprendió demasiado.

—Me temo que Carolyn no está de acuerdo contigo, Stanza —dijo él perezosamente.

Alguien debía haberle dicho cómo apodaba el verdadero Alex a la mujer que durante su infancia había sido medio cocinera medio niñera. Carolyn no oía ese apodo desde hacía años.

—¿No se alegra de que usted haya vuelto? —preguntó sorprendida.

—No está segura de que sea yo.

Constanza se rió.

—No diga bobadas, señorito Alex. ¿Cómo iba a pensar que no es usted? ¿Cómo podría dudar? La señora MacDowell le conoce; es imposible que una madre no reconozca a su hijo. Además, está igualito que antes.

—No, por Dios —comentó él con sinceridad—. He ganado en edad y en sabiduría.

—Tal vez —susurró Carolyn.

Constanza sacudió la cabeza.

—Se pasaban el día entero discutiendo. No debería sorprenderme que sigan haciéndolo. Y ahora, a sentarse, que haré huevos revueltos para desayunar.

—No tengo hambre, Constanza. Prefiero que salgamos ya.

—Nunca tiene usted hambre, señorita Carolyn —le regañó Constanza—. Es un insulto a mi cocina, y no pienso consentirlo. Si no se sienta y come algo, se lo diré a la señora MacDowell, y ya sabe lo mucho que se preocupará.

Ambas sabían que era una amenaza vana. Ninguna de las dos tenía intención de inquietar más a Sally, pero Carolyn se sentó igualmente, resistiendo el impulso de sacarle la lengua a Alex.

—Hazme sólo una tostada —susurró antes de dar un sorbo de café.

—Se morirá de hambre —le advirtió Constanza—. Además, ¿a qué viene tanta prisa?

—Quiero volver lo antes posible.

Constanza se acercó a Carolyn, y se puso las manos en la cadera.

—¿Qué tontería es esa? Necesita tomarse un respiro, apenas ha salido de casa en los últimos ocho meses. La señora MacDowell no se va a morir en cuestión de horas, y entre todos nos ocuparemos de ella. Tómese unos días libres y diviértase. Le sentará bien la brisa del mar.

Alex contemplaba la escena con gran interés, y Carolyn hizo acopio de toda su fuerza de voluntad para no prestarle atención.

—Puede que más adelante —comentó.

—¿Te refieres a después de que mamá haya muerto? —murmuró Alex—. ¡Eres una morbosa!

Carolyn había dormido muy pocas horas y bebido demasiado café.

—Llevo más de un año tratando de aceptar la inminente muerte de Sally. Lo siento si te parezco algo brusca, pero tampoco has estado aquí para poderte hacer a la idea.

—A ver si te aclaras, Carolyn. O soy un maldito farsante sin derecho a acaparar toda la atención, o soy un hijo malvado y desagradecido que ha llegado demasiado tarde para hacer algo positivo.

—Para mí está claro.

—¿Ah, sí? Entonces no hace falta que te pregunte por qué opción te decantas, ¿no?

—De cualquier manera, eres despreciable.

—Querrás decir «dezpreciable».

Soltó la taza de café, mirándole súbitamente sobresaltada. De pequeña sólo le unía una cosa con el salvaje de Alexander MacDowell: una inexplicable pasión por Bugs Bunny y su pandilla. «Dezpreciable» y «¿Qué hay de nuevo, viejo?», eran sus contraseñas.

Sin embargo, Alex estaba muerto y esos dibujos animados, como los del Pato Lucas, los reponían cada cierto tiempo. Cualquier niño de la generación de Alex los habría visto mil veces. Era una casualidad que hubiera acertado, pura lógica.

Era exasperante.

Alex se levantó antes de que Carolyn dijera nada y ésta se forzó a mirarle. Iba vestido igual que antes, con la misma ropa holgada y desenfadada, unos tejanos descoloridos y un jersey de algodón, y ni siquiera se había tomado la molestia de afeitarse esa mañana. Tal vez Alex pensaba que un poco de barba incipiente le hacía parecer más atractivo. Tal vez estuviera en lo cierto.

—Venga, princesa. Eres tú quien tiene tanta prisa. Si tienes hambre pararemos por el camino en un McDonalds.

Carolyn se estremeció sólo de pensarlo.

—Los MacDowell no comen en McDonalds —dijo.

—Tú no eres una MacDowell.

Fue una afirmación hecha sin malicia. Necesitó hacer uso de todo su auto-control para que su reacción no se le reflejase en el rostro, para no responderle con el obvio «Tú tampoco». Le ignoró, y se levantó también.

—Iré un momento a despedirme de Sally. —Caminó en dirección a la puerta pero él la agarró del brazo, acercándola hacia sí; Carolyn tuvo la sensatez de no intentar soltarse.

—Está durmiendo. Ha pasado una mala noche. Ya le he dicho adiós de parte de los dos.

Permaneció quieta durante un instante. No había nada que pudiera decir, ni forma alguna de defenderse. Se limitó a asentir con la cabeza.

—De acuerdo. Entonces iré a buscar mi maleta.

—¿Para qué necesitas una maleta? Creía que estabas decidida a no pasar la noche fuera.

—La señorita Carolyn es una mujer muy precavida —informó Constanza, orgullosa—. Siempre le ha gustado estar preparada para todo.

—¡Ah..., pero eso es imposible! —exclamó Alex—. El destino tiene la manía de jugarnos malas pasadas.

Carolyn clavó los ojos en él el tiempo necesario para asegurarse de que supiera que ella le consideraba una de las peores bromas que el destino le había gastado jamás.

—Te veré en el coche.

Carolyn Smith le divertía. Sabía que era grosero y despiadado por su parte reírse de su orgullo y sus enfados, pero ya no tenía esperanzas de ser mejor persona. De su vida, que había sido dura, no culpaba a nadie más que a sí mismo. Había tenido que luchar por lo quería y seguir adelante. De ahí que no le conmovieran lo más mínimo las emociones ridículas y superficiales.

Carolyn no conseguiría nunca aquello que tanto quería. Nunca sería una MacDowell, nunca pertenecería a esta familia de engreídos hipócritas, cosa que debería alegrarle; pero no era así. Siempre que le mencionaban esa carencia respondía como una rata de laboratorio.

No es que se pareciera especialmente a una rata. Alex la había estado observando, de pie, junto a su improvisada cama en la biblioteca; debería estar agradecida por que hubiera resistido a sus peores impulsos y no se hubiera metido en la cama con ella.

Sólo Dios sabe cuánto lo había deseado. Habría sido tan sencillo: se habría estirado encima de Carolyn y sin darle tiempo a gritar, le habría tapado la boca.

Ella le habría pegado. Habría pataleado y forcejeado con él durante más o menos treinta segundos. Luego le habría devuelto el beso.

No estaba siendo especialmente vanidoso. Algunas mujeres se sentían atraídas hacia él, otras le despreciaban. Casualmente, Carolyn Smith encajaba en ambas categorías.

Debería dejarla en paz. A Carolyn le había costado mucho tener una vida tranquila, y su aparición ya era lo bastante perturbadora. Seduciéndola no haría sino empeorar las cosas.

Claro que Alex no veía precisamente con buenos ojos su vida sosegada y segura, y era lo suficientemente egocéntrico para dar su opinión al respecto. Creía que Carolyn era demasiado joven para encerrarse en una tumba viviente. Demasiado joven para consagrar su vida a una familia de dinosaurios que ni entonces ni antes, obviamente, le había servido de nada. Necesitaba urgentemente espabilarse un poco; él se encargaría de ello.

Carolyn le estaba esperando de pie junto a la puerta del coche, del maltrecho y viejo jeep. Con el pelo rubio anudado fuertemente en un pequeño moño a la altura del cuello, y el impermeable negro envolviendo su esbelto cuerpo, hacía todo lo posible para tener aspecto de profesora respetable. Nada más lejos de la realidad.

Alex consideró la posibilidad de abrirle la puerta, pero no lo hizo. Al auténtico Alex no le hubiera importado abrirle la puerta del coche a su casi prima. A ése que estaba ahí, le interesaban más las cajas fuertes de los bancos y los dormitorios.

Constanza tenía razón; Carolyn era muy prudente. Desenterró el cinturón de seguridad, apenas usado, y lo abrochó, sosteniendo con firmeza en su regazo el bolso de piel, como una especie de protección. Alex bien podría haberle dicho que nada la mantendría a salvo.

Viajaron en silencio durante los primeros veinte minutos; el de Carolyn era un silencio hostil, el de Alex era divertido. Al llegar a la altura del letrero de McDonalds, Alex puso el intermitente; entonces Carolyn se decidió a hablar.

—No quiero tomar nada —dijo—. Es demasiado temprano para comer porquerías.

—Nunca es demasiado pronto para eso. —Detuvo el coche a la altura de la ventanilla del McAuto—. Míralo de esta forma: necesitarás energía para seguir peleándote conmigo. No se puede ofrecer mucha resistencia con el estómago vacío.

—¿Quién ha dicho que quiero pelearme contigo?

Alex la miró.

—Tal vez las oleadas de hostilidad que siento son fruto de mi imaginación —comentó él tranquilamente.

—Vete al infierno.

—Aunque tal vez no. —Alargó el brazo, cogió la comida, y puso una bolsa en el regazo de Carolyn—. Cómetelo.

—No puedes obligarme.

Alex rió en voz baja.

—Sí, sí puedo —replicó.

Carolyn le creyó.

Alex no había visto nunca a nadie tardar tanto en comerse un Huevo McMuffin con beicon y unas patatas Deluxe. Se los comía sin ganas, desmenuzándolos en trocitos.

—Estás demasiado delgada —señaló, mirando a la carretera.

—Si crees que vas a conquistarme con esa sarta de sandeces, ya puedes ahorrarte saliva —dijo con mordacidad.

—¿Qué te hace pensar que quiero conquistarte?

—Me he equivocado de palabra. Estás tratando de persuadirme, al igual que has hecho con el resto de los MacDowell. Tienes a casi todos en el bolsillo; casi todos te han creído. Y no vuelvas a decirme que no soy una MacDowell, porque lo sé perfectamente.

—Entonces, ¿por qué te sigue molestando? Yo, en tu lugar, no querría ser uno de ellos. Todo te iría mejor.

—¿Eso piensas? Suponiendo por un momento que fueras el verdadero Alexander MacDowell, algo totalmente descabellado, ¿estarías mejor sin ellos? ¿Intentarías no ser uno de ellos?

Alex no quería responder a sus preguntas; no, cuando eran tan directas.

—¿Tú qué crees?

Carolyn estrujó el papel con los restos de comida y lo metió en la bolsa.

—Yo creo que eres un tramposo y un mentiroso. Un impostor dispuesto a usurparle a una anciana moribunda su fortuna.

—Si se está muriendo, no creo que vaya a necesitar su dinero mucho más tiempo.

—¿Dudas que se esté muriendo?

—No. Ya me he dado cuenta de que no le queda mucho de vida. Lo mejor que le puede suceder es tener a su querido hijo junto a ella. Está feliz, Carolyn. ¿Acaso eso te molesta?

—Lo que me molesta es que esa felicidad sea falsa; que esté basada en una mentira.

—No vivirá lo suficiente para averiguar si es o no es mentira. Morirá sabiendo que su añorado hijo ha vuelto con ella. Morirá rodeada de su adorada familia. ¿Qué más se puede pedir? ¿Quieres privarla de eso? ¿Quieres arrebatarle a su hijo, ahora que finalmente le ha encontrado?

Carolyn permaneció callada unos instantes.

—No quiero hablar más del tema —dijo finalmente, con voz cansada—. No he tenido más remedio que venir contigo, pero eso no significa que tengamos que discutir durante las cinco horas de ida y las cinco de vuelta.

—Podemos hablar de otra cosa.

—No quiero hablar de nada. Quiero olvidarme hasta de que existes —le espetó sin piedad. Volvió la cabeza y miró por la ventana.

—No te preocupes, Carolyn. En cuanto Sally haya muerto, me iré de tu vida y todo habrá terminado. Nunca más tendrás que pensar en mí.

Carolyn no respondió. Su expresión parecía ausente, contemplando la grisácea luz matutina, y Alex se permitió el placer de observarla mientras conducía. Había conocido a mujeres corrientes, a mujeres guapas, amables y otras crueles. Las facciones de Carolyn Smith eran perfectas: nariz recta y estrecha, pómulos prominentes, labios dulcemente generosos y ojos azules grandes y preciosos. Su piel era perfecta, y su cuerpo esbelto y deliciosamente curvado, aunque le convenía ganar algo de peso. En conjunto, debería resultar físicamente irresistible.

Sin embargo, había un muro a su alrededor, un muro de alambre de espino y hielo, y fuera lo cariñosa que fuera la persona que estaba al otro lado de esa barrera, Carolyn seguía sin estar a su alcance. Las señales de aviso estaban en todas partes —prohibido el paso—, y sin embargo su fría belleza era perversamente tentadora. Cualquier hombre sensato se mantendría a distancia de ella.

Alex no era un hombre sensato. Disfrutaba con los retos. Era un hombre que sabía demasiadas cosas de Carolyn Smith, probablemente más que ella misma. Un hombre al que le gustaba el peligro. De lo contrario habría seguido siendo Sam Kinkaid al otro lado del océano, y estaría bronceándose bajo el sol del mediterráneo en su casa de la Toscana.

Pero estaba aquí; y ella también, con los brazos firmemente cruzados sobre su pecho, y con la mirada en otra parte, fría, silenciosa, reservada. Aquí estaba, a la merced de Alex al menos durante las próximas doce horas, horas que él esperaba con ilusión.

* * *

Los asientos delanteros del jeep eran muy estrechos y el aire estaba tan cargado como en un coche de carreras. Carolyn procuraba ignorarle a toda costa, haciendo ver que dormía, mirando por la ventana, contestando a sus comentarios ocasionales con un desalentador «Mmmm...». Pero por mucho que lo intentara, no podía librarse de la abrumadora sensación de su presencia, que la inquietaba y la presionaba, que la agobiaba. Él estaba allí, junto a ella, a su alrededor, estorbando, exgiendo incluso cuando no decía una palabra.

Carolyn sabía que toda la culpa era suya. A sus treinta y un años ya había aprendido a liberar emociones, a superar desengaños, a ser flexible con aquello que la irritaba. Y sin embargo, el impostor que se hacía pasar por Alexander MacDowell parecía ser insensible a todas sus defensas. Conseguía sacarla de quicio con su sonrisa ligeramente burlona, sus brillantes ojos azules y sus andares sexys y desgarbados.

Respiró profundamente, y sacó el aire despacio, intentando soltar la tensión que sentía dentro. Lo hizo cinco o seis veces, pero no pareció surtir efecto. Sólo consiguió marearse.

—¿Necesitas más tranquilizantes? —preguntó Alex, arrastrando las palabras y deteniendo el coche frente a la oficina de los ferrys. Había llegado hasta el puerto de Woods Hole sin ningún problema, cosa que despertó en Carolyn momentáneas dudas. El camino estaba bien señalizado y él era un hombre concienzudo y experimentado. Con toda seguridad llegaría también sin vacilar a la casa de Water Street una vez estuvieran en la isla. Carolyn no debería dejar que su inteligencia le sorprendiera o le hiciera dudar de aquello que sabía que era verdad.

—Estoy bien —respondió ella en voz baja pero firme.

—Estás muy tensa, Carolyn. Me sorprende tu falta de flexibilidad.

—Estoy preocupada por Sally. No me he separado de ella en todo este año, desde que su salud empeoró. No me gusta dejarla.

—Dedicarse durante un año a alguien que tiene servicio y una enfermera las veinticuatro horas del día es mucho tiempo. No te necesita permanentemente a los pies de su cama.

Carolyn se volvió para mirarle.

—No, es cierto, pero yo sí necesito estar allí.

Casi deseaba que no hubiera sitio en el ferry para meter el coche. No debería subestimar a Alex; ya había reservado una plaza, y llegaban justo a tiempo para zarpar.

¡Hacía tantos años que no cogía un ferry, que no iba a Edgartown! Hubo una época en que la antigua mansión fue motivo de discusiones entre los hermanos MacDowell; todos querían la parte que les correspondía. De todas las casas de los MacDowell, ésta era la más importante, mucho más valiosa que el apartamento de Park Avenue o la impresionante finca de Vermont. Sin embargo, Sally perdió el interés por ella no mucho después de la desaparición de Alex, y Carolyn estaba igualmente encantada de dejar de ir a un lugar lleno de dolor y de recuerdos ocultos. Warren, Patsy y sus hijos hicieron buen uso de la casa; en ella George dio fiestas asiduamente; pero Carolyn no había vuelto a ir desde hacía más de doce años.

Se le ocurrían formas más agradables de volver que hacerlo con alguien que fingía ser un hombre que estaba muerto. Alex MacDowell, de diecisiete años y ojos salvajes y furiosos, la perseguía. Su espectro deambulaba por la isla, vagaba por Lighthouse Beach, paseaba entre las sombras del jardín de la parte posterior de la antigua mansión. El fantasma de Alexander MacDowell vivía aquí, y traer a un impostor ante su presencia parecía estar siendo un gran error.

Carolyn se alejó del coche y del hombre que se hacía llamar Alex y fue en busca de una taza de café, que bebió a sorbos mientras veía cómo la isla surgía del mar. Pensaba que era más temprano; ya era media tarde y el trayecto en ferry estaba siendo más largo de lo que recordaba. Tal vez era porque ansiaba el fin del viaje.

Cuando volvió al coche, en cuyo interior Alex ya la estaba esperando, el ferry atracó. Ignoraba cuánta información poseía, pero no tenía intención alguna de ayudarle a encontrar la casa de Water Street. Ese hombre no necesitaba ninguna clase de ayuda.

Carolyn conocía esa enorme y antigua mansión blanca de estilo victoriano desde su más tierna infancia, si bien en temporada baja su aspecto era extraño y distinto. Al igual que las demás casas de Water Street, tenía las persianas cerradas, el mobiliario del porche guardado y las señales de «prohibido el paso» claramente visibles. A esa zona ya había llegado la primavera; habían brotado algunas hojas pequeñas y bajo la capa de rocío que lo cubría, se adivinaba el césped verde.

Carolyn miró a Alex cuando éste aparcó el coche y bajó de él, pero parecía estar totalmente familiarizado con el lugar. Claro que también era posible que hubiera estado allí antes, como parte de su entrenamiento. Sabía demasiado sobre el verdadero Alex MacDowell; alguien cercano a la familia debía haberle ayudado. Tal vez un MacDowell mismo.

Alex le devolvió la mirada.

—¿Quieres que te abra la puerta? —preguntó articulando las palabras.

Había permanecido sentada en el coche, en trance. Tiró de la manilla de la puerta, sin darse cuenta de que aún llevaba el cinturón abrochado. Murmuró alguna palabra malsonante y finalmente salió del coche con movimientos torpes. Lighthouse Beach se encontraba a sus espaldas, y se volvió para verla, incapaz de resistirse al impulso; su aspecto era desolado, estéril y desierto en medio del frío que hacía a pesar de que ya había comenzado la primavera.

No se había percatado de que Alex estaba detrás de ella, siguiendo su mirada, clavada en el abandonado faro de la playa.

—Casi no ha cambiado, ¿verdad? —murmuró.

Ella alzó la vista. Se le había acercado demasiado, claro que ni estando cada uno en una punta del país dejaría de tener la sensación de no estar lo bastante lejos de él. Motivado por la simple curiosidad y ajeno a lo que realmente había ocurrido, los ojos de Alex contemplaron el lugar donde el verdadero Alexander MacDowell había muerto.

—Hay cosas que no cambian nunca —comentó Carolyn en voz baja—. Otras, sí.

Alex sonrió ligeramente. Su sonrisa era reprobadora y sexy. Eso era lo único que tenía en común con el auténtico y desaparecido Alexander.

Era sexy a rabiar y ella, tan vulnerable como cuando contaba trece años, estaba lejos de ser inmune.

Alex echó un vistazo a su alrededor, como si fuera la primera vez que veía todo aquello, lo que en realidad era muy probable.

—¿No te resulta un poco triste una zona residencial costera en temporada baja?

—A mí me gusta más.

Alex sonrió.

—Está bien. ¿Y qué me dices de un faro en desuso?

Carolyn negó con la cabeza.

—Todavía se usa. Funciona automáticamente con el fin de evitar que muera gente en la playa. —Escogió las palabras deliberadamente, para provocarle.

Pero el hombre que fingía ser Alexander MacDowell no se dio por aludido. Simplemente se encogió de hombros.

—Espero que dé resultado —dijo. Y caminó hacia la casa.

7

La casa estaba fría, oscura, húmeda y olía a cerrado. A pesar de que la primavera había llegado a Vineyard antes de lo habitual, los rayos del sol no habían penetrado en los rincones oscuros de la antigua mansión, y al entrar en el lóbrego salón Carolyn se estremeció de frío. Los muebles parecían enormes y cobraban un aire siniestro bajo las fundas holandesas, y las persianas impedían cualquier entrada de luz.

—Cojamos el cuadro y salgamos de aquí —ordenó, reacia a quedarse más rato del necesario en la antigua casa. Había pasado mucho tiempo desde que vino por última vez, pero los recuerdos dolorosos todavía persistían. Si de ella hubiera dependido, jamás habría vuelto.

Alex pasó junto a ella, a oscuras, y abrió una de las persianas, dejando que la luz inundara la habitación.

—¿A qué viene tanta prisa?

—No quiero perder el último ferry.

Él se giró y la miró.

—Pensaba que ya te habías dado cuenta.

Si antes tenía frío, no era nada comparado con el repentino escalofrío que recorrió sus huesos.

—¿De qué?

—De que ya lo hemos perdido. ¿No has visto el tablón de horarios? He dado por sentado que sabías que si subíamos al barco no podíamos volver hasta mañana por la mañana.

—¡Eso es absurdo! Hay ferrys hasta las ocho de la tarde, y los fines de semana el último sale de noche.

—Eso es en verano, Carolyn. Estamos en temporada baja. El último ferry ha salido hace una hora, nos hemos cruzado con él de camino hacia aquí.

—¡No! ¿Y que hay del ferry en el que hemos venido? Se estaba preparando para zarpar…

—Se dirigía a Nantucket. No volverá hasta mañana. No tenemos más remedio que pasar aquí la noche, de modo que será mejor sacarle partido a la situación.

—Podría volver en avión…

—¿Y qué hacemos con el coche?

—Puedes quedarte y hacerle compañía.

Alex se apoyó en la pared.

—No sabía que me tuvieras tanto miedo.

—No te tengo miedo.

—Entonces ¿por qué tienes tantas ganas de irte? Una vez en tierra, tendrías que alquilar un coche y luego conducir unas cinco horas hasta llegar.

—Quiero volver con Sally.

—¿Por qué? No se va a morir hoy mismo. El médico ha dicho que por ahora se ha estabilizado.

—¿Has hablado con el médico? —Carolyn trató de ocultar su enfado.

—¿Por qué no? Soy su hijo. Su pariente vivo más cercano.

«Eres un tramposo y un embustero». No pronunció las palabras en voz alta, incluso controló la expresión de su cara aparentando estar tranquila.

—Por supuesto —murmuró, dándole la espalda.

—Escucha —dijo él—, si estás tan desesperada puedo intentar averiguar si hay algún avión que salga esta noche de la isla, pero estás haciendo una montaña de un grano de arena. No tienes por qué tenerme miedo.

—No me das miedo —afirmó de nuevo.

—Entonces ¿qué es lo que te asusta?

Ella le miró con frialdad, indignada.

—Absolutamente nada.

—Eso no es del todo cierto —replicó Alex con total tranquilidad—. Te dan miedo las arañas, el compromiso y Alexander MacDowell. También temes perder el dudoso concepto de familia que has aprendido entre los MacDowell. Eres como una niña en una tienda de golosinas, te deslumbra aquello que nunca podrás tener, y te olvidas de que todo eso es insípido e inútil. Es un espejismo.

—No sigas —dijo ella. Era muy fácil saber que tenía pánico a las arañas; toda la familia lo sabía y por eso era objeto de burlas. Por otra parte, y dado que el compromiso no entraba en sus planes, era lógico que hubiera llegado a los treinta sin haber entablado una relación romántica seria. En cuanto a que le tuviera miedo a Alex o no, ya fuera el auténtico o el que se hacía pasar por él, en fin, prefería no pensar en ello, no en este momento—. ¿Y qué tal un hotel? ¿O un hostal?

—Estamos en temporada baja, ¿recuerdas? ¿Es esta casa lo que te da miedo? ¿Acaso has visto un fantasma salir de dentro de un armario?

—Me trae a la memoria recuerdos desagradables —dijo con voz gélida.

—¿Por ejemplo?

—El día en que Alex murió. —Carolyn supo de inmediato que había hablado más de la cuenta. Durante un instante Alex palideció, luego se le acercó, con paso lento y hasta majestuoso, y ella no pudo volverse, no pudo sino permanecer quieta mirándole con absoluta parsimonia.

—¿El día que Alex murió? —repitió él—. ¿Qué te hizo pensar que había muerto? Simplemente huí. Eso es lo que pensaron todos, ¿no es cierto?

Sus ojos azules la hipnotizaban, se hundían en sus entrañas.

—Sí —respondió.

—¿Sí, qué? ¿Que pensaste que estaba muerto? ¿O que todos los demás lo pensaron?

Aunque sabía que era de carne, y hueso y que no tenía nada que ver con el verdadero Alexander MacDowell más allá de un misterioso parecido, Carolyn no tenía ganas de mantener esta conversación con un fantasma.

—Todos se imaginaron que sencillamente habías huido.

—Todos, menos tú. ¿Por qué, Carolyn? ¿Por qué pensaste que había muerto? ¿Qué es lo que viste?

Carolyn se sentía hipnotizada por el sonido de su voz y esa suave insistencia que derribaba sus prudentes defensas.

—Nada —contestó.

—¿Por qué estabas tan segura de mi muerte, pues?

—Porque el auténtico Alex quería a su madre. Nunca hubiera desaparecido como si se lo hubiera tragado la tierra sin volver a dar señales de vida. Sally contrató a los mejores detectives privados para que le buscaran; ningún adolescente habría podido escapar de ellos.

—Te sorprendería lo que puede llegar a hacer un chico de diecisiete años, inteligente y decidido. Así pues, ¿qué creíste que me había ocurrido? ¿Que alguien me había descuartizado y había ido enterrando trozos de mí por toda la isla?

Carolyn detestaba el leve tono de burla de su voz.

—Creo que alguien debió disparar a Alex en la espalda y le arrojó al mar. Probablemente su cadáver fue arrastrado en dirección hacia Francia antes de ser devorado por los peces.

—¡Qué horror! —Alex la miraba con total tranquilidad, sin que su cara revelara nada en absoluto—. ¿Esto es fruto de tus fantasías morbosas o hay alguna razón en concreto que te lleve a afirmar que ocurrió así?

Carolyn tuvo el presentimiento de que él lo sabía. Fuera quien fuera, fuera lo que fuera, ese hombre sabía que a Alex MacDowell le habían asesinado aquella noche. Y ahora sabía que ella también lo sabía. Había hablado demasiado, tendría que haberse mordido la lengua.

—Son imaginaciones mías —dijo ella quitándole hierro al asunto.

Entonces Alex esbozó una sonrisa poco amigable.

—Imaginaciones que pierden su sentido con mi repentino regreso. ¡Menudo chasco te habrás llevado! En muchos aspectos, además.

—No especialmente.

—¿En alguna ocasión le has dicho a Sally que creías que estaba muerto?

—Nunca se lo he dicho a nadie.

—¿Por qué?

Sin pedir permiso, volvió a la memoria de Carolyn el recuerdo de la oscura silueta, de la sangre sobre la arena, de la gélida neblina que la envolvía, agazapada tras una roca.

—No era más que una teoría —respondió, encogiéndose de hombros—, una teoría obviamente errónea, porque aquí estás, vivito y coleando.

—Obviamente —repitió él mirándola; la expresión de sus ojos repentinamente opacos era indescifrable. En cuanto a la verdad, sus posibilidades se entretegían como una telaraña que los atrapaba.

—Carolyn, ¿dónde está el retrato?

Carolyn no dijo nada, simplemente se alejó de él y se dirigió hacia lo que en su día fue el salón de la parte posterior de la casa. Alex la siguió y se detuvo al llegar frente al retrato, que miró con expresión inescrutable.

Era una maravilla de cuadro. Edward Wicklander fue el mejor retratista de la década de los setenta, e hizo un trabajo magnífico con las estupendas y ceñudas facciones de Alexander MacDowell, que entonces tenía trece años. Ese retrato bien podía haber sido el símbolo de toda una juventud desencantada, que probara los primeros frutos prohibidos, y Alex no sabía si acababa de gustarle. Carolyn contempló los ojos del retrato, pero en esta ocasión no le asombraron por su sarcasmo e ironía ni por la fidelidad que guardaban con la realidad, lo que la fascinó fue que esa astuta mirada azul era idéntica a la del hombre que tenía a sus espaldas.

—El parecido es increíble —murmuró.

Alex entendió perfectamente lo que Carolyn había querido decir, pero tenía su propia manera de jugar a ese juego.

—¿Verdad que sí? Plasmó mis rasgos a la perfección.

—¿Recuerdas el día que posaste? —Para el verdadero Alex fue un auténtico suplicio tener que posar inmóvil durante horas y horas mientras el famoso Wicklander desplegaba sus dotes artísticas. Sólo consiguieron que permaneciera algo más quieto durante algunos minutos seguidos tras haberle prometido a cambio un catamarán de carreras.

—Vamos, Carolyn —la reprendió cariñosamente—, sabes de sobra que no tienes que interrogarme acerca del pasado.

—Por la cuenta que te trae —murmuró ella—. ¿Y qué harás, decírselo a Sally?

Alex se le acercó, pero ella, decidida a no dar un paso, ni se inmutó.

—No —le contestó—. Eso era propio de George, ¿recuerdas? Yo puedo hacer algo mucho más retorcido, puedo simplemente negarme a contestar a tus preguntas. —Alargó un brazo y jugueteó con los dedos con un mechón suelto del pelo de Carolyn—. O peor aún, puedo responderlas.

Sus ojos se encontraron, algo que Carolyn, consciente de que era lo más sensato, había estado tratando de evitar. La mirada azul de Alex era de un profundo insoportable, como si pudiera leer su mente y traspasar sus defensas, entrando donde no dejaba entrar a absolutamente nadie, en su corazón. En ese pequeño y vulnerable rincón de su ser que todavía palpitaba, sufría y sangraba, y que tanto le había costado reprimir y controlar.

Carolyn tenía los ojos clavados en él, no fue capaz de desviarlos ni siquiera al sentir cómo el aliento se le anudaba y se ahogaba en su garganta, y fue transportada dieciocho años atrás a una calurosa noche de verano en esta misma casa, en que Alexander MacDowell la miró exactamente igual, una mirada llena de perversos deseos con la que hubiera conseguido todo de ella.

Todo menos la pulsera de colgantes.

Eran muy similares, pero no eran los mismos ojos. Esa mirada provocadora había que atribuirla a las fantasías amorosas de una adolescente, y no al hijo de Sally MacDowell, un ladrón, rebelde y alocado.

Carolyn dio un respingo hacia atrás sin importarle que él pudiera tirarle del pelo, pero soltó su mechón con una sonrisa.

—¡Pobre Carolyn! —susurró—. No te molestaré más. ¿Por qué no vamos a averiguar si hay alguna forma de que abandones la isla para que no tengas que pasar ni un minuto más conmigo? —Era como si ese instante, misterioso e impactante, no hubiese sido más que un sueño—. En el peor de los casos tal vez alguna de las casetas de invitados esté abierta.

No podía hacerlo. En ese momento no tenía ningunas ganas de volverse a encerrar en el coche con él, respirando el mismo aire, sintiendo el calor de su cuerpo envolviéndola. El efecto que en ella producía era demasiado fuerte, y necesitaba mantenerse a cierta distancia de él, estar unos minutos sin él para recuperar el equilibrio perdido.

—Ve tú —comentó ella—. Yo esperaré aquí.

Alex la miró sorprendido.

—¿Te fías de mí?

—No del todo, pero quiero estar sola un rato.

No se opuso.

—Que sepas que no he venido para estorbarte.

—¿Ah, no?

—Una mujer de treinta y un años que ha vivido lo que tú has vivido no debería ansiar tanta tranquilidad. Te convendría un poco más de acción.

—¡Y tú qué sabrás! Alexander MacDowell lleva dieciocho años sin aparecer.

—Admito que la curiosidad ha sido superior a mis fuerzas; he hecho mis indagaciones.

—¿Quién te ha ayudado?

—¡Ay Carolyn, me estás pidiendo que delate a mi cómplice en el crimen! —Exclamó despreocupado—. Lo cierto es que le he preguntado a Sally por qué te sigues desviviendo por complacer a los ilustres MacDowell.

—¿Y qué te ha dicho?

—Que la quieres. Y que te atemoriza dejarla y vivir en el cruel e inhóspito mundo de ahí fuera.

—Sally no me conoce tan bien como cree —intervino Carolyn aparentemente relajada.

—Sally no conoce a nadie con profundidad, incluida ella misma.

—Incluyendo a su hijo.

—No has podido evitarlo, ¿verdad? —Alex no estaba ofendido—. Mi madre es una mujer de miras estrechas y voluntad indomable. Sabe lo estrictamente necesario de las personas que la rodean como para lograr que hagan justo lo que desea. El resto no le interesa lo más mínimo.

—Tu amor filial es inspirador.

—¡Me alegro de que mi larga ausencia sirva de algo!

Carolyn tuvo ganas de gritarle, pero se mordió la lengua. Si permanecía un minuto más en ese salón empezaría a ponerse nerviosa, y no había tenido un ataque de pánico desde los veinte años. No estaba dispuesta a dejar que un impostor la volviera a hacer pasar por tan mal trago.

—Pensaba que ibas a averiguar cómo puedo irme de la isla —le recordó Carolyn con toda naturalidad.

—Ahora voy. Mientras salgo a buscar una cabina telefónica, dejaré aquí mi bolsa para que puedas hurgar en ella si te aburres.

—Dudo mucho que dejaras cualquier evidencia incriminatoria a mi alcance.

—Toda precaución es poca. Quizá me guste el riesgo. Quizá quiera que averigües la verdad —dijo provocándola.

—¿Y cuál es la verdad?

Alex no se le acercó, ni siquiera respondió. Incluso desde el otro extremo de la habitación, su presencia resultaba imponente y amenazadora.

Carolyn inspeccionó la bolsa que Alex había colocado junto a la puerta de la entrada. Su ropa era de buena calidad pero estaba gastada. Era evidente que no había invertido en un nuevo vestuario como parte de su plan de caracterización. Llevaba calzoncillos de seda, una maquinilla de afeitar desechable y un frasco de aspirinas. También había condones.

Cerró la cremallera de la bolsa y la apartó de su lado con cara de asco. Los tejanos eran americanos, las camisetas francesas y el paracetamol de las aspirinas inglés. Tal vez él no había viajado tanto como afirmaba, pero desde luego sus posesiones sí.

Anduvo por la parte posterior de la mansión, atravesando el comedor y el cuartito del mayordomo hasta llegar a la cocina, grande y anticuada. Constanza se había negado rotundamente a que Sally la renovara, alegando que le gustaba el estilo antiguo. El enorme fregadero de hierro seguía estando separado del resto y la vieja nevera emitía un ligero zumbido. Carolyn no tardó mucho en comprender a qué se debía aquel zumbido.

La nevera estaba enchufada y llena. Había fruta fresca, granos de café, crema de leche, zumo de naranja y un paquete de seis botellas de la cerveza negra favorita de Alex.

Cerró la puerta de un golpe y fue hasta el fregadero. El agua, que en invierno siempre se cerraba, salía a borbotones.

La línea de teléfono estaba cortada —al menos Alex no había mentido al respecto, aunque en el jeep tenía un teléfono celular—; podría haber buscado un modo de salir de la isla sin necesidad de irse.

Volvio al salón principal y se dejó caer en una de las sillas cubiertas con fundas de hilo. La luz le pareció extraña y se percató entonces de que siempre había venido a la isla en pleno verano. No estaba habituada a la forma en que se proyectaba la luz primaveral, dibujando sombras sobre el agua.

Cerrando los ojos podía verle, a Alex —al verdadero Alex—, joven, fuerte y sano, una criatura ágil y bella, tan irresistible y salvaje como un unicornio. ¿Cómo era posible que se hubiera resistido a él, aun habiendo sufrido el dolor de sus tormentos y sus bromas pesadas durante años? Aquel verano se había fijado en él, su tronco estaba al desnudo, bronceado, tenía la piel suave y llevaba únicamente unas deshilachadas bermudas vaqueras; había soñado con él.

Por aquel entonces sus conocimientos del sexo en general eran, por desgracia, insuficientes. Alexander MacDowell había sido el centro de sus primeras fantasías románticas y de sus primeras fantasías eróticas propiamente dichas. Sus sueños sexuales eran idealistas y delicados, experiencias amorosas consistentes en besos en los labios y placeres incorpóreos. Le dieron escalofríos sólo de pensar en cuál habría sido su reacción de hacerse realidad esos sueños. Pero Alex había desaparecido, dándole a probar sólo un bocado de lo que era el sexo en realidad, y dejándola más desorientada y vulnerable que nunca. Alex estuvo rodeado de un montón de chicas mayores que ella y más listas, nunca necesitó echar mano de la familia. Así que, de haberse quedado, de haber seguido con vida, probablemente no habría vuelto a tocarla.

Aunque de hecho Alex y ella no eran parientes, se recordó Carolyn. Ella no pertenecía a nada ni a nadie, ni tan siquiera a Alexander MacDowell.

Trató de evocar la espléndida belleza del joven desaparecido, pero el intruso luchaba por hacerse un hueco en su imaginación. En lugar de ver el lozano rostro adusto y sexy de Alex, veía únicamente al impostor de elegantes ojos cosacos y cauta belleza.

A lo mejor era un actor que alguien había contratado con el fin de vaciar las arcas de Sally. A lo mejor había sido contratado por motivos más altruistas: para permitir que Sally viviera con serenidad sus últimos días, semanas y meses; para que pudiera morir en paz junto a su querido y añorado hijo.

Ni siquiera Carolyn podía poner pega alguna a semejante motivo. Ella misma habría hecho lo que fuera para facilitarle las cosas a Sally, desde mentir y robar hasta soportar a un impostor peligrosamente seductor; pero por alguna razón no acababa de creerse que la llegada de ese hombre obedeciese a causas altruistas.

Alex debía tener algún aliado cercano a la familia, alguien que estuviera al corriente de los trapos sucios de la casa, de la disposición de las fincas, de las rencillas que había entre los hermanos MacDowell, de los recuerdos y secretos familiares. Era lo bastante listo, sutil y caradura para intentar salir airoso de tamaña farsa, no obstante necesitaba ayuda. En las novelas románticas o de detectives todo era siempre perfecto, pero en la vida real era casi imposible hacerse pasar con éxito por otra persona.

Por mucho que hubiera engañado al resto de los MacDowell, a ella no lograría convencerla. Incluso el paranoico de Warren le había aceptado sin apenas rechistar, lo que indicaba que el impostor hacía su trabajo tremendamente bien.

¿Le habría creído de no haber visto morir al verdadero Alex? Quería pensar que no, que se habría dado cuenta de inmediato, instintivamente, de que ése no era el mismo hombre que la había hecho amar y llorar en su adolescencia, y que ahora regresaba para atormentarla.

Salvo por un detalle, despertaba en ella las mismas emociones que el auténtico Alex: rabia, frustración y una fascinación abrumadora e involuntaria.

—¿En qué estás pensando?

No le había oído volver. Llevaba la bolsa de viaje de Carolyn en una mano y una bolsa con comida en la otra.

Se incorporó para verle llegar por el sendero.

—En que vendrías con cualquier tipo de excusa para retenerme en la isla.

—Lo cierto es que me hubiera encantado tener la casa para mí solamente durante veinticuatro horas, sin nadie vigilándome o acechándome como un halcón, esperando la ocasión de echarme la zancadilla —dijo amablemente—. Por desgracia, no sale ningún avión esta noche y todos los hoteles, moteles y pensiones de la isla están cerrados o están llenos.

—¿Así que todos, eh? —preguntó Carolyn sin ocultar su incredulidad.

Alex subió hasta el último peldaño de las escaleras y dejó la bolsa de Carolyn en el suelo.

—Casi todos. Hay un par de habitaciones libres en la taberna Red Cow, pero creo que estarás mejor aquí. La casa es tan grande que no será preciso que nos veamos hasta mañana por la mañana.

—¿Y qué haremos sin agua y sin luz? En invierno siempre se cierran las tuberías. —Pensó que Alex mascullaría palabras de disculpa.

No lo hizo.

—Constanza me dijo que enviaría a alguien a conectarlo todo y traer algunas provisiones.

Carolyn tenía que haberse imaginado que no sería fácil pillarle.

—¿Y qué llevas en esa bolsa?

—La cena, querida. Siempre y cuando puedas soportar mi presencia un rato más mientras comemos.

Sabía lo que había en esa bolsa; podía olerlo. Hacía más de doce años que no tomaba las almejas fritas que hacían en la taberna, pero su aroma era inconfundible.

Alex era el único miembro de la familia que también tenía debilidad por esas almejas. Justo dos días antes de desaparecer se presentó de madrugada en su habitación con una bolsa repleta hasta arriba de grasientas almejas y un puñado de patatas fritas, y la incitó a darse juntos un banquete, en silencio y sentados contemplando la cala desde el tejado.

—¿Cuándo fue la última vez que comiste almejas fritas, Carolyn? —le preguntó—. ¿Almejas grandes y frescas, de ésas que harían vomitar a George?

Cualquiera podía haberle dicho eso de George, pero era imposible que supiera lo del banquete de almejas, no lo sabía nadie más que Alexander y ella.

Entonces se dio cuenta de que tenía hambre, el hambre suficiente como para comer almejas fritas con él, como para dejarse interrogar. Ya encontraría otras tácticas y ocasiones para llevarle a su terreno. Además, con esa actitud hostil que mostraba no llegaría a ninguna parte; tal vez mostrándose un poco más simpática conseguiría que cayera en la trampa.

—Hay cerveza en la nevera —comentó calmada—. Iré a coger un par de platos y cubiertos...

—No te molestes —replicó él—. ¿Por qué no subimos al tejado del porche y comemos esto con los dedos? No hay ningún MacDowell a la vista para llamarnos la atención.

Carolyn sintió que se le congelaba la cara. Era imposible que supiera eso, a menos que Alexander MacDowell hubiera resucitado, a menos que aquel día alguien les hubiera estado observando y escuchando.

A estas alturas no iba a empezar a dudar de sí misma. Carecía de importancia que la mirada de ese hombre fuera idéntica a la de Alex MacDowell, que su sonrisa fuera igual de sensual, que supiera cosas que nadie podía saber.

Y sobre todo, carecía de importancia que por su culpa Carolyn se sintiera indignada, confusa e irracionalmente nostálgica.

Alexander MacDowell estaba muerto, y ese hombre tan atractivo era un embustero.

—Me parece buena idea —respondió al cabo de un instante. Con disimulado recelo, le dedicó una sonrisa forzada.

8

La luna se elevaba al otro lado de la cala, dejando un sendero de iridiscente luz plateada sobre el agua. Los envases vacíos de la cena estaban esparcidos por la superficie lisa del tejado del porche, y Carolyn dobló las piernas y las acercó a su pecho, abrazándolas, mientras contemplaba la noche.

Aunque no era muy tarde —a partir de la semana siguiente los días serían más largos—, la noche ya se cernía sobre ellos, mecida por una brisa suave. Un recuerdo de la nieve que se derretía cubriendo las colinas de Vermont.

—Creo que no me encuentro muy bien —comentó Carolyn con suma tranquilidad—. No estoy acostumbrada a tomar tanta grasa.

Alex estaba apoyado contra el tejado con las piernas estiradas sobre las tejas, una cerveza en una mano y una tenue sonrisa en su rostro iluminado por la luna.

—No estás acostumbrada a dar rienda suelta a tus apetitos, Carolyn. La grasa del crustáceo es una de las maravillas de la naturaleza. Y casi no has bebido cerveza. ¿Tampoco bebes?

—No demasiado.

—Tú sólo ingieres tranquilizantes y rezas para que me vaya, ¿verdad?

Carolyn no se molestó en negarlo. La comida le había caído en el estómago como una bomba, mucho más agradable de lo que estaba dispuesta a admitir, la cerveza importada era fuerte y sabía mucho a levadura, y la fragancia del océano la envolvía. Se sentía incómoda, inquieta, extrañamente amenazada.

—Pues no me iré, Carolyn.

—Ya lo hiciste una vez.

—¿Estás reconociendo que existe la posibilidad de que yo sea realmente Alex MacDowell? —preguntó Alex con dejadez.

—No. Simplemente no quiero pensar en eso esta noche.

—¡Qué sensibilidad! —exclamó Alex—. Porque eres una mujer sensible, ¿no? Leal, inteligente, simpática y de fiar.

—El mejor amigo del hombre —añadió ella—. Me estás definiendo como a un perrito faldero.

—Sólo que creo que además tienes una vena de malícia.

Carolyn esbozó una sonrisa.

—Ningún miembro de la familia coincidiría contigo en esto último.

—A lo mejor no te conocen tan bien como yo.

Le miró, sin salir de su asombro.

—¡Qué cara más dura tienes! ¿Crees realmente que me conoces mejor que todos los que me han rodeado durante los últimos dieciocho años?

—Carolyn, ellos no te miran de verdad, no te escuchan, no pierden ni un minuto pensando en ti. No eres más que un mueble para ellos.

—Es posible —afirmó ella, que se negaba a morder el anzuelo.

—En cambio yo sí pienso en ti, y te miro cada vez que tengo oportunidad.

—Claro, y si me consideraras un mueble, probablemente sería una cama.

Alex echó la cabeza hacia atrás y se rió; un sonido suave y tibio en el aire de la noche.

—¿Verdad que nadie más ve esa parte de ti?

—Es que nadie más me amenaza.

—¿Por qué me ves como una amenaza? ¿Qué temes que te quite? ¿Crees que ocuparé tu lugar en el corazón de Sally? ¿Que ya no te necesita porque su hijo ha vuelto?

Eso era justamente lo que la asustaba, y hubiera sido capaz de tirarse por el tejado antes que admitirlo.

—Corta el rollo —le interrumpió con sequedad.

—No te preocupes. Lo cierto es que el corazón de Sally tiene sus limitaciones, pero creo que habrá sitio para los dos.

—No estoy preocupada —replicó, mintiendo—. Estoy cansada, me voy a dormir. Quiero volver en el primer ferry de la mañana.

—Ya he reservado dos plazas. Deduje que no querrías levantarte tarde.

—Muy buena deducción. —Se puso de rodillas y pasó junto a él a gatas hacia la ventana abierta que daba a la habitación—. Hasta mañana.

Debería haberse imaginado que no le sería tan fácil escapar. Alex tapó la ventana con un brazo, impidiéndole el paso, y ella se puso en cuclillas y le miró, su silencio era glacial.

—Contéstame a una pregunta, Carolyn —le pidió—. Si no comes, no bebes y no tienes relaciones sexuales, ¿cómo te diviertes?

—Como cosas sanas, bebo con moderación y tengo relaciones sexuales cuando encuentro a alguien con quien merezca la pena acostarse —contestó, desafiante.

—Pero pones el listón demasiado alto, ¿verdad? ¿Hace cuánto que no conoces a alguien a cuyos encantos no pudieras resistirte?

—Aún no he conocido a nadie así.

«Mentira», gritó su cerebro. Alex apartó el brazo de la ventana, sin obstruirle ya el paso, pero en su lugar alargó la mano y le tocó la cara. Carolyn tenía la piel fría y notaba sus dedos calientes acariciándole la mejilla hasta llegar a su pelo, enredado por la brisa. No se movió, le daba miedo oponerle resistencia y que un forcejeo precipitara algo incontrolable.

—Me miras como si fuera un violador —dijo. Su voz le llegó a Carolyn como un leve susurro mientras con el dedo pulgar le acariciaba suavemente los labios—. Ni que estuvieras ante un asesino.

—¿Lo eres? —Su pregunta fue bruscamente acallada.

—No, no lo soy. Ni lo uno ni lo otro —respondió—. ¿Me dejas besarte?

—¿Puedo impedirlo?

—No.

Carolyn no se resistió cuando Alex la atrajo hacia sí para unir sus bocas. Se dijo a sí misma que no debía oponerse; que quería comparar ese beso con el que sin duda alguna había sido el más significativo de su vida, el que le dio Alexander MacDowell en su habitación la noche en que murió; que sentía curiosidad, que...

La boca abierta de Alex estaba caliente, húmeda, era inesperadamente familiar. Asustada, intentó apartarse, pero cayó sobre él tras perder el equilibrio.

Durante unos instantes tuvo la impresión de estar a punto de irse tejado abajo precipitándose sobre el suelo de cemento, pero Alex la sujetó sin apenas esfuerzo y la puso sobre sus piernas, abrazándola con todo el cuerpo y meciéndola en su regazo.

—Así está mejor —murmuró él—. Empecemos de nuevo.

—No quiero… —Le sostuvo la cara con las manos al besarla, y las palabras quedaron atrapadas entre sus bocas. Carolyn no trató de deshacerse de él; permaneció sentada sobre su regazo, dejándose abrazar y besar. A pesar de la inquietante proximidad de Alex, cerró los ojos bajo la luz de la luna y sencillamente dejó que la besara.

No es que se pareciera al momento desesperado y sobrecogedor que había vivido en esta misma casa dieciocho años antes, es que era idéntico.

La boca de Alex se abría sobre la suya y cuando usó la lengua, Carolyn no se apartó atemorizada. No quería respirar, no quería respirar el aliento de su boca, pero no pudo evitarlo. Alex no la besó directamente, jugueteó primero con sus labios, mordisqueándolos lentamente, como si dispusiera de todo el tiempo del mundo. Deslizó una mano por su cuello y la puso sobre su pecho con tal seguridad y naturalidad que ella casi ni se enteró. Besó el extremo de su boca y le pasó la lengua por el labio inferior, y de pronto retrocedió un par de centímetros.

—Noto los fuertes latidos de tu corazón —le susurró—. ¿Vas a devolverme el beso?

—No.

Alex se rió suavemente.

—Entonces me temo que tendré que dejar que te marches.

Carolyn tardó unos segundos en registrar sus palabras, en darse cuenta de que no volvería a besarla. La mano de

Alex aún le cubría el pecho, aún sentía cómo le latía el corazón contra su piel, pero éste no dio un paso más. Se limitó a observarla con impasible curiosidad, su boca, abierta y sexy, seguía estando húmeda.

Ella se percató, con repentina consternación, de que no quería moverse. Notaba el cuerpo fuerte y caliente de Alex envolviendo el suyo, y le sentía erguido bajo sus caderas. A pesar de la expresión de serenidad de su rostro, él la deseaba, la deseaba ardientemente, pero no pensaba hacer nada más al respecto.

Gracias a Dios, se dijo a sí misma, sin moverse. Gracias a Dios no la besaría otra vez, ni le metería la mano en la blusa ni en el sujetador de lencería fina para tocarla. Gracias a Dios no la haría entrar en casa ni la tumbaría en la cama de matrimonio, donde él había pasado su adolescencia, para hacerle aquello que ella había soñado cuando no podía controlar sus sueños.

No era él. Por mucho que sus ojos azules y rasgados le recordaran los de Alex, por mucho que su boca fuera irresistiblemente sexy, por mucho que la hiciera sentir condenadamente vulnerable, ese hombre no era Alexander MacDowell; algo que Carolyn no debía olvidar.

Se alejó de él a gatas en dirección a la ventana abierta, prácticamente cayendo sobre el suelo de la habitación, en la que en su día había dormido Alex. Él no fue tras ella, simplemente se recostó en el tejado del porche y contempló el cielo.

Carolyn sentía todavía el sabor de su boca, su mano cubriéndole el pecho; le sentía a él, rodeándola, invadiéndola.

—Huye si quieres, Carolyn —dijo marcando un tanto a su favor—. No pienso ir a buscarte.

—Huir es tu estilo.

—Tal vez —replicó—. Siempre que yo sea el verdadero Alexander MacDowell.

La ventana de la habitación tenía pestillo; Carolyn podría haberlo echado dejando que Alex pasara la noche al aire libre. Ahora hacía frío, pero refrescaría mucho más antes del amanecer.

Ya no era ninguna niña. Era una mujer adulta, madura, inmune a los berrinches, inmune al insidioso efecto que el impostor ponía tanto empeño en tener sobre ella.

—A estas alturas ya me importa realmente un comino quién seas —comentó Carolyn, cansada.

—¡Seguro que sí! —exclamó él. Al oír el tono jocoso de su voz, Carolyn cerró la ventana de golpe.

Había mucho que decir sobre autodisciplina, pensó Alex, al tiempo que estiraba las piernas; sobre la fortaleza de carácter, y la habilidad que uno tiene de controlar los ataques de rabia. En este momento no se le ocurría nada en favor de tales virtudes, pero estaba convencido de que tarde o temprano se alegraría enormemente de saber dominarse.

Pensó en lo curiosas que le parecían las mujeres. Algunas eran increíblemente sexys, seguras de sí mismas y de su atractivo, apetitosas, liberadas e irresistibles. Ésa era la clase de mujeres que más le gustaban, afectuosas, cálidas, listas y divertidas. Mujeres con las que uno podía reírse, beber, dormir y hablar.

Y luego había mujeres como Carolyn Smith, porque daba por sentado que había otras mujeres como ella, aunque hasta la fecha había tenido la fortuna de no tropezarse con ninguna. Carolyn parecía no tener ni idea de que era exquisitamente guapa. En los pocos días que llevaba junto a ella no la había visto actuar con naturalidad ni una sola vez. No podía haberse vuelto una mujer reprimida y rígida por culpa de los MacDowell, no les importaba tanto como para que ejercieran tamaña influencia sobre ella; pero algo la había vuelto tan viva y deshinibida como una estatua.

Se preguntó si Carolyn se habría reído alguna vez, si sabía besar. No era virgen. La información que le había proporcionado Warren MacDowell era minuciosa, pero todo lo que sabía era que ella no se había permitido nunca amar a nadie más que a los malditos MacDowell; quienes no dudarían en darle la espalda, si así lo requiriesen sus intereses.

Había albergado la esperanza de conquistarla, de conseguir que bajara la guardia y le aceptara. Cuando menos pensaba que la haría abandonar su lucha armada. Estaba en juego algo muy serio con los verdaderos MacDowell para vivir la amenaza continua de una nefasta seudorelación.

Aunque había sido una pérdida de tiempo, por lo menos la comprendía un poco mejor y sabía que sería inútil intentar que le creyera. No le creería, así de simple.

Esbozó una sonrisa mientras contemplaba la negra noche. No había nada imposible, especialmente tratándose de sexo. Todo dependía de la cantidad de energía que estuviera dispuesto a invertir con relación al beneficio a obtener. Aun queriendo, Carolyn Smith no causaría demasiados problemas. Su preocupación por Sally estaba por encima de su sentido de la justicia. No desbarataría su elaborado plan a no ser que viera en peligro la integridad de Sally. En realidad no era necesario acostarse con ella para asegurarse de que no supusiera ninguna amenaza.

Sin embargo, obtendría algo muy tangible si la seducía. El caso era que, cada vez que la miraba, cada vez que oía su voz dulce y clara, que olía su perfume puro y con aroma a flores, su lujuria se desbordaba. Quería hacerla enloquecer. Quería ver qué aspecto tenía «doña recatada» con el pelo suelto y desordenado y sus gélidos ojos encendidos de pasión. Quería ver qué cuerpo se escondía bajo esa aburrida ropa de yuppie. Quería probar su piel.

Oyó el ligero crujido que emitían los peldaños de la escalera; sus oídos estaban más que acostumbrados a los ruidos de la noche. Después de todo Carolyn no se había acostado, salvo que pensara dormir en la habitación de la planta de abajo, cosa que dudaba, ya que ésa siempre había sido la suite de Sally, una suite inmensa, y tenía la impresión de que Carolyn jamás se atrevería a utilizarla, por mucho que Sally estuviera ausente y ella quisiera alejarse de él todo lo que pudiera.

Carolyn estaba procurando ser lo más sigilosa posible, pero no era muy ducha en moverse a hurtadillas. Alex escuchó el sonido casi imperceptible de una puerta abriéndose debajo de él, y se quedó quieto. Cualquier persona con sentido común habría utilizado la escalera de atrás, la puerta de servicio. A no ser que quisiera ser escuchada, que quisiera que la siguieran.

Alex tuvo sus dudas al respecto. Carolyn, pese a haber vivido tantos años entre los MacDowell, no estaba en absoluto acostumbrada a mentir y engañar. Era honesta y franca, justo todo lo contrario que él. Era sorprendente cómo la mera existencia de Alex la hacía perder los papeles.

La luz de la luna era algo menos intensa, pero eso no impidió que Alex viera a Carolyn, con bastante claridad, caminando por el desierto sendero que había frente a la casa. Llevaba puesto un viejo jersey de algodón para resguardarse del frío, y cruzó la calle, sin mirar a la izquierda ni a la derecha, en dirección a Lighthouse Beach.

Caminaba a paso lento y decidido, era una mujer de firmes propósitos. No había ni un alma en la playa, la marea estaba baja, y un anillo de algas y conchas cubría la arena. Anduvo hasta el borde del agua y su mirada se perdió en la negra inmensidad.

Alex no podía ver la expresión de su rostro; estaba demasiado lejos. Sólo veía su silueta esbelta y erguida, sus hombros estrechos y tensos, la postura resuelta de su cabeza. ¿Por qué motivo había ido a Lighthouse Beach? ¿Qué estaría recordando?

Tuvo la tentación de bajarse del tejado e ir tras ella; de agarrarle por los brazos y obligarla a que le contara con pelos y señales lo que había visto en esa playa desierta aquel lejano verano.

Sería una pérdida de tiempo. No conseguiría que se lo dijera, y si le ponía las manos encima acabaría besándola otra vez. Podía avivar sus dudas y objeciones con cierta facilidad, pero ¿de qué serviría?

Quiso averiguarlo. Descendió por la ventana, empezó a bajar las escaleras en penumbra y se quedó boquiabierto al constatar que Carolyn ya había regresado y que estaba entrando por la puerta, que abrió con fuerza.

—¿Qué tal tu paseo? —murmuró desde la escalera.

Carolyn dio un brinco.

—¿Has estado espiándome?

—Cariño, recuerda que desde el tejado hay vistas a Lighthouse Beach —balbuceó—. ¿O se supone que tengo que desviar la mirada cuando alguien, silenciosamente, sale de la casa y pasea hasta allí como un alma extraviada?

—Tú ocúpate de tus asuntos, que yo ya me ocuparé de los míos.

—¿Qué estabas buscando? —Bajó un par de escalones. Carolyn permaneció inmóvil, pero Alex, a pesar de que el vestíbulo estaba a oscuras, pudo ver su mirada recelosa.

—¿Qué te hace pensar que buscaba algo? Necesitaba tomar el aire, y quería estar sola.

—Tenías el aspecto de alguien que visita un lugar sagrado —comentó él—. No, seré más preciso: de alguien que regresa a la escena de un crimen.

Había conseguido romper su glacial tranquilidad.

—¿Qué has querido decir con eso? —preguntó ella.

—Exactamente lo que he dicho. ¿Ocurrió algo que sea digno de mención en aquella playa? ¿Perdiste tu virginidad a manos de algún semental de la zona en una calurosa noche de verano? ¿Qué fue lo que pasó?

Carolyn volvía a mostrarse indiferente, había recuperado el equilibrio.

—Da la casualidad de que me gusta el mar —apuntó.

—En Vermont no hay mar. ¿Por qué vives allí, pues?

—Porque Sally me necesita.

—No por mucho más tiempo.

—Entonces, volveré a vivir cerca del mar. Cuando haya muerto Sally —añadió Carolyn, como si quisiera demostrarse a sí misma que podía pronunciar esas palabras en voz alta.

—¿Aquí?

—¡No! —le espetó, indignada.

—¿Te trae malos recuerdos? —insistió él.

—Los únicos malos recuerdos que tengo son de Alexander MacDowell.

—¿Y qué recuerdos son ésos, Carolyn? —preguntó, forzándose a hablar en tono amable—. ¿Recuerdas la noche de mi huida? ¿Qué les dijiste a Sally y a todos?

Alex la miró a los ojos, y supo con certeza que estaba ocultando algo, algo relacionado con lo que había sucedido en aquella casa la noche en que Alexander MacDowell, de diecisiete años, desapareció, e intuía que jamás se lo había confiado a nadie.

—Cuando me fui a la cama, Alex y Sally estaban discutiendo —declaró ella—. Por la mañana me desperté y él ya no estaba. Eso es todo lo que sé.

—Sally me dijo que te pusiste enferma justo después. Que te ingresaron en la clínica con neumonía y que incluso temieron por tu vida. Me dijo que no sabía si estaba más triste por mi desaparición o por tu enfermedad.

—Sufrió más por su hijo.

—¡Bah, pero si su hijo se había ido! Había huido como un bichejo consentido, como lo que en realidad era. En cambio tú sí que estabas, y cabía la posibilidad de que no superaras la enfermedad. ¿No crees que se preocupó más por ti? Al fin y al cabo, no tenía motivos para pensar que su hijo no siguiera con vida, debió de imaginarse que estaría por ahí, metiéndose en líos. Sin embargo tú estuviste en un tris de morir.

Carolyn le miró, y no se tomó la molestia de disimular la rabia que había en sus ojos.

—No me morí —señaló—, pero no recuerdo muy bien lo que pasó aquella noche, no puedo decirte nada más. En primer lugar, no estuve allí; en segundo lugar, si no he recordado nada durante dieciocho años, dudo que vaya a recordar algo ahora.

Alex sonrió ligeramente con intención de inquietar a Carolyn, pero ésta ni se inmutó. Era mucho más valiente que la silenciosa y pequeña mascota que había pasado su infancia a la sombra de los MacDowell. Warren la había infravalorado en exceso.

—¿Para qué has ido a Lighthouse Beach? —volvió a preguntarle Alex.

—Para estar lejos de ti —replicó ella; el aguijón fue insoportable.

Alex alargó el brazo y la asió por el hombro, que apretó con más fuerza cuando ella trató de deshacerse de él. Por muchas ganas que tuviera, no volvería a besarla, como tampoco obtendría esa noche las respuestas que quería y necesitaba.

—¿Estás segura de que eso es lo que quieres? —le preguntó.

Pero antes de que Alex pudiera decir nada más, Carolyn ya se había soltado de un tirón y caminaba hacia la parte posterior de la casa.

9

Tal como se había imaginado, el sueño volvió a repetirse aquella noche con más intensidad que nunca. Sin embargo, no era Alex, joven y malhumorado, quien entraba en la habitación de Carolyn, sino su impostor. Ese hombre que, como Alex, tenía la mirada perdida, la misma boca sensual, trazada con mayor precisión ahora que cuando era un niño, que la miraba y la llamaba. En su sueño le veía estirado en la playa mientras el agua se arremolinaba a su alrededor y su asesino observaba de cerca cómo la sangre manaba de su cuerpo, llevándose su vida consigo.

—¿Por qué no me has salvado? —le decía con voz casi imperceptible—. ¿Por qué no has pedido ayuda?

Pero no era la voz del verdadero Alex la que oía, sino la del impostor, y al despertarse, ya de día, éste la estaba contemplando desde el quicio de la puerta.

—Si quieres que cojamos el primer ferry tenemos que salir dentro de quince minutos —anunció.

Carolyn, como siempre, usaba una camiseta grande para dormir, y no estaba dispuesta a levantarse de la estrecha cama de hierro estando él delante.

—Estaré lista —dijo—. Si te vas.

Alex permanecía apoyado contra la puerta abierta, parecía fastidiosamente descansado. No había sido atormentado por las pesadillas ni los recuerdos de una muerte. El pelo, castaño, que llevaba peinado hacia atrás, aún estaba húmedo de la ducha, e iba vestido como solía hacerlo, con unos tejanos desteñidos y un jersey de algodón de color verde, que volvía sus ojos azules algo más verdes también.

—¿Por qué has dormido aquí? —preguntó Alex con indiferencia—. Hay un montón de habitaciones disponibles, ya no hace falta que juegues a ser una niña marginada.

—Era lo más lejos que podía estar de ti —dijo con fingida dulzura.

No funcionó.

—Buen intento —comentó él—. Creo que te gusta tu papel de pobre huérfana maltratada por sus ricos benefactores.

Fue como si le hubiesen dado un puñetazo en el estómago, una verdad tan dolorosa como inesperada que le impidió pronunciar palabra; sólo pudo mirarle a los ojos mientras su rostro palidecía.

—Bastardo —logró decir finalmente, exteriorizando únicamente una parte de su justificada indignación.

—¿Lo niegas?

—No niego ninguna de tus ridículas fantasías. O sales de mi habitación o perderemos el ferry.

—Te espero en el coche.

—¿Y la casa…?

—He llamado a Sally desde el teléfono celular. Me ha dicho que vendrá alguien a ocuparse de todo cuando nos vayamos. Vístete, Carolyn, si no me iré sin ti.

La puerta se cerró tras él sin hacer el menor ruido, y a Carolyn le inquietó pensar que, en efecto, sería capaz de irse sin ella. Nada le convendría más que tener a Sally para él solito, sin su intromisión.

Estiró las sábanas de la cama y se vistió apresuradamente, cogió sus zapatillas de deporte y bajó descalza las escaleras. Alex estaba apoyado en la barandilla, con una taza de café en la mano.

Hubiera dado cualquier cosa por una taza de café, pero preferiría estar muerta antes que pedirle nada.

—¿Estás lista? —preguntó Alex, yendo hacia el coche—. El retrato ya está cargado, sólo faltas tú.

Alex llevaba una segunda taza de café en la otra mano, estaba claro que había percibido su mirada suplicante.

—¿Quieres café?

A Carolyn le hubiera gustado tener suficiente fuerza de voluntad para rechazarlo, pero no lo hizo. Alargó el brazo para coger la taza, pero él la apartó.

—Primero tienes que sonreír y decir buenos días.

—Primero tienes que irte a la mierda.

La tenue sonrisa de Alex resultaba absolutamente exasperante.

—Un cumplido a cambio de un café. Venga, Carolyn, no creo que sea tan condenadamente difícil.

Carolyn le obsequió con una sonrisa forzada.

—Buenos días, Alex. Espero que hayas dormido a las mil maravillas. Sí, aceptaría gustosa una taza de café, eres muy considerado al ofrecérmela.

De haber vuelto a apartar la taza, Carolyn se la habría tirado encima, pero el instinto de supervivencia de Alex era fuerte. Había ganado el asalto, no hacía falta llevar las cosas más lejos.

—Sube al coche —ordenó él.

—Aún no he acabado el café.

—Pues llévatelo.

No supo qué más objetar. Carolyn apuró el café, dejó la taza sobre la barandilla y fue hacia el coche.

Si el silencio que reinaba en su interior no era agradable, al menos era relativamente pacífico, de modo que se reclinó en el asiento, con la intención de dormir durante el trayecto.

Alex parecía estar dispuesto a no molestarla. Una vez estacionados a bordo del ferry, él también se recostó en su asiento y cerró los ojos.

Los de Carolyn se abrieron como platos en la penumbra del vientre del ferry. De ninguna de las maneras dormiría estirada junto a él.

Pero estaba agotada; había pasado una mala noche y bebido un café corto. Arriba, en cubierta, podría tomar más café, tanto como quisiera, y contemplar la isla desapareciendo entre la neblina. Todo lo que tenía que hacer era desabrocharse el cinturón y salir del coche.

Su cansancio era tal, que no se vio con ánimos de hacerlo. Alex parecía estar en otro mundo y, a juzgar por su respiración profunda y regular, debía de haberse dormido nada más cerrar los ojos. No la molestaría.

Quedarse allí era una locura, pero estaba demasiado cansada para hacer otra cosa. Y por alguna razón inexplicable se sentía segura, al menos de momento, encerrada en un coche con un mentiroso y un impostor. Lo bastante segura para entregarse a las sombras del sueño que la rodeaban, para confiar en él, al menos de momento.

Alex la observaba. Carolyn dormía como un bebé, acurrucada medio de lado en el asiento delantero y con la mano debajo de la cara. Probablemente se chupaba el dedo de pequeña. Rastreó su memoria, pero no disponía de tal información.

Carolyn siempre había sido más madura de lo que le correspondía, una adulta en miniatura pendiente de su familia adoptiva. Entró en la familia a la edad de dos años, y desde el primer instante supo que estaba viviendo un tiempo prestado. De niña era melancólica y de maneras correctas, de adulta era igual, con todos salvo con él.

Siendo adolescente, Alexander MacDowell conseguía siempre ponerla nerviosa. El hombre que se sentaba junto a ella en el coche tenía al parecer esa misma y cruel habilidad.

Necesitaba que la hicieran rabiar más a menudo, y desde luego él sabía cómo hacerlo.

Pero no en este momento. Estaba exhausta; bajo los ojos, dos sutiles manchas moradas surcaban su piel, y ni siquiera se enteró cuando el ferry atracó y él puso el coche en marcha. Alex pensó que tal vez estaría fingiendo, eliminando así la necesidad de entablar conversación.

Claro que, por lo que a él se refería, Carolyn no estaba cuidando mucho sus modales. Sospechaba que él era la primera persona con la que se había mostrado aparentemente grosera, cosa que debía resultarle absolutamente liberadora.

Carolyn se movió bajo el apretado cinturón y murmuró algo. Alex no acabó de entender sus palabras, pero dedujo que no era importante. Por extraño que parezca, le alegraba dejarla dormir mientras conducía en dirección norte en medio de un tráfico cada vez menos denso. El hecho de que durmiera tan profundamente era un indicio de que se sentía bastante confiada. Ella no lo reconocería nunca, pero él sabía que era así y le conmovía.

¿Le quería? Muy posiblemente, a pesar de su manifiesta y apabullante antipatía. No sabía si se estaba haciendo ilusiones al respecto, o si realmente la noche anterior, en el tejado del porche, había saboreado el principio de una respuesta.

¿La quería él? Sin lugar a dudas. Y tenía la firme intención de tomárselo con calma, de pasar muchas horas, largas e interminables, en la cama con ella, sin fantasmas, sin miembros de la familia respirándoles en el cogote, vigilándoles como parecían estar haciendo siempre.

Lo más sensato sería esperar hasta que todo esto hubiera terminado, hasta que Sally muriera y las aguas volvieran a su cauce. Entonces ya nada se interpondría entre ellos, ni las mentiras, ni las farsas ni la familia.

El problema era que no estaba seguro de tener la paciencia de esperar.

Cuando ya sólo faltaba media hora para llegar a casa, Carolyn se despertó, aunque procuró disimularlo para no tener que hablar con él. Si la generosidad hubiese sido una de sus virtudes, habría respetado su renuencia, pero no lo era.

—¿Has dormido bien? —inquirió.

Ella no se movió, obviamente tratando de decidir si podía seguir fingiendo o no. Estuvo acertada al darse cuenta de que era una causa perdida, y abrió los ojos, aún ligeramente aturdidos por el sueño.

—Bastante bien —respondió—. No he soñado contigo.

—Eso ha sonado como si hubieras soñado conmigo en otras ocasiones. ¿Lo has hecho? ¿Era un sueño erótico?

—No exactamente —contestó con un estremecimiento que disminuía su atractivo.

Alex sonrió.

—¿Soñabas conmigo cuando eras adolescente? —Esperaba que Carolyn reaccionara con su habitual hostilidad, pero estaba demasiado cansada.

—Cuando se fue Alex, solía tener pesadillas con él —dijo lentamente—. Las tuve durante años, hasta que finalmente decidí buscar una solución.

—¿Y qué hiciste? ¿Le exorcizaste? —Usó la palabra «le» intencionadamente.

—Acudí a una terapeuta de la universidad, que me ayudó a distinguir los recuerdos de la fantasía.

—¿Y qué recordaste? ¿Qué era lo que te obsesionaba? —Su tono de voz era mordaz, pero pensó que todavía estaría dormida para notarlo.

Carolyn se giró y le miró con ojos completamente despejados y tranquilos.

—Soñé que moría. Soñé que veía a alguien disparando a Alexander MacDowell y tirando su cuerpo al mar.

Había logrado sorprender a Alex.

—¡Menudo sueño! —exclamó al cabo de unos instantes—. ¿Y no hiciste nada para impedirlo? Debes haberle odiado. No me extraña que no soportes mi presencia. ¿O es que te sientes culpable?

—No habría podido salvarle.

—Tampoco lo intentaste.

—Tampoco murió, ¿no? —contraatacó con ironía—. Al fin y al cabo, estás aquí, estás vivo y asquerosamente bien.

—Pero tú viste cómo me moría. ¿Viste quién me disparó? —Carolyn guardó silencio, y lo más inteligente hubiera sido dejarla en paz, esperar a que estuviera preparada para hablar, pero no se sentía especialmente listo o paciente—. ¿Lo viste?

—No. —El cinturón la molestaba, sus elegantes manos se movían con nerviosismo—. Sigo sin tener claro del todo qué eran recuerdos y qué pesadillas.

—Creía que me habías dicho que la terapeuta te enseñó a distinguirlos.

—Me ayudó a exteriorizarlos. Solucionarlo era imposible, así que sólo me quedaba desterrarlo de mi vida.

—Y mi regreso ha reavivado todo. Comprendo que me odies.

Carolyn se volvió y clavó los ojos en él; unos ojos azules inequívocamente atónitos, en los que uno podría ahogarse, pensó Alex distraídamente. Eran luz y tinieblas, calma y tormenta, todo a un tiempo.

—No te odio —declaró—. Es sólo que hubiera preferido que no vinieras jamás.

Estaban llegando a la cerrada curva tras la cual se adentrarían en el camino, largo y sin asfaltar, de entrada a la multimillonaria finca, una entrada que no era bonita, sino intencionadamente discreta y que ocultaba el equipo de vigilancia más sofisticado que había en el mercado. Alex giró el volante, recorrió el estrecho sendero de poco más de tres kilómetros y luego detuvo el coche, apagó el motor y se volvió hacia Carolyn.

Parecía estar nerviosa, tenía motivos para estarlo.

—Ya no hay nieve —comentó, tratando, obviamente, de distraerle.

—¿Podrías repetir eso de que no me odias? No te creo, Carolyn. ¿Por qué no te desahogas y me dices lo que realmente piensas de mí?

—Pensaba que saltaba a la vista —dijo una vez tranquilizada—. Creo que el verdadero Alexander MacDowell murió hace dieciocho años y que tú eres un impostor muy bueno y avispado, que ha venido a robarle a Sally su dinero.

—¿Y quién está conmigo en esto? Si soy un impostor bien debo tener un cómplice en el crimen; sin ayuda, difícilmente podría saber todo lo que sé de la familia. ¿Quién dirías que es? ¿Uno de los criados? ¿Un socio?

—Tiene que ser algún miembro de la familia. Conoces un sinfín de detalles íntimos. Podría ser Warren. Patsy es muy boba, sus hijos mayores están demasiado ocupados y su estupidez les impediría llevar a cabo una cosa así, y a Grace le trae sin cuidado el dinero. Warren es inteligente, valiente y cruel, aunque me cuesta imaginar por qué haría tal cosa. De cualquiera manera todos heredarán, Sally no cambiará su testamento.

Era demasiado lista y condenadamente observadora. Warren no se iría nunca de la lengua, y él tampoco.

—Me temo que sigues fantaseando —murmuró Alex.

—¡Alexander MacDowell está muerto! —gritó desesperada—. ¡Yo le vi morir!

—¿Y no te dignaste a contárselo a nadie? ¿A la policía, o a la tía Sally, que lloraba su desaparición? ¿Ni siquiera para informarle de que su espera era inútil?

Carolyn no supo qué contestar.

—Debe de ser difícil —prosiguió— vivir durante dieciocho años sintiéndose culpable. ¿Sabes una cosa? Te perdono.

—¿Cómo dices?

—Te perdono —dijo en tono solemne—, por haber visto cómo me mataban y no haber hecho nada para salvarme. A fin de cuentas no eras más que una niña, y probablemente ni dabas crédito a lo que estabas viendo. No es culpa tuya. Tu terapeuta tenía razón, bórralo de tu mente.

Carolyn no parecía satisfecha.

—Eres un farsante —repitió—. Y no pienso quedarme cruzada de brazos mientras tú robas a una anciana moribunda.

—Pues demuéstralo.

Por un momento se sobresaltó, como si esa idea no se le hubiera pasado nunca por la cabeza.

—¿Por qué tendría que hacerlo? —preguntó.

—Porque te estás volviendo loca. Hagamos una cosa, Carolyn —propuso con displicencia, reclinándose en el asiento—, hagamos un trato: si tú demuestras que no soy el auténtico Alexander MacDowell, yo desapareceré del mapa, sin protestar, sin llevarme el dinero de la familia. Simplemente me esfumaré, y todo volverá a ser como antes.

—¡No! —gritó—. ¡No puedes hacer eso! Si Sally vuelve a perder a quien cree que es su hijo, el hijo que tanto ha añorado, se morirá.

—Carolyn, ya se está muriendo —dijo con gran paciencia y sin atisbo de emoción—. Decídete. ¿Quieres o no quieres desenmascararme?

—Sí que quiero, pero no sé qué es mejor para Sally.

—Yo sí lo sé. Sally necesita creer que su hijo ha vuelto. No pensé que se te ocurriera privarla de eso.

Los ojos azules de Carolyn denotaban confusión y verdadera antipatía. No era culpa suya, la elección era terriblemente difícil. Pero Alex no se sentía especialmente clemente esa mañana.

—¡Eres un bastardo! —exclamó ella amargamente.

—Una cosa más que tengo en común con ese Alexander MacDowell que en su día conociste y amaste —dijo a la ligera—. Escucha, ¿por qué no te dedicas a intentar averiguar quién soy en realidad y quién es la persona que me ha estado proporcionando información? Una vez tengas las pruebas, las guardas, siempre y cuando yo no haga daño a Sally. Cuando ella se muera, cosa que ambos sabemos sucederá pronto, pones las cartas boca arriba y yo desapareceré, avergonzado, antes de que me metan entre rejas.

—Sin duda un plan muy conveniente para ti. ¿Y qué ganarías tú con eso?

—Vivir cómodamente durante las próximas semanas o el tiempo que esto dure; la satisfacción de saber que he hecho feliz a una anciana en sus últimos días de vida.

Carolyn resopló, incrédula.

—¿Y qué hay de tu cómplice? ¿Dejarás que se enfrente solo a la policía?

—No creo que vayas a llamar a la policía, Carolyn. Creo que lo que quieres es que me vaya de una vez por todas, ¿me equivoco? De esa forma ya no te sentirías culpable; no tendrías que competir por el cariño de Sally; ni habría nadie que amenazara con llevarse el dinero por el que tanto has luchado durante toda tu vida.

Le miró fingiendo tranquilidad.

—Antes he mentido —le soltó—, sí que te odio.

—Ya lo sé, cariño —dijo resuelto—. Y descubrir toda la verdad aliviará tu sentimiento de culpabilidad. Adelante, investiga.

Carolyn le miró fijamente a los ojos.

—¡Trato hecho! —aceptó ella tras una larga pausa—. Encontraré pruebas que demuestren que no eres el verdadero Alexander MacDowell y luego ya veré lo que hago con ellas. Quizá me apetezca torturarte un poco.

—¡Qué perversa! —murmuró—. Ten cuidado con una cosa. —A Carolyn no parecía interesarle mucho su consejo, pero prosiguió—: Tal vez no sea muy inteligente investigar lo que le ocurrió a tu amigo de la infancia. Al fin y al cabo, si es cierto que le asesinaron, lo más probable es que el asesino fuera alguien que conozcas, alguien que estaba en la casa aquella noche. Si él o ella se enteran de que les viste en la playa, podrías estar poniendo tu vida en peligro.

A plena luz del día, el rostro de Carolyn se volvió blanco como la cera. Estaba claro que no había pensado en esa posibilidad, y se preguntó si acabaría con una bala en la espalda.

Quienquiera que hubiese disparado al odioso de Alexander MacDowell y le hubiese arrojado al mar, había tenido dieciocho años para vencer sus tendencias homicidas. Ningún otro miembro de la familia había muerto prematuramente, desaparecido sin dejar rastro o incluso sufrido un inesperado accidente. Estaban todos sanos y salvos.

Con Carolyn merodeando, lo más probable es que toda seguridad se pusiera en entredicho. Y él era muy egoísta como para dejarla llevar a cabo su cometido.

—Es un detalle por tu parte que te preocupes por mí —comentó Carolyn con cinismo—. Sé muy bien por qué tienes tanto interés en que averigüe lo que le pasó a Alexander.

—Tú dirás.

—Si yo descubro al que le mató, ya tendrás a quien chantajear. Quizá no te caiga dinero de Sally, pero si el asesino está entre nosotros, habrá un montón de dinero disponible.

Alex la miró simulando admiración.

—Ni siquiera había pensado en eso. Tienes muy buen concepto de mí, ¿verdad? ¿Y te da igual que me quede el dinero de uno de tus familiares?

—Me trae sin cuidado. El que mató a Alex merece sufrir —afirmó categóricamente.

—No sabía que te importara tanto. Pensaba que era un mocoso mimado y un pelmazo.

—Lo era.

—Entonces, ¿por qué te preocupas tanto? —Carolyn volvió la cabeza, pero él ya sabía la respuesta—. Estabas enamorada de él, ¿no es cierto?

—¡Tenía sólo trece años! —exclamó—. A esa edad es difícil saber lo que es el amor realmente. Y Alex era un mocoso que sólo se dedicaba a molestarme y hacerme rabiar.

—Lo que no quita que estuvieras colada por él.

—De pequeño los desengaños amorosos se superan con bastante facilidad.

—No cuando el objeto de ese encaprichamiento adolescente es asesinado —dijo como si nada—. Es una verdadera lástima que Alex no supiera que estabas loca por él. Estoy seguro de que hubiera disfrutado satisfaciendo tus fantasías juveniles.

—¿Qué te hace pensar que no lo sabía? —preguntó con voz gélida—. Veo que no te está costando nada hablar de él en tercera persona —añadió, perspicaz—. ¿Admites que eres un impostor? Todavía no puedo demostrarlo, pero podrías reconocerlo al menos.

—No tengo nada que reconocer, cariño —replicó, impasible—. Averígualo tú misma.

—¿Y si lo hago?

—Ya te lo he dicho, me iré tal como he venido, sin llevarme nada más que un beso de despedida.

Y observó con atención cómo su cara perdía todo color.

10

Después de todo, era verdaderamente fácil hacerlo. En realidad era tan fácil que en modo alguno Carolyn podía resistirse a tal oportunidad. Eso se decía ella al tiempo que desechaba cualquier rastro de culpabilidad.

No había nadie en la cocina; Constanza había interrumpido los preparativos de la cena para servir el té a tía Sally y a su hijo. No es que los demás fueran deliberadamente excluidos; Warren detestaba el té, Patsy estaba descansando, y sus hijos habían ido a intentar esquiar. Era mucho más sutil que eso: Sally quería estar a solas con su querido hijo, y Carolyn era demasiado generosa para importunarles, pero no lo suficiente para sentirse ofendida.

El relleno para las crepes de marisco estaba en un bol cerrado cubierto por cubitos de hielo. Las enormes gambas estaban en otro sitio, lejos del recipiente, como si su mera proximidad pudiese intoxicar a Alex y ponerle en peligro.

Habría sido muy fácil trocear una de las gambas, ya peladas, y mezclarla con el relleno de cangrejo y lenguado, de forma que pasara totalmente desapercibida.

Un trozo tan pequeño no perjudicaría ni a la más sensible de las alergias. Dado el caso de que Alex comiera alguna crepe, la porción de gamba sería tan microscópica que ni siquiera valdría como prueba. No tenía motivos para sentirse culpable, se recordó a sí misma cuando se cruzó con Constanza al salir de la cocina. Al fin y al cabo, el propio impostor la había retado a que encontrara pruebas. Sally había descartado la prueba de ADN, pero ésta era mucho más rápida y sencilla.

Alex se comió tres crepes contaminadas con gamba. Carolyn estaba sentada frente a él, jugando con la comida, observando y sin prestar casi atención a Warren y a Sally, que hablaban de política, ni a Alex, que flirteaba con una tía Patsy ligeramente borracha. Por alguna razón no tenía mucho apetito.

—Hoy no estás muy habladora, Carolyn —comentó Warren de pronto, clavando los ojos, de color claro, en ella.

Le faltó poco para volcar el vaso de vino.

—Estoy cansada del viaje.

—Me ha dicho Alex que has dormido durante todo el trayecto de vuelta —apuntó Sally, mirándola—. A lo mejor estás incubando algo.

—¡Ni te acerques a mí! —chilló Patsy tragándose las palabras—. No me puedo permitir el lujo de estar enferma. Odio las enfermedades. ¡Y por el amor de Dios, no se lo digas a George! Su miedo al contagio es patológico.

—Pero si George es más fuerte que un toro —intervino Warren resoplando.

—Eso no significa que no se preocupe. Se pasa el día con sus amigos yendo al club y no dedica ni un minuto a su madre. Ya le veo poco como para que encima se vaya corriendo a Nueva York por miedo a costiparse.

—¿A qué club va? —preguntó Alex.

—¡Ufff...! No tengo ni idea —respondió Patsy, y movió la mano con despreocupación—. Es socio de muchos clubes, son todos terriblemente caros. Va a clubes de mantenimiento, clubes naturistas y cosas así.

—Nunca me dio la impresión de que a George le interesara lo naturista —comentó Alex.

Patsy le miró con extrema antipatía.

—No te puedes imaginar la cantidad de aficiones que tiene un hombre como George.

—No —apuntó Alex; el tono de su voz manifestaba cierto nerviosismo—, no me lo imagino.

—No os preocupéis, no estoy enferma —anunció Carolyn con exasperación apenas controlable.

—¿Por qué estás tan segura? Normalmente eres capaz de mantener conversaciones aceptables —se quejó Warren—. Venga, vete a la cama y bebe mucho zumo de naranja. No podemos permitirnos que te pongas enferma justo ahora.

—No, Caro —intervino Patsy—. Ya sabes lo mucho que contamos contigo en tan tristes momentos.

—Aún no estoy muerta —dijo Sally en tono irónico—. Y teniendo en cuenta que Alex ha vuelto, no me parece que sean momentos tristes. Me iré por la puerta grande.

—¡No! —exclamó Carolyn, apartándose de la mesa—. ¡No quiero ni oír hablar de eso!

—Carolyn, cariño, me estoy muriendo —dijo Sally en voz baja—. Es un hecho ineludible.

—Déjalo estar —aconsejó Alex inesperadamente—. Lo ha pasado mal estos días.

—Espero que no haya sido por tu culpa. —La voz de Sally sonaba repentinamente firme—. Te quiero mucho y me alegra enormemente que estés en casa, pero no quiero que molestes a Carolyn como solías hacer.

—¿Como solía hacer? —repitió Alex, con fingida inocencia.

—Tal vez pienses que no sabía lo que ocurría, pero estaba al corriente. Te encantaba fastidiar a Carolyn hace unos años; debiste convertir su vida en un infierno.

—Entonces, ¿por qué no me paraste los pies? —La voz de Alex era apacible, la pregunta, eminentemente razonable, inundó la estancia entera.

Sally se sobresaltó.

—Yo... mmm... lo intenté. Por aquel entonces era imposible controlarte. ¡Eras un diablillo, un cabezota! Lo intentamos todo, ¿verdad, Warren?

—Eras problemático, es cierto —comentó Warren—. Además, los niños siempre se meten con sus hermanas pequeñas.

—Carolyn no era mi hermana —apuntó con suavidad—, porque nunca os tomasteis la molestia de adoptarla.

Carolyn levantó la cabeza bruscamente para mirarle. Era como si Alex estuviera enfadado con ellos por no haberla protegido. Algo ridículo, desde el momento en que supuestamente era él el malo de la película.

—En cualquier caso, sobreviví —dijo Carolyn, tirando la silla hacia atrás—. Y estoy segura de que tenéis asuntos más importantes que discutir que mi infancia que, dicho sea de paso, fue estupenda. Si no tenéis inconveniente, me voy a la cama.

—¡Ya decía yo que no estaba muy católica! —exclamó Sally—. Descansa, Carolyn, y no te preocupes por mí. Alex y la señora Hathaway velarán por mi bienestar.

Carolyn logró esbozar una sonrisa.

—Mañana estaré bien. —Caminaba en dirección a tía Sally para darle un beso de buenas noches, cuando el brazo de Warren salió disparado para detenerla.

—¿No crees que sería mejor que no te acercaras mucho a Sally hasta estar seguros de que no tienes nada contagioso? —dijo con dureza.

—¡Excelente idea! —exclamó tía Patsy, cogiendo su copa de vino.

Alex no dijo nada. Claro que tampoco lo necesitaba. Estaba allí sentado, digiriendo con toda tranquilidad las gambas que deberían haberle producido alergia.

Prueba concluyente, se dijo Carolyn mientras iba de un lado a otro de la biblioteca, tratando de serenarse antes de meterse en la cama. Para ella esa prueba era suficiente, pero dudaba que los demás la creyeran. A fin de cuentas, no podía demostrar que había puesto trozos de gamba en las crepes, contaba sólo con su palabra.

Y en realidad, la proporción de gamba era tan pequeña que probablemente Alex ni siquiera la había probado. Desde el principio había sido una idea estúpida, una oportunidad del destino a la que no se había podido resistir.

Una vez hubo apagado la luz, la asaltó una idea inesperada y desagradable: ¿y si la alergia le había sorprendido estando solo en su cuarto? ¿Y si se había desplomado sobre el suelo tras perder el conocimiento? ¿Y si se moría estando solo por su culpa?

—Eso es ridículo —dijo en voz alta y a oscuras. Pero esa duda ya no la abandonaría, y al cabo de una hora supo que no podría dormir hasta estar completamente segura de que el impostor estaba bien.

Salió de la cama y se puso unos tejanos debajo de la camiseta. Además, no tenía especial inconveniente en echarle en cara que había demostrado ser extraordinariamente inmune a algo que debería haberle producido terribles vómitos.

La casa estaba a oscuras y en silencio. George y Tessa aún no habían vuelto de esquiar, pero tanto Sally como sus hermanos ya se habían retirado. Las escaleras no emitieron ruido alguno mientras Carolyn las subía, y cuando llegó a la habitación del otro extremo del pasillo —la que antes era suya— la sensación de triunfo casi le produjo vértigo.

Golpeó la puerta con discreción y esperó. Salía luz por debajo de ésta, pero no se oía ruido procedente del interior. Volvió a golpear, llamando al intruso por el nombre que había robado. Seguía sin responder.

Ya se iba cuando oyó un golpe al otro lado de la puerta, y luego el jugueteo del pestillo. A lo mejor no estaba solo, pensó de pronto. A lo mejor Tessa le había involucrado en todo esto y a lo mejor estaba ahí con él, en la cama…

La puerta se entreabrió, impidiéndole ver el interior. Allí estaba él, frente a ella, sin camiseta, casi amenazante.

—¿Qué quieres, Carolyn? —le susurró con brusquedad, tragándose las palabras.

Durante unos instantes Carolyn no pudo moverse.

—¿Estás solo?

Alex se rió con rudeza.

—Sí, estoy solo. ¿Con quién creías que estaba?

—¿Con tu cómplice? —replicó Carolyn.

—Que te jodan. —Empezó a cerrarle la puerta en las narices, pero ella alargó el brazo y, para su propio asombro, la detuvo.

—¿Te encuentras bien? —le preguntó.

Alex podía haber dado un portazo —era mucho más fuerte que ella— pero no lo hizo. Simplemente la miró con los ojos entornados, su mirada, intensa y brillante, contrastaba con su pálido rostro.

—¿Acaso no debería?

No dejaría de sentirse culpable hasta haberse asegurado de que estaba bien.

—¿Puedo pasar?

La sonrisa burlona de Alex le recordó lo exasperante que podía llegar a ser.

—Por supuesto, cariño. ¿Por qué? ¿Por qué no me has dicho de entrada que eso es lo que querías? Siempre estoy dispuesto a ayudar al prójimo.

Sin embargo, no abrió más la puerta, y ella supo que lo más inteligente habría sido marcharse. No se sentía muy inteligente. Empujó la puerta, y él retrocedió, dejándola entrar en la habitación apenas iluminada.

Alex tropezó con el gran sofá lleno de cojines que había frente a la chimenea, que Carolyn escogió en su momento por su comodidad, y se tumbó en él elegantemente al tiempo que la miraba con sonrisa burlona.

—Cierra la puerta y echa el pestillo, encanto —murmuró—, y sirve un par de copas.

Carolyn prefirió cerrar la puerta antes que cualquiera de los metomentodo MacDowell escuhara la conversación por casualidad, pero no echó el pestillo.

—Me parece que ya has bebido lo suficiente —comentó en un tono frío.

Su semblante se volvió serio al estirarse en el sofá.

—Tal vez sí —dijo—. Tal vez no.

Los ojos de Carolyn se empezaban a acostumbrar a la escasa luz del fuego. Había estado tratando de evitar mirarle de cuello para abajo —su cuerpo era innegablemente inquietante— pero ya no podía hacerlo. La piel de Alex, incluso en invierno, estaba bronceada, y bajo ésta se definían sutilmente sus músculos. Los tejanos se apoyaban sobre su cadera y el bello, rubio, se amontonaba sobre su pecho y su liso vientre.

Carolyn, nerviosa, tragó saliva. Entonces se dio cuenta de que una fina capa de sudor cubría su piel, y de que su mirada fría y burlona, brillaba ligeramente; aunque sabía que no era cierto, se dijo a sí misma que estaba borracho.

—¿Se puede saber qué te pasa? —le preguntó.

—Nada. —Alex sonrió con dulzura—. ¿Por qué no te acercas y me dejas ver qué llevas debajo de esa holgada camiseta?

No llevaba nada, y él lo sabía. Carolyn se quedó donde estaba.

—No eres Alexander MacDowell —le espetó.

—¿Has venido hasta aquí para decirme eso? No, no lo creo. ¿Por qué no te sacas la camiseta y me dejas besarte?

No alcanzaba a comprender cómo un hombre podía seducirla y molestarla a la vez. El auténtico Alex tenía esa misma virtud.

—¿Por qué no duermes la mona? —dijo ella, dándose la vuelta.

—Eso es exactamente lo que haré —susurró—. ¿No vas a decirme por qué me has obsequiado con una visita en plena noche?

—Quería cerciorarme de que estuvieras bien.

—¿Y por qué no iba a estarlo, Carolyn? —Aunque suave, la pregunta era claramente acusatoria.

—Porque... —Se le ahogaron las palabras al ver una jeringuilla sobre la mesa. Se giró, totalmente horrorizada—. ¡Tomas drogas!

Alex no respondió, se limitó a sonreír.

—¿Cómo te atreves? ¿Cómo te atreves a presentarte en esta casa haciéndote pasar por Alexander MacDowell y a inyectarte tus sucias drogas a escondidas y…

—Es un antiséptico —murmuró Alex para sí.

—La rompería si no temiera contraer el SIDA —dijo, furiosa.

—Oh, no sufras, no volveré a usarla. Tiene capacidad para una única dosis. —Parecía estar divirtiéndose con su indignación.

—Eres un cerdo —le insultó—. No pretenderás morirte aquí, ¿verdad? No creo que tía Sally pudiera soportarlo.

—¿Y por qué tendría que morirme?

—Debes haberte inyectado algún tipo de estimulante. ¿Cocaína, tal vez? Tu respiración es rápida y superficial, y me apuesto lo que sea a que tu corazón late aceleradamente.

—Puede que mi corazón lata deprisa porque te tengo cerca, doctora Carolyn —se mofó.

—Voy a buscar a la señora Hathaway. Será mejor que te vea una enfermera.

—No hace falta que la molestes; estoy bien.

Le miró fijamente, su cuerpo, estirado en el sofá que tanto gustaba a Carolyn, era apetitoso y despreciable.

—Me encantaría matarte —dijo ella con voz fría y firme, dando la vuelta y dirigiéndose hacia la puerta.

—No te preocupes, siempre puedes volver a intentarlo.

Se paró en seco, de espaldas a él, y una terrible sospecha acudió a su mente. Se giró, y sin mediar palabra indignada, fue hasta la jeringuilla usada. Estaba en un envoltorio médico, y pese a la poca luz que había pudo leer la etiqueta. Era epinefrina, recetada para frenar reacciones alérgicas graves; como una reacción fulminante a las gambas.

Se sintió como si le acabaran de dar una patada en el estómago, todas sus ramificaciones se alteraron. Se estremeció, su cuerpo entero tembló, y no se dio cuenta siquiera de que Alex se había levantado del sofá y estaba detrás de ella. La rodeó con los brazos, apretándola contra la helada humedad de su piel, y Carolyn notó los rápidos latidos de su corazón provocados por el fármaco que había ingerido para esquivar la muerte.

—No te agobies, Carolyn —le susurró al oído—. Me dio tiempo de llegar a la habitación y nadie notó nada. No eres la primera persona que intenta matarme, y probablemente no serás la última. Al menos tu intención no era ésa.

—Es imposible —comentó Carolyn sin apenas voz—. No puedes ser tú.

—En esta vida cualquier cosa es posible. Lo sabrías si no hubieras vivido tanto tiempo metida en la burbuja de los MacDowell. El hecho de que vieras a alguien disparándome hace dieciocho años no significa que tenga que estar muerto.

Carolyn no pudo armarse de suficiente valor para mirarle. Quería alejarse de él, de los acusatorios latidos de su acelerado corazón, pero no podía. Hasta entonces no se había dado cuenta de lo grande que era Alex, que la estrechaba, la envolvía y la dominaba con su imponente cuerpo.

—No sirve como prueba —dijo ella débilmente, con la esperanza de que él la soltara.

No lo hizo.

—No, no sirve como prueba. Hay mucha gente alérgica a las gambas; mucha gente que tiene los ojos azules y se parece a mí; un sinfín de gente que tiene una cicatriz en la cadera.

Lo había olvidado. Era así de simple, así de obvio. Una carga más en su conciencia, tan fuerte que la había borrado de su memoria.

Carolyn tenía nueve años y él, que tenía catorce, le estaba estirando de sus largas y rubias trenzas, la estaba pellizcando, molestando y haciendo cosquillas, hasta que ella se giró y le dio un tortazo.

Por desgracia, estaban al borde del acantilado que daba a South Beach y Alex, que llevaba unas bermudas vaqueras, perdió el equilibrio y se cayó por la larga y rocosa cuesta. Cási todo lo que se hizo fueron rasguños y magulladuras, a excepción del tremendo corte que cruzaba de un lado a otro el hueso izquierdo de su cadera, por el que recibió doce puntos y asistió al ataque de histeria de Carolyn, la cual, pese a saber lo mucho que él estaba disfrutando viéndola preocupada y llena de remordimientos, no dejó de sentirse como una asesina.

Como una asesina se sentía también ahora.

—¿Una cicatriz? —repitió como si la cosa no fuera con ella.

—De aquella vez que me tiraste por el acantilado.

Un dato más. Alex no contó jamás a nadie que Carolyn le había empujado. Siempre explicó que estaba haciendo el gamberro y que había tropezado, y aunque eso aumentó en cierta medida su poder sobre ella, ésta no dijo nunca la verdad. Nadie sabía lo que había ocurrido salvo el verdadero Alexander MacDowell.

¿Quién era el hombre que estaba a sus espaldas, que la apretaba contra sí y tenía todavía el corazón acelerado debido a los efectos secundarios de su cruel intento de ponerle a prueba?

—No me lo creo —afirmó ella.

—No quieres creértelo.

—Suéltame.

—Por supuesto. —Carolyn no se había percatado de que los brazos y el cuerpo de Alex la habían estado sujetando. Al soltarla, titubeó un instante, desconcertada. Cuando se dio la vuelta Alex la estaba contemplando a unos metros de distancia, tenía aspecto de estar extrañamente cansado y satisfecho.

—Quiero ver la cicatriz.

—Te pareces a Santo Tomás —la reprendió—. Si a ti no te importa verla, a mí tampoco. —Agarró el botón de los tejanos, y ella gritó alarmada.

Alex sonrió, y desplazó la mano hasta la cintura, bajándose los pantalones ya desabrochados hasta la altura de la cadera. Una cicatriz blanquecina atravesaba el hueso de un extremo a otro, tal como ella lo recordaba. Quizá demasiado idéntico a lo que recordaba.

—No parece muy antigua —le dijo.

Alex soltó un suspiro de aguda exasperación, y en un abrir y cerrar de ojos cogió la mano de Carolyn, la acercó a su cuerpo y la posó sobre su cicatriz, dentro de la cintura de sus pantalones.

—¿Necesitas tocarlo para creerlo, Carolyn? —murmuró cerca de ella, demasiado cerca—. ¿Qué más necesitas tocar?

Carolyn trató de retirar la mano pero él no tuvo escrúpulos en retenerla a la fuerza. Tenía la piel caliente, lisa y suave, la cicatriz, un áspero surco bajo las yemas de los dedos. De pronto reinó el silencio en la habitación. Podía oír el ligero silbido y el chisporroteo del fuego mortecino; el ruido sordo y apresurado de los latidos del corazón de Alex; su propio pulso acelerándose.

Sintió el loco y salvaje deseo de arrodillarse ante él y poner su boca sobre la cicatriz.

Bajó la cabeza, segura de que él adivinaría ese repentino e insensato impulso, de que sabría lo que pasaba por su mente. La conocía demasiado bien; sabía cuán vulnerable era, lo que quería y lo que necesitaba. Podía estar agradecida por que la desaparición de Alex hubiese coincidido con sus años de crecimiento más delicados. La culpa y el miedo con los que había vivido eran un bajo precio a pagar a cambio de estar lejos de él.

Carolyn estaba ahora a su alcance. Tenía la mano atrapada bajo la de él, y sus cuerpos estaban tan juntos que prácticamente podía sentir el roce de la piel de Alex a través de la camiseta, de los holgados tejanos.

—Alex, te lo suplico —le rogó sin estar segura de lo que le estaba pidiendo.

—Has estado a punto de matarme por segunda vez, Carolyn —le susurró acercando su boca a la de ella—. No estoy diciendo que no me lo merezca. Creo que me gusta llevarte al borde del asesinato.

—Eso puede resultar peligroso —apuntó ella en voz baja.

—No del todo. —Le rozó los labios con los suyos, con tal rapidez que Carolyn apenas notó el contacto—. Siempre sé cuándo hay que parar. —Le puso la boca sobre el cuello, ahí donde el pulso se le aceleraba frenéticamente, y ella sintió la humedad de su lengua, probándola.

—No te creo.

—Nunca lo has hecho. —Le besó la base del cuello, y durante todo el rato la mano de Carolyn permaneció sobre su desnuda cadera—. Te sientes más segura creyendo que soy un mentiroso y un impostor, aunque tengas la verdad delante de tus narices. Te guste o no, Carolyn, soy yo. Tu amigo de la infancia. Tu tortura juvenil. Tu primer amor, que ha vuelto para recuperarte.

Carolyn trató deseperadamente de recobrar la calma.

—Tú alucinas —le soltó.

—Soy yo. —Ascendió por el otro lado del cuello, saboreándola, mordisqueándola y besándola, y ella se descubrió a sí misma agarrando su cadera, deseando acercarla hacia sí—. No hay escapatoria, Carolyn. Soy el protagonista de tus sueños eróticos y a la vez de tus peores pesadillas. Finjamos que haces esto a modo de penitencia.

—Que hago, ¿qué?

—Acostarte conmigo.

—Yo no… —Alex ahogó su protesta con un beso.

Y en medio de su inmensa y paralizante desesperación, Carolyn supo que se acostaría con él.

11

Hasta ese momento no se había dado cuenta de que el aparato de música estaba en marcha. Era una música suave, lenta, tirando a blues, que hacía volutas en el aire cual volubles aros de humo. Carolyn estaba congelada en el tiempo y en el espacio, atrapada por los ojos azules de Alex y sus propias fantasías adolescentes.

—No creo que… —balbuceó.

Alex le tapó la boca con la mano.

—Está bien —le dijo—. No pienses en nada. Quiero que cierres los ojos y te olvides de todo lo demás. —Sus manos, que Carolyn sintió frías sobre la espalda, subieron por debajo de la holgada camiseta. Al llegar a los omóplatos y estrecharla con más fuerza, Alex soltó un suspiro, un sonido de deseo puro y animal.

—Te arrepentirás de esto —le advirtió ella en un susurro.

—Yo siempre me arrepiento de las cosas que no hago, no de las que hago. —Lentamente, empezó a sacarle la camiseta por la cabeza. Carolyn sabía que debía detenerle; y también sabía que no lo haría.

—Me sería más fácil si estuviese borracha —afirmó con temeridad.

—Lo siento pero te quiero sobria. —La camiseta salió volando por los aires, y allí estaba ella, frente a él, vestida sólo con un par de viejos tejanos, y la luz de las llamas titilando entre sus cuerpos. Intentó cubrirse los pechos, pero Alex agarró sus muñecas antes de que las levantara y le sujetó los brazos mientras la contemplaba.

—Ya no tienes trece años —le susurró.

—No, ya no.

Alex sonrió despacio, resultaba irresistible.

—Mejor para mí. —Sujetándole aún las muñecas, Alex se inclinó hacia adelante y la besó lentamente en la boca, con exquisita delicadeza. Durante unos instantes Carolyn fue simplemente una espectadora perpleja y agradecida. Ese hombre sabía besar. Sabía seducir, tentar, inquietar a una mujer, para más tarde calmarla, y todo gracias a la impresionante habilidad de su boca, sus labios, su lengua y sus dientes.

Le mordisqueó suavemente el labio inferior.

—Esta vez tienes que devolverme el beso —dijo Alex pegado a su boca.

—Tu maestría es admirable —murmuró ella.

—Tengo mucha experiencia. —Alex le deslizó las manos por sus brazos, la cogió por los hombros y la apretó con fuerza. Carolyn sintió el impacto de sus senos contra el pecho de Alex, bajo cuya suave piel, fría todavía, ésta notó cómo le latía el corazón, apresurado. Pero el corazón de Carolyn latía casi a igual velocidad, y no era por una dosis de adrenalina adicional, sino enteramente debido a él.

Carolyn nunca pensó que un beso podía llegar a ser tan flagrantemente erótico. Siempre le había parecido que era un ingrediente necesario en los juegos preliminares, algo que formaba parte del inevitable viaje hacia la cama, pero no un elemento de seducción en especial. Sin embargo, Alex besaba como si besar fuese un fin en sí mismo, como si en su boca hallara un total y verdadero placer. Lo menos que podía hacer a cambio era devolverle el beso.

De alguna forma las manos de Carolyn habían ido a parar al cuello de Alex, y sus dedos se enredaban entre los largos cabellos de éste. Cerró los ojos; no quería mirarle, no quería admitir la estupidez que estaba cometiendo. Le besó torpemente, y desde lo más hondo de su garganta Alex profirió un gruñido de excitación absolutamente animal.

Ese sonido humedeció el cuerpo de Carolyn.

Alex debió darse cuenta. Bajó las manos y la agarró por la cadera, la levantó sin apenas esfuerzo y las piernas de Carolyn rodearon su cintura mientras se dirigían hacia la cama.

La tumbó en la cama, él hizo lo propio colocándose entre sus piernas, como si perteneciera a ese lugar. Su presencia era imponente, estaba muy duro y excitado, y se inclinó sobre ella, estremeciéndose lenta e insidiosamente, inmovilizándole las manos sobre las arrugadas sábanas.

—Adelante, Carolyn, cierra los ojos —le susurró—. Imagínate que es un sueño erótico, que en realidad no está sucediendo, que no es más que una fantasía.

Sabía que era una cobardía, pero hizo lo que le dijo Alex, temerosa de mirarle a los ojos, a sus ojos de cosaco, de ver su boca, de admitir lo que estaba haciendo.

Estaba echada de través en esa cama en la que había pasado tantas noches a solas. Alex bajó de la cama, se inclinó sobre ella, a oscuras, y dio con el cierre de sus tejanos.

En un intento por detenerle, Carolyn le agarró de la mano, pero Alex simplemente la apartó, le desabrochó los pantalones y se los quitó, dejándola desnuda, estirada a oscuras; vulnerable; asustada.

La cogió por las caderas y la movió hacia el extremo superior de la cama para poderle poner la boca entre las piernas. Carolyn sacudió el cuerpo en señal de protesta, procurando deshacerse de él, pero Alex tenía demasiada fuerza, y hundió los dedos en sus caderas, obligándola a permanecer quieta.

—No seas infantil, Carolyn —le susurró en la penumbra de la habitación—. Acepta lo que te ofrezco.

Carolyn ensartó sus dedos en el pelo de Alex, estirándolo, pero éste hizo caso omiso, y presionó su lengua contra ella. Carolyn tuvo ganas de llorar. Odiaba esto. Nunca había accedido a que un hombre le hiciera tal cosa; era demasiado íntimo, demasiado humillante y degradante. Dejó caer las manos sobre el colchón, apretando los dientes, tratando de ahuyentar los sentimientos que recorrían en espiral su resentimiento. Estaba temblando, sus puños estrujaban trozos de sábana, y se mordió el labio con fuerza para no decir nada, para no tener que pedir nada, lo mordió con tal intensidad que su boca sabía a sangre, y quiso que Alex parase, quiso salir discretamente de la oscuridad, alejándose de ese dulce humo de confusos deseos que la impedía concentrarse en todo aquello que no fuera lo que él le estaba haciendo.

Cuando estaba a punto de alcanzar el clímax, Alex se detuvo, y ella gritó desconcertada, desesperada, abrió los ojos y le vio estirándose sobre ella, tenía el cuerpo caliente, ardiendo, resbaladizo a causa del sudor, le cogió la cara con ambas manos y la miró con ojos abrasadores.

—¿Estás segura de que quieres que pare?

Carolyn le miró, incapaz de pronunciar palabra. Estaba ardiendo, temblando, jamás había necesitado algo con tal fiereza. Alex le tocó el labio y se manchó los dedos de sangre.

—Te has mordido el labio —constató—. Muerde el mío. —Y puso su boca sobre la de Carolyn.

Debió hacerle daño, pero no podía pensar en ello. Cuando Alex apartó la boca, que estaba caliente y húmeda y también sangraba, la besó en el cuello. Carolyn se preguntó si, como los vampiros, le habría dejado un reguero de sangre. Se preguntó si, de ser así, le importaría.

No podía respirar. Cuando las manos de Alex se posaron finalmente sobre sus senos, Carolyn arqueó la espalda al tiempo que una pequeña convulsión recorría su cuerpo, y le buscó, intentando acercarle más a ella, necesitaba acabar esto, llegar hasta el final.

—Tranquila, Carolyn —susurró Alex, empujándole la espalda de nuevo sobre las sábanas—. No hay ninguna prisa, tenemos todo el tiempo del mundo.

—No —dijo ella con voz ahogada. Abrió los ojos y vio la luz del fuego iluminar sus cuerpos, tenebrosos, paganos, mágicos—. No me obligues a… suplicarte.

Alex le deslizó las manos por las piernas, abriéndolas.

—No, cariño, no quiero que me supliques —susurró—. Seré yo quien te suplique.

Carolyn le agarró por los hombros, y le hundió las uñas en la piel suave y lisa.

—No será necesario. Haré lo que me pidas.

—Tal vez la próxima vez —murmuró Alex. La tocó entre las piernas, y ella dio una sacudida, conteniendo un leve chillido—. Agárrate fuerte, preciosa.

Carolyn obedeció, convencida de que la embestiría y le haría daño.

No fue así. Notaba la punta de su pene, caliente y dura, pero Alex no se movió, esperó, paciente, rígido, completamente quieto, hasta que ella estuvo a punto de gritar.

—Ya puedes abrir los ojos —le dijo Alex al oído.

Carolyn los abrió y le miró fijamente a los ojos, en silencio, jadeante, mientras él empujaba lenta, muy lentamente, haciendo que se retorciera, entrando en ella con tal lentitud que Carolyn se estremeció antes de que él se detuviera.

Respiraba entrecortadamente y notaba cómo su cara chorreaba de sudor y lágrimas. Sujetó los hombros de Alex con tal fuerza que se le adormecieron las manos, y todo giró en torno a esa inexorable invasión, que distaba mucho de parecerse a cuanto había sentido hasta entonces.

Aquello excedía los límites, era más de lo que podía soportar, y trató de apartarse de Alex, pero éste la asió de las caderas con las manos, inmovilizándola contra el colchón.

—Tómame, Carolyn —dijo en voz baja—. Sabes que puedes. No tengas miedo. Tómame.

El forcejeo cesó. Carolyn dejó de respirar y su corazón dejó de palpitar cuando Alex empujó hasta el final, con fuerza, apretándole la espalda contra la cama.

Ignoraba lo que había exclamado cuando la primera convulsión sacudió su cuerpo. Ésa sería la primera de una serie de oleadas de intenso, asfixiante y demoledor placer que desgarrarían su cuerpo y la dejarían destrozada. Para amortiguar el ruido, Alex le tapó la boca con la mano, y procedió a penetrarla una y otra vez hasta ponerse rígido en sus brazos y eyacular en el interior de su cuerpo, firmemente contraído. De algún modo, Carolyn sintió que Alex se unía a ella, inundándola, y supo que estaba totalmente perdida.

Alex no se movió hasta al cabo de mucho rato. Lo primero que soltó al separarse de ella y descender de la cama fue una palabrota.

—¡Joder! —murmuró, y pese a estar en el limbo Carolyn percibió el desencanto y el inexplicable y repentino enfado de Alex.

Carolyn aguardó a que la puerta del cuarto de baño se cerrara silenciosamente y, desesperada, bajó arrastrándose de la cama.

Por poco se cayó al suelo, sus piernas se doblaban como si fueran de goma. Se agarró al borde del colchón, respiró regular y profundamente e hizo acopio de las escasas fuerzas que le quedaban.

No se sintió con ánimos de ponerse los tejanos. Simplemente cogió su camiseta de dormir y se la metió por la cabeza, después se dirigió hacia la puerta para salir al pasillo. Si por casualidad tropezaba con alguien ya se inventaría alguna excusa. Nadie sospecharía nunca de lo que había estado haciendo, ni siquiera ella se lo acababa de creer.

Tenía que huir, salir de esa habitación, alejarse de la cama, alejarse de él, de su olor y su cuerpo, desaparecer de su vista. Se sentía rota, desorientada y destrozada, y no sabía por qué. Sólo sabía que tenía que irse antes de que él la volviera a tocar.

Alex miró fijamente su reflejo en el espejo del cuarto de baño. Estaba horrible, parecía un cadáver, el hijo de puta que sabía que era en realidad. No tenía importancia que ella hubiera intentado matarle sólo un par de horas antes, que con él hubiera tenido, claramente, el mejor sexo de su vida. Se miró a los ojos, inyectados en sangre, y tuvo la certeza de haber cometido un gravísimo y táctico error.

Un error que repetiría indefinidamente si no lograba tener bajo control a sus trastornadas hormonas antes de abandonar el cuarto de baño. Carolyn estaría en la cama, dormida, acurrucada como un niño y quizás incluso chupándose el dedo. Habría lágrimas secas en su pálido rostro, y una sonrisa dibujada en su también pálida boca, y él no sería capaz de dejarla sola.

¿Por qué diablos le costaba tanto aprender? Lo ocurrido no había sido un encuentro sexual fortuito, relajante y superficial. No había sido un polvo divertido y despreocupado que pretendiera cerrar un capítulo de la adolescencia.

Había sido un acto de intimidad sexual de un megatón inmenso de Grado A, de fuerza cinco y nivel ocho en la escala de Richter, completamente distinto a cualquier cosa experimentada por Alex hasta entonces, y estaba del todo convencido de que a Carolyn le había afectado aún más que a él.

Y no sabía qué demonios debía hacer al respecto.

Aunque sí sabía lo que quería hacer: atarla al armazón de la cama, echar el pestillo a la puerta y follar hasta que los dos estuvieran demasiado cansados para pensar, querer o preocuparse por nada. Quería tirársela durante tanto tiempo y con tal intensidad que a mediados de la siguiente semana Carolyn tuviera aún orgasmos. Quería poseerla de todas las formas habidas y por haber, para luego marcharse y no volver a caer jamás en la tentación.

No sucedería tal cosa, sería condenarse.

No recordaba qué narices había sentido a los diecisiete años, pero intuía que debía de ser condenadamente parecido a lo que sentía ahora. Se había vuelto a excitar.

Paso a paso, se recordó. Paso a paso. Mañana sería otro día y ya pensaría en el modo de reparar el daño que iba a causar el pequeño episodio. Con un poco de suerte se desharía de Carolyn y la convencería de que se fuera por una temporada, dándole así la oportunidad de estar a solas con Sally y el resto de la familia. Si jugaba bien sus cartas ella se sentiría demasiado violenta cerca de él, lo que anularía la lealtad profesada a Sally lo suficiente para tomarse unas cortas vacaciones. Justo el tiempo necesario para poder llevar a cabo lo que le había traído hasta aquí.

Tenía que averiguar la verdad de lo ocurrido dieciocho años antes, cuando alguien disparó a Alexander MacDowell. A Carolyn ya no iba a poder sonsacarle nada más; aun en el supuesto de que tuviera más información, estaba tan enterrada en su subconsciente que no saldría a la luz ni con un sacacorchos.

Tendría que desviar sus esfuerzos. George y Tessa habían estado allí aquella noche, y George era el tipo de persona que siempre estaba merodeando y observando. A lo mejor había visto algo.

Warren y Patsy, así como el novio que ésta tenía entonces, también habían estado. ¿Habría habido alguien más, espiando, esperando a que llegara la oportunidad de poner fin a la vida del inquietante heredero? Tenía que ponerse manos a la obra, dejar de perder el tiempo con Carolyn Smith, quien no iba a proporcionarle nada más que el mejor sexo de toda su vida.

Pero sólo eran las dos y pico de la mañana. No amanecería hasta al cabo de unas horas, horas que podría dedicar a vencer la resistencia de Carolyn y conseguir que hiciera exactamente lo que él quería, sin más timidez ni protestas semivirginales.

Mierda. Puede que se hubiera acostado con ella con eficaz minuciosidad, pero tenía el desagradable presentimiento de que probablemente se había jodido a sí mismo y sus planes con mayor eficacia si cabe.

El fuego se había apagado, dejando la habitación a oscuras. Debería correr el cerrojo; había cometido una estupidez al no ocuparse de ese detalle antes de tocar a Carolyn. Warren era perfectamente capaz de presentarse con una botella de whisky y la tediosa intención de revisar los planes una vez más. Tal vez a Alex no le hubiera importado, pero habría echado a perder el ya de por sí vulnerable ardor de Carolyn.

Caminó hacia la puerta y se detuvo, consciente de pronto de que algo había cambiado. La cama estaba vacía. Carolyn había recogido su ropa y se había largado.

Qué alivio, se dijo. Se sentía aliviado. Se había ido antes de que las cosas se complicasen aún más. Alex se sentía demasiado vulnerable, demasiado atraído por los ojos azules de Carolyn, por su pálida boca, su sedoso pelo y su inexperto y absolutamente maravilloso cuerpo. No le cabía ninguna duda de que hubiera podido estar a la altura de las circunstancias con admirable inventiva durante el resto de la noche sin implicarse en exceso, pero le sería mucho más fácil no sentirse tentado.

¿Adónde habría ido Carolyn? Le extrañaría que hubiera vuelto a la cama plegable de la biblioteca; en este momento tendría mucho miedo de verle cara a cara, y no querría ir donde él pudiera encontrarla. Probablemente estaría en la ducha, frotando con ahínco cualquier indicio de sexo que hubiera en su prístino cuerpo. Probablemente, estaría llorando.

Naturalmente, no era la clase de mujer que acostumbrara a sucumbir al llanto. Lloraba cuando tenía un orgasmo, cuando perdía el control de su cuerpo o sus emociones. El resto del tiempo las mantenía fríamente a raya.

Pero apostaría cualquier cosa a que estaba de pie en alguna ducha de la casa, llorando. Y él no podía hacer absolutamente nada al respecto.

Esperaría a volver a verla al día siguiente para pensar en cómo manejar la situación. Sus instintos eran prácticamente infalibles; cuando la tuviera delante, sabría cómo proceder. Tal vez una mirada lasciva y una patada en el culo serían lo más eficaz para desembarazarse de ella. Eso, y contárselo todo a Sally.

Sally ni se inmutaría. Permitió que Alex MacDowell, siendo adolescente, torturara a Carolyn sin remediarlo. Con tal de que su querido hijo permaneciera a su lado, sería capaz de sacrificar a Carolyn hasta mil veces, y ésta, lo admitiera o no, lo sabía.

A lo mejor Carolyn ya se había marchado. A lo mejor cuando bajara a desayunar le darían la noticia de que había ido a visitar a sus amigos de la universidad. No sería de extrañar. Era una mujer valiente, fuerte y decidida, pero él había destruido todas sus defensas.

Se tumbó en la cama. Olía deliciosamente a sexo, a sudor y a Carolyn. Quería que volviera con él y que le deseara con tal intensidad que le hiciera temblar.

Gracias a Dios, se había ido corriendo.

Carolyn estaba en la ducha, llorando. Le envolvían las caricias del acto sexual, las marcas que él había dejado en ella. Tenía manchas de sangre en el cuello y la garganta, eran de sus bocas. Se veían las huellas de los dedos de Alex en los puntos de la cadera por donde la había estado sujetando. Todavía le sentía dentro, y dudaba que esa sensación fuese a desaparecer algún día.

Nadie podía oírla. El baño estaba junto al gimnasio que nadie, salvo George en contadas ocasiones, usaba nunca. Podía gritar todo lo que quisiera, porque no vendría nadie a buscarla. Nadie la echaría de menos.

Al cumplir los veinte se hizo la promesa de no compadecerse de sí misma nunca más, y no la rompió hasta que Alexander MacDowell volvió y le recordó todo aquello que quería y no tendría jamás. Una familia. Una verdadera madre.

Y el amor de Alexander MacDowell.

Inclinó la cabeza hacia atrás, dejando que los abundantes chorros de agua caliente le regaran la cara, el pelo, quería lavarse las lágrimas junto con las caricias y el olor de Alex; quería que todo eso se arremolinara colándose por el desagüe, yéndose de su vida, hasta que pudiera fingir que no había ocurrido nunca.

No había sido su primera relación sexual. Había tenido otras en ocasiones y normalmente las había disfrutado. Tampoco había sido su primer orgasmo. Era una mujer joven, normal y sana, perfectamente capaz de cubrir sus propias necesidades aun sin estar saliendo con nadie.

Y sin embargo lo que había vivido esta noche, arriba, en la habitación que está bajo el alero, era completamente nuevo. Era irresistible, espantoso, un tentador bocado de algo tan poderoso y profundo que le entraban ganas de esconderse bajo las sábanas hasta que él se hubiera ido.

El agua caliente se derramaba sobre su cuerpo sin cesar, pero la desesperaba saber que eso no era suficiente para borrar las huellas de Alex, que se pegaría a su piel y permanecería en su sangre hasta que ella no tuviera más remedio que huir de eso, de él y de la única familia que tenía.

Cerró el grifo y se quedó inmóvil en el plato alicatado de la ducha mientras la rodeaban envolventes nubes de vapor. Se sacó el pelo de la cara y se puso derecha. Tenía que pensar en cómo salir de este embrollo. Si era preciso que se marchara durante un par de días para recuperar el equilibrio, lo haría.

Pero no dejaría que Alex volviera a tocarla. Eso había sido un error de tan monumentales proporciones que aún estaba sorprendida. Durante casi toda su vida había soñado, voluntaria o involuntariamente, con Alexander MacDowell. Habían pasado demasiadas cosas entre ambos para hacer del sexo una alternativa razonable.

Más le hubiera valido no acostarse con un impostor. Estaba segura de que era un mentiroso, y de que le odiaba, y sin embargo había actuado en contra de su voluntad.

A lo mejor su reacción era debida a la reprimida nostalgia que había sentido siempre por Alex. A lo mejor es que él era simplemente un seductor.

Ya daba igual. Ella había comprobado, para su eterno pesar, hasta qué punto Alex podía ser provocativo. Y peligroso. Le había dicho que lo considerara una penitencia por haber atentado contra su vida.

¿Desde cuándo las penitencias eran tan dolorosamente dulces?

Entró en el pequeño y bien equipado gimnasio cubierta con un grueso albornoz. En una de las esquinas había una mesa baja y acolchada que se empleó para hacer fisioterapia cuando Sally se rompió la cadera. Sería perfecta para dormir unas cuantas horas. A nadie se le ocurriría buscarla aquí, a menos que George decidiera hacer gimnasia sueca recién levantado.

Si se le acercaba acabaría arrepintiéndose.

Se acurrucó en el colchón de espuma y se tapó con el albornoz de rizo. El pelo mojado se extendía sobre la funda de plástico y cerró los ojos, colocando una mano bajo la cara. Mañana ya pensaría en una solución. Durante lo que quedaba de noche, al menos, estaría a salvo.

12

A las cinco de la mañana Carolyn renunció a la idea de dormir. La casa entera estaba tranquila, reinaba el silencio; por regla general los MacDowell se levantaban tarde, y Constanza y Ruben no salían de su apartamento hasta pasadas las ocho. Resistió al impulso de volverse a duchar. Si Alexander MacDowell seguía aún en su cuerpo, entonces sería sólo cuestión de tiempo que sus huellas se borrasen del todo. Podía esperar.

Se vistió apresuradamente, se peinó el pelo, enredado y húmedo todavía, y fue a servirse un café. La sofisticada cafetera automática estaba ya encendida, y pudo, a los pocos minutos, tomarse una taza de delicioso café indonesio.

Caminó hasta el *office*, que nunca usaba nadie, y contempló los invernales jardines y los campos que bajaban hacia el río Connecticut. La nieve de fines de primavera había desaparecido tal como había venido, e incluso algunas rosas florecían tímidamente en los desnudos árboles.

Apuró el café y volvió a llenar la taza. Esta mañana le serían necesarias grandes dosis de cafeína, y cualquier otra cosa que le ayudara a sobrellevar el día. Debía determinar cómo enfrentarse a la realidad de Alexander MacDowell.

Notaba la casa distinta. Durante meses sólo habían vivido en ella los cuatro: Ruben y Constanza en su apartamento, que contaba con entrada propia; Sally, que moría lentamente en su cama de hospital, y Carolyn, que dormía arriba, en la antigua habitación de Alex. En la antigua cama de Alex, que había acabado compartiendo con él.

Ahora no quedaba ni un cuarto libre en toda la casa. Todas las camas estaban ocupadas por los MacDowell. A algunos les quería, a otros les toleraba, y a otros pocos en ocasiones les detestaba. Había demasiados MacDowell bajo el mismo techo, era preciso que se fuera.

Las puertas correderas y las cortinas del cuarto de Sally estaban cerradas. Carolyn ni siquiera se molestó en llamar a la puerta. La abrió, entró, y respiró el inconfundible olor a hospital mientras buscaba con la mirada la silueta acurrucada de Sally MacDowell en la cama.

—¡Benditos los ojos! —exclamó Sally. Su voz era extraordinariamente fuerte—. He oído un ruido en la cocina y he deducido que eras tú. Los demás no se levantan antes del amanecer a menos que sea imprescindible. Y desde luego son incapaces de hacerse un café.

—Ya es de día. Amanece más temprano en esta época del año —dijo Carolyn tranquila, al tiempo que se aproximaba a la cama, agradecida de que sólo una tenue luz iluminara la habitación. En sus circunstancias le habría costado soportar una luz intensa—. Y Constanza había encendido la cafetera. Sólo he tenido que apretar un botón.

Sally resopló.

—Dudo mucho que toda esa pandilla supiese siquiera darle a un botón. Excepto Alex, quizá. Debe haber aprendido a manejarse solo durante todo este tiempo. —Miró a Carolyn con atención en la semi-penumbra—. Siéntate a mi lado, Carolyn. Durante los últimos días no te he visto mucho que digamos. Tengo insomnio, a pesar da la infame cantidad de pastillas que me obligan a ingerir. Necesito hablar con alguien.

—Tienes la casa llena de familiares —comentó, acercando la silla a la cama.

—También es tu familia. Supongo que no me harás caso si te pido una taza de ese café. Huele de maravilla.

—Te prohibieron la cafeína hace cinco años, tía Sally —le recordó Carolyn.

—Todos sabemos que no me moriré de un ataque al corazón. No entiendo por qué no puedo permitirme algún lujo en mis últimos meses de vida.

Carolyn tampoco lo entendía, pero no valía la pena discutir con los médicos.

—Lo siento —se lamentó—. Será mejor que me lo lleve de aquí… —Hizo ademán de levantarse, pero la firme voz de Sally hizo que se detuviera.

—Ni se te ocurra moverte, jovencita —ordenó. Echó un vistazo a Carolyn—. Estás espantosa.

Carolyn se rió.

—Tú también.

Tía Sally se rió entre dientes.

—Una de las cosas que más me gusta de ti, Carolyn, es que siempre me dices la verdad. Lo demás me mienten, me dicen lo que creen que me hará sentir mejor. Pero tú eres sincera.

—¡Como si eso me sirviera de algo!

—De todos modos, tengo motivos para estar espantosa. Tengo setenta y ocho años y estoy al borde de la muerte. Tú tienes treinta y uno, eres guapa y estás en plena forma. Cualquiera diría que te ha pasado un camión por encima.

Guiada por el instino, Sally le acarició el rostro.

—No lo dirás en serio, ¿no?

—No. En realidad, tienes pinta de haber pasado la noche con un amante. ¿Lo has hecho?

—No. —Era una verdad a medias.

—¿Te sigues viendo con Bob?

—Se llama Rob —respondió Carolyn con paciencia—, y no, hace meses que rompimos.

—Me alegro. Nunca me gustó. Era demasiado bueno para ti.

Carolyn se echó a reír.

—Vaya, muchas gracias, ya veo que no merezco tener a mi lado a una buena persona.

—Necesitas a alguien fuerte que sepa cómo tratarte. Mucha gente te considera una mujer dulce y tímida, pero eso es porque no te conocen tan bien como yo. En el fondo tienes el corazón de una guerrera. Hubieras destrozado al pobre Bob.

—Rob.

—Como se llame. Te mereces un hombre de verdad, Carolyn. Te daría mi bendición si encontraras uno.

—¿Y qué es un hombre de verdad? ¿Uno que me utilice como mero objeto sexual? ¿O que me dé un cachete cuando hable más de la cuenta?

—No acabarás con gente de tan baja estofa. Ni vienes de ese mundo ni terminarás en él.

Carolyn miró a su tía, perpleja.

—¿De dónde vengo, tía Sally?

Sally cerró los ojos.

—Ya lo sabes, Carolyn. Nunca te lo he ocultado. Eres la hija de una mujer sueca que trabajaba con nosotros. Nos dejó, se quedó en estado, y murió cuando tú eras todavía un bebé. Siempre le tuve cariño a Elke, y decidí traerte a casa.

—Eso es lo que me has contado siempre. ¿Y qué hay de mi padre?

Sally se encogió levemente de hombros.

—Yo conocía a Elke, y eso era más que suficiente. Era una mujer maravillosa, dulce y elegante, que simplemente cometió un error, y pagó por ello, pero su hija no tenía por qué sufrir también. ¿En serio tenemos que volver a hablar de todo esto?

—¿Cómo sabes que no he nacido en una chabola? —insistió.

—Se ve en la clase —contestó con toda naturalidad.

—Estoy segura de que a los que viven en chabolas les encantaría oír esto.

—Vamos, Carolyn, no me vengas con monsergas de tinte liberal —se quejó Sally—. No tengo ganas de hablar de política. El mundo está formado por ricos y pobres. Tú has tenido la suerte de pertenecer al grupo de los ricos.

—No —le corrigió Carolyn—. He tenido la suerte de haber sido educada por uno de los ricos.

Sally esbozó una ligera sonrisa.

—Pues muy bien no lo debo haber hecho si no he logrado que seas consciente del poder que le da a uno tener dinero.

—El dinero no lo es todo.

—¡Eso habrá que verlo! De todas formas es reconfortante saber que, aunque erróneamente, hay alguien en la familia que piensa así —explicó Sally—. Debes ser la única, a los demás les apasiona el dinero, a excepción de Alex, tal vez. —Miró a Carolyn con fingida dulzura—. ¿Qué opinas de él?

Alexander MacDowell era la última persona en el mundo de la que a Carolyn le apetecía hablar.

—Necesito más café —anunció, pero Sally levantó la mano con autoridad. Tenía un tubo intravenoso pegado a ésta, y Carolyn, que no lo había visto antes, tuvo que reprimir su sobresalto.

—Sé que puedo contar contigo para que seas honesta y me digas la verdad. Dime lo que piensas. ¿Crees que es mi hijo? —Tenía los ojos un poco vidriosos a causa de los analgésicos, y cabía la posibilidad de que, en adelante, ni siquiera recordara haber mantenido esta conversación. ¡Qué más daba! Sally tenía razón; Carolyn decía la verdad pasara lo que pasara.

También podía evitar darle una respuesta directa.

—No sabía que tuvieras dudas al respecto, Sally.

—Y no las tengo. Sé perfectamente quién es y cómo es, pero quería saber qué opinas. Tú eres una persona observadora y mucho menos egoísta que el resto de mi familia; reparas en cosas que a los demás se les escapan. ¿Tú crees que es mi hijo?

Quiso negarlo, pero no pudo. No, cuando la verdad era tan obvia.

—Es el verdadero Alex, tía Sally —afirmó al cabo de un momento—. Estoy completamente segura.

El fatigado rostro de Sally dibujó una pacífica sonrisa.

—Sabía que podía contar contigo. Tú nunca me mentirías, ni te equivocarías en un asunto tan serio. ¿Cuándo has cambiado de opinión?

—¿A qué te refieres?

—Sé que al principio pensabas que era un impostor. Incluso ayer, en la cena, le mirabas como si fuera una especie de asesino en serie. ¿Qué ha ocurrido en las últimas horas? ¿Tiene algo que ver con la marca que tienes en el cuello?

A Carolyn se le había pasado por alto esa huella en su recuento de mordiscos amorosos. Ni siquiera recordaba que

Alex le hubiera mordido ahí, claro que gran parte de la noche le parecía una mancha confusa.

—¿Piensas que me ha seducido para que le crea?

—No, eres demasiado terca para caer en ese juego.

—¡Yo no soy terca! —protestó.

—Sí que lo eres. De lo contrario no soportaría tu presencia. Y además, si aún pensaras que Alex es un impostor, dudo mucho que hubiera conseguido seducirte.

—No me sedujo.

—¿No has pasado la noche con él?

Podía negarlo, porque lo cierto era que no había pasado toda la noche con él. No había dormido con él.

—En esta vida no todo es blanco o negro —manifestó en cambio—. Es tu hijo, no me cabe la menor duda.

Por un momento dio la impresión de que Sally seguiría interrogándola, pero sólo asintió con la cabeza.

—Menos mal que te tengo, Carolyn —comentó cariñosamente—. No sé qué haría sin ti.

—Estarías perfectamente. —Su voz era firme y fría—. En realidad, he pensado en irme…

—No viviré mucho —la interrumpió Sally con su habitual brusquedad.

Carolyn no se movió.

—¿Qué quieres decir?

Sally sonrió con ironía.

—Sabes muy bien lo que quiero decir. Los médicos han dicho que a estas alturas ya sólo pueden aliviarme el dolor, cosa que tampoco están consiguiendo.

—Seguro que habrá algo que podamos hacer. —Carolyn no dejó que aflorara el miedo que sentía—. Cambiarte la medicación, averiguar si ha salido algún…

—No. Se me está acabando el tiempo. Mi cuerpo lo sabe, yo lo sé. Lo he aceptado, y tú deberías aceptarlo también. No me lo pongas más difícil, cariño. Mi vida ha sido mejor de lo que merecía, y lo único que deseo ahora es tener a los seres que quiero junto a mí. A ti y a Alex.

A ti y a Alex. La fuerza de voluntad la ayudó a no emocionarse, a no reaccionar.

—¿Y qué hay de Warren y Patsy?

—Siempre han sido unos pelmazos, ya lo sabes. No creo que podamos sacárnoslos de encima, pero espero que les mantengas a cierta distancia de mí. Carolyn, cuento contigo para que me protejas de ellos. No quiero ver a Patsy llorando borracha, y menos aún a Warren poniéndose filosófico. Necesito que estés aquí. Nunca te he pedido nada parecido, siempre te he instado a que fueras independiente, pero te lo pido por favor, no te vayas.

No podía negarse. Durante toda su vida, Sally le había dado mucho más de lo que había aceptado a cambio. Si quería tener a Carolyn a su lado, la tendría, aunque tuviera que ver a Alex todos los días.

—Por supuesto que no —dijo.

Sally volvió a recostarse sobre el montón de almohadas, estaba más avejentada y débil que nunca. En otra mujer, la expresión de su rostro podría haberse atribuido a ciertos aires de suficiencia, pero Sally MacDowell no se rebajaba nunca a tan mezquinos niveles.

—Y no te dejes intimidar por Alex. A la vista está que sigue siendo un diablillo. Y tiene razón al decir que debería haberte protegido más cuando eras pequeña. Tendría que haber sido más exigente con él; hice poco y tarde y le perdí durante media vida. He tenido que vivir con la consecuencia de mi error, he pagado por ello. No consentiré que vuelva a molestarte. Si lo hace, dímelo.

—Ya no es ningún mocoso, Sally —apuntó Carolyn con tranquilidad—. No creo que vaya a gastarme las mismas bromas de siempre.

—No —replicó Sally—, pero es posible que tenga un nuevo repertorio.

La luz de la habitación era tenue, y Carolyn deseó que Sally no la hubiera visto sonrojarse.

—Ni dejaré que me moleste —dijo—, ni me iré de aquí.

Pero Sally ya se había quedado profundamente dormida, y Carolyn no tenía escapatoria.

Mantenerse alejada de Alex resultó ser más fácil de lo que se habría imaginado nunca. Cuando quiso darse cuenta Alex ya se había ido con George y Tessa a aprovechar los últimos días de esquí. Warren se había apoderado del pequeño despacho en el que Carolyn solía revisar sus cuentas, y algo le decía que también se había apoderado del talonario de Sally, pero no le importaba lo más mínimo. Después de todo, dentro de poco todo eso sería suyo. No había estado presente en el último testamento pronunciado por Sally, pero sabía perfectamente lo que contenía. Un generoso legado para Ruben y Constanza, y un pequeño y correcto fideicomiso para ella, suficiente para cubrir lo esencial. La inmensa herencia de Sally estaba dividida en dos mitades. Una iba destinada a su hijo, y el resto era para sus dos hermanos, decisión que mantuvo incluso después de que Alex llevara diez años desaparecido.

Si hubieran declarado a Alex muerto, el dinero, por supuesto, habría sido para Patsy y Warren, que se habrían enzarzado indudablemente en una eterna disputa legal. Pero Carolyn siempre pensó que por aquel entonces, rotos sus lazos con la familia tras la muerte de Sally, ya estaría muy lejos.

En la puerta de la biblioteca no había pestillo, pero esa noche, al irse a la cama, encajó una silla debajo del pomo de la puerta, antes de que los primos regresaran de su jornada de esquí. Sólo le cabía esperar que Alex estuviera tan horrorizado como ella por lo que había sucedido entre ambos. Con suerte, también haría lo posible por guardar las distancias.

Su suerte duró tres días. Durante tres días Alex se fue con sus primos a primera hora de la mañana y no regresó a casa hasta bien entrada la noche. Durante tres días Carolyn permaneció junto a Sally mientras dormitaba, leyendo novelas de misterio y tratando de no pensar en Alex. La cuarta noche volvieron un poco más temprano y decidió esconderse.

Su actitud, estúpida y débil, obedecía totalmente a un instinto. Oyó la voz grave y sexy de Alex, y las respuestas provocativas de Tessa, y sin pensárselo dos veces se metió en la cocina, a oscuras, para no tener que verle, ni a él ni a los demás. Estaba claro que Alex no había vuelto a pensar en ella desde que abandonara su habitación. Algo le decía que ahora era Tessa quien compartía la cama con él.

Tenía que averiguarlo, pensó con fría determinación. A fin de cuentas, si Alex y Tessa estaban durmiendo juntos, quedaba libre una habitación en la que perfectamente podía dormir ella, en lugar de acampar en la biblioteca.

No tenía intención de preguntar nada, y menos aún de interrumpir su animada fiesta particular. George estaba contando un chiste ligeramente racista y no especialmente gracioso, y sus voces se fueron apagando a medida que subían las escaleras.

Carolyn era lo bastante lista para no pensar que ya estaba a salvo. Alex tenía la costumbre de visitar a Sally cuando menos se lo esperaba uno; era perfectamente capaz de ir a darle un beso de buenas noches. Ahora que ya había aceptado la cruda realidad, no podía enfadarse con él. De tener un poco de sentido común se habría ofendido porque él se había ido a esquiar a Killington, pero eso sería pasarse de la raya. Todo aquello que le mantuviera alejado de casa, incluso de su madre, era una bendición.

Estaba escondida entre las sombras del rincón del *office*. En el exterior la luna brillaba dejando entrar una luz intermitente, pero quienquiera que entrara a comer algo probablemente no podría verla. Estaría fuera de peligro, siempre y cuando se quedara quieta hasta que no se oyera ni el vuelo de una mosca en la casa.

Patsy fue la primera que, con pasos temblorosos y canturreando una canción, hizo su aparición en la cocina. Sabía dónde estaba guardada la botella de Stolichnaya, y traía consigo un chal para envolverla, por si acaso tropezaba con alguien que, extrañado, empezara a hacerle preguntas; algo estúpido por su parte teniendo en cuenta que todos sabían lo mucho que bebía y que no parecía importarles mientras mantuviera las formas. Y Patsy, que era una MacDowell en toda regla, por muy borracha que estuviera actuaba siempre como una dama.

Después apareció Tessa, su perfecto cuerpo cubierto únicamente por una combinación de seda. Abrió el congelador, dio con medio litro de helado de cerezas, cogió una cuchara y se lo llevó a la habitación. Si era cierto que dormía con Alex, no le sería necesario el helado, pensó Carolyn, apoyándose contra la pared y rezando para que los miembros de la casa dejaran de una vez por todas de ir de un lado para otro. Conociendo a Tessa, lo más probable sería que se zampara el helado entero y luego se provocara el vómito.

Estaba a punto de salir de las sombras cuando entró George. Iba tan ligero de ropa como su hermana, con unos calzoncillos de seda, y su cuerpo era igual de perfecto. A diferencia de Tessa no optó por el helado. Constanza tenía la orden de que en la nevera siempre hubiera zumo fresco de zanahoria. George cogió la botella, bebió de ella directamente y la volvió a dejar en el mismo sitio profiriendo un eructo de satisfacción.

Al irse George, Carolyn se acurrucó en el suelo, con las rodillas pegadas al pecho. Acostaos de una vez, pedía en voz alta, mientras se oían nuevos pasos en las escaleras. Por lo que más queráis, dormíos ya y dejadme en paz.

Por lo menos hasta el momento Alex le había ahorrado su inquietante presencia. Reconoció los pasos exactos y acompasados de tío Warren, que llevaba unas zapatillas de piel hechas a medida, y se encogió aún más en la penumbra, cerrando los ojos un instante.

—¿Qué tal está Sally? —La voz de Warren la hizo volver en sí de golpe, y estuvo a punto de contestarle, convencida de que la había visto agazapada en la esquina, pero luego se dio cuenta de que no había venido solo.

—Igual —respondió Alex, yendo hacia la nevera. Hizo caso omiso del zumo de zanahoria y pilló una cerveza. A pesar de la poca luz que había en la cocina, Carolyn podía verle claramente; permaneció inmóvil, rezando para no ser descubierta.

Sin embargo, a Warren, que estaba cerca de la puerta, no le veía.

—Quería hablar contigo.

Alex se giró y se apoyó en la encimera, dando un trago de su Heineken.

—¿De qué?

—¿No crees que deberías esforzarte más en tu papel de amante hijo? Sally morirá pronto y los últimos días te has dedicado a hacer el ganso por ahí con tus supuestos primos. Lo más conveniente por tu parte sería una demostración de preocupación filial.

—He estado con ella cada día antes de irme y a la vuelta, y siempre me dice que quiere que haga cosas con el resto de la familia. No hay nada de qué preocuparse; Sally no alberga dudas sobre mi identidad.

—No estoy preocupado por Sally. Es a los otros a quienes tenemos que convencer.

—Eso es lo que estoy haciendo. George y Tessa no tienen ninguna duda de que soy su primo, y Patsy suele estar demasiado borracha para pensar tanto.

—Ellos no son el problema. La que más me preocupa es Carolyn. Tiene un poder tremendo sobre esta familia, y sobre Sally. Si no consigues engañarla, las cosas se pondrán difíciles.

—Deja de preocuparte. Está todo bajo control. Carolyn está totalmente convencida de que soy el verdadero Alexander MacDowell, y lo único que quiere es mantenerse tan alejada de mí como pueda. No se dedicará a indagar la verdad.

—Eso espero. Yo en tu lugar no la subestimaría. Es la más lista de la familia, y la única que tiene escrúpulos. No se quedará de brazos cruzados si sospecha que no eres quien dices ser.

—Ya te he dicho que no hay por qué inquietarse —comentó Alex con impaciencia—. Ni siquiera sabía que consideraras a Carolyn como parte de la familia.

Hubo un tenso silencio.

—Lleva tanto tiempo con nosotros que es lógico que haya adquirido algún rasgo de nuestro carácter —replicó Warren irritado.

—Está bien, descuida —le tranquilizó Alex, acabándose la cerveza y dejándola en la encimera—. La tengo completamente engañada. En este momento juraría sobre un montón de Biblias que soy el verdadero Alexander MacDowell.

—De acuerdo —afirmó Warren—, pero asegúrate de no estropearlo todo. —Sus pasos, iguales, exactos, se alejaron.

—Buenas noches, «tío» Warren —susurró Alex en tono burlón. Y dio media vuelta para seguirle.

Al ver a Carolyn sentada a oscuras, escondida, Alex se quedó helado.

Ella se incorporó, muy despacio, sin ocultar la expresión de su cara. Pasó junto a Alex, quien no hizo ademán de detenerla. Sabía que podía ser un hombre muy peligroso, pero no le importaba. Si la tocaba gritaría con fuerza para despertar a toda la casa.

Pero Alex no la tocó. No dijo ni mu. Sencillamente la dejó salir de la cocina, mirándola sin que su atractivo y distante rostro manifestara expresión alguna.

Alexander esperó hasta oír que la puerta de la biblioteca se cerraba. Aunque esa puerta no tenía cerrojo, lo más probable es que Carolyn la hubiera bloqueado poniendo una silla debajo del pomo. No tenía importancia. Entraría por las cristaleras de la terraza. Las puertas cerradas con llave o pestillo y los sistemas de seguridad nunca fueron un obstáculo para él.

Pero de momento no podía moverse. Le perseguía la expresión de Carolyn. El susto, el dolor y la rabia.

En lo único que podía pensar era en la última vez que había visto esa misma expresión en su rostro: al darle un beso de despedida en la habitación de atrás de la casa de Water Street, cuando Carolyn tenía trece años, antes de que se sumiera en Lighthouse Beach.

Por ese principio no podía hacerse [illegible] entre aquellas posib[illegible] [illegible] el cielo y la tierra.

[illegible] de la [illegible] [illegible] [illegible] de [illegible] en cada [illegible] de la [illegible] [illegible] de [illegible] [illegible]

13

Alexander era consciente de que había sido siempre un tormento. Cuando era pequeño, Sally pecó de indulgencia y desinterés, y nadie logró encauzarle. Desde la dudosa posición de ventaja que le ofrecían sus treinta y pico años, podía mirar atrás y preguntarse de dónde venía tanta rabia. No había tenido padre; Sally le había dicho siempre que su marido decidió que no quería estar casado ni tener la responsabilidad de unos hijos, y que se fue, rompiendo todo contacto y sin querer volver a verles.

Claro que otros niños lo habían pasado peor. Él tenía una madre que le adoraba y le daba todo lo que quería. Tenía una familia numerosa, en el más amplio sentido de la palabra, que le proporcionaba seguridad, estaba bien dotado, era inteligente y, según Sally, demasiado guapo para no ser un creído.

Sin embargo, de pequeño fue todo un elemento, y lo sabía. Lo había sabido siempre, incluso a pesar de no haber podido evitar algunas de las cosas que había hecho. Recorría su cuerpo una vena de ira tan profunda y firme, que nada de lo que hiciera la ahuyentaría.

Carolyn se había llevado la peor parte. Alex aún se acordaba del día en que Sally la trajo a casa, era una niña seria y encantadora, un bebé que miraba a su alrededor con esos inmensos ojos azules, extrañamente pasivos, como si ya fuera plenamente consciente de que estaba a la merced de un destino caprichoso.

Lo raro era que Alex nunca la había considerado como una hermana pequeña; tampoco Sally fomentó jamás tal percepción. Habían crecido juntos, separados por unos cuantos años y un abismo de cólera, y Alex, en el fondo, siempre supo que ninguno de los dos estaba en el ambiente adecuado.

A lo mejor ése era el motivo por el que había martirizado a Carolyn toda su vida, destrozando sus muñecas, metiéndose con sus amigos, chinchándola y torturándola cuando no tenía nada mejor que hacer.

Eso, y el hecho de que Carolyn le mirara con una mezcla de adoración y dolor.

Alex no se merecía tal adoración, pero nada de lo que hiciera convencería a Carolyn de ello. Carolyn era fervientemente leal a su familia, aunque esta última no decidiera nunca adoptarla legalmente; intensamente leal a Sally y el monstruo de su hijo, por muy mal que pudieran llegar a tratarla.

No es que Sally fuera nunca deliberadamente cruel con ella. Dispensaba un aire maternal sutil y distante, que Carolyn aceptaba con patética gratitud. A Alex le ponía de mal humor que Carolyn hubiera renunciado a todo por Sally, relegando su vida y sus intereses a un segundo plano.

Le ponía de mal humor volver al cabo de dieciocho años y ver que seguía haciendo lo mismo.

Carolyn se merecía algo mejor. Mejor que esa clase de amor tibio que le ofrecía Sally. Se merecía el amor que necesitaba. A Alex no le cabía la menor duda de que Sally la quería realmente, la quería todo lo que podía querer a alguien.

Pero Carolyn Smith se merecía ser amada apasionadamente. Necesitaba alejarse de ese maldito grupo de bastardos egoístas que en nombre de la familia le habían quitado hasta el último céntimo.

Y él era uno de los que más culpa tenía.

Al menos había podido escaparse.

Lo fastidioso del asunto era que Alex apenas recordaba lo sucedido hacía dieciocho años. Había robado un coche, a su madre no iba a serle fácil salvarle el pellejo esta vez. Recordaba que discutió con ella y que se gritaron el uno al otro. La casa de Edgartown estaba llena: Patsy acababa de separarse de su segundo marido y ocupaba, junto a sus tres hijos, la mayor parte del segundo piso. Warren había ido a pasar el fin de semana, aunque estaba casi todo el día en el club náutico para evitar que le molestaran sus ruidosos sobrinos. Se había enterado del último lío de Alex; el coche que había robado no era un coche cualquiera, sino un MG clásico propiedad de un reportero de deportes jubilado. Alex se acordaba vagamente de la cara de Warren, pálida pero hirviendo de rabia, pronunciando ultimátums en voz alta.

Le dijeron que le meterían en la cárcel. Que esa vez iba en serio, que era bastante mayorcito para librarse del problema con un simple tirón de orejas, y que ya era hora de que aprendiera la lección.

Así que huyó. Recordaba haberse ido de casa. Caminó durante horas hasta que todas las luces de la casa se hubieron apagado y volvió para coger dinero.

A partir de ahí sus recuerdos se hacían más borrosos. Sabía que había robado a Constanza, como también sabía que Sally reemplazaría de inmediato todo lo que él se llevara consigo. Debió de vaciar el bolso de Patsy, y luego debió de entrar en la habitación de Carolyn para coger lo que ésta hubiera dejado a la vista.

Todavía recordaba cómo le miraba mientras él se quedaba con todas sus joyas. Durante el último año Carolyn había crecido, y desde hacía meses Alex se fijaba en ella no ya como su víctima sino como mujer.

Entonces la besó. Eso también lo recordaba, el dulce impacto de su joven boca, la increíble tentación de su cuerpo, aún caliente de la cama. Durante muchos años, tal vez porque era lo último que recordaba, ese beso fue la obsesión de Alex, cosa a la que nunca pudo encontrar explicación.

Aunque no recordaba haberlo hecho, sabía que había bajado a Lighthouse Beach. La lancha de los Valmer estaba atracada allí, y debía pretender hacer un puente y viajar hacia tierra firme, huyendo de la única familia que tenía.

Alguien le había estado esperando en la playa, y Alex no tenía la menor idea de quién demonios se trataba. Una enorme laguna que en dieciocho años aún no había sido rellenada. Pensara o no en ello, no acudían más imágenes a su mente. Una parte importante de su vida, que incluía su intento de asesinato, se había esfumado.

Estaba besando a Carolyn Smith pensando que era un pervertido y que acabaría entre rejas.

Y al momento siguiente se despertaba en una estrecha cama de una casa de las afueras de Boston, frente al hombre que en su día estuvo casado con Sally MacDowell. Tenía un agujero en la espalda, que le habían curado de cualquier manera tras extraerle bruscamente la bala que lo había ocasionado, y no recordaba cómo había llegado hasta allí. Según John Kinkaid, la noche anterior Alex había aparecido medio muerto en el umbral de su puerta, y Kinkaid le había dejado entrar.

Más tarde Alex pudo reconstruir parte de los hechos. Los pescadores del barco pesquero, poco interesados realmente en la pesca, le habían salvado sacándole del oscuro océano antes de dejarle en la costa de Massachusetts. Alex había encontrado en su bolsillo un papel empapado en el que estaba garabateada la dirección de Kinkaid, que supuestamente encontró hurgando en el bolso de su madre. Sea como sea, había llegado hasta allí.

No es que Alex esperara un reencuentro efusivo y conmovedor —nunca fue un niño sentimental— pero desde luego la realidad distó mucho de ser así. Aunque nunca había visto una foto de su padre, no le sorprendió en absoluto que Kinkaid, pasada la cincuentena, fuera un hombre apuesto. Ningún MacDowell se conformaba con menos que la perfección física.

Kinkaid era alto, larguirucho, tenía el rostro ovalado y los ojos marrones. Alex no podía reprocharse a sí mismo no reconocer la trascendencia de esos ojos marrones; en algún momento dado se había golpeado la cabeza y, por si fuera poco, tenía una leve conmoción cerebral. Con un agujero de bala en la espalda lo último que quería era ir a urgencias o a un médico y que le hicieran preguntas. Lo mandarían de vuelta a Edgartown.

Kinkaid le sirvió una sopa y un ginger ale, e incluso le despertó cada hora para comprobar que estaba bien. Al día siguiente le dio café solo con azúcar, que siempre había tenido que tomar a escondidas de Constanza.

—Sally está preocupada por ti —anunció Kinkaid, sentándose enfrente de la cama.

A Alex se le derramó el café caliente por los tejanos.

—¿Le has dicho que estoy aquí?

—Tanquilo, muchacho. No tiene ni idea de dónde estás. No voy a chivarme.

—Pero es probable que intente ponerse en contacto contigo. Es una mujer inteligente; se imaginará que he ido a buscar a mi padre.

Kinkaid parecía contrariado.

—Hace casi diecisiete años que Sally y yo no estamos en contacto —explicó Kinkaid—. Me extrañaría mucho que siquiera pensara en mí como una posibilidad. Ha pasado demasiado tiempo.

—Desde que nací —añadió Alex.

—Sí.

Una respuesta tan rotunda no daba pie a preguntar nada.

—Podría encontrarte. Si Sally se lo propone, puede encontrar a quien quiera —dijo Alex, decepcionado.

—Si piensas eso, ¿por qué te has molestado en huir, entonces? ¿O es que quieres que te encuentre y te lleve de vuelta a casa?

—Volveré a casa —afirmó—. Cuando esté preparado. Cuando averigüe las respuestas a algunas preguntas.

—¿Qué tipo de preguntas?

Alex resopló con el desdén propio de un adolescente.

—Quería conocer a mi padre, ¿es eso tan descabellado? Es un capítulo de mi vida que está en blanco. Sally nunca me habla de ti; ni siquiera me ha enseñado fotos tuyas. Todo lo que sé es que nos abandonaste cuando yo nací.

—¿Y quieres saber por qué? —Kinkaid encendió un par de cigarrillos y le dio uno a Alex. Diez años después Kinkaid moría de un cáncer de pulmón, y Alex dejaba de fumar.

—Creo que es mi derecho —afirmó Alex—. Tengo derecho a conocer a mi padre.

—Lo siento, chico, pero ahí sí que no puedo ayudarte —dijo Kinkaid suspirando—. Yo no soy tu padre.

A Alex no le sorprendió oír eso.

—¿Por eso dejaste a Sally? ¿Porque tenía un *affaire* y se quedó embarazada de otro hombre?

—¡No! La única vez que Sally estuvo embarazada yo era el padre. De eso no hay duda.

Desde hacía varios días Alex tenía jaqueca; al oír las palabras de Kinkaid, de pronto, el dolor se disparó.

—¿Cómo has dicho?

—Que tampoco eres hijo de Sally, muchacho. Nuestro bebé nació muerto, y ya sabes que Sally nunca ha aceptado un no por respuesta. Ni siquiera sé dónde demonios te encontró, aunque debió pagar un dineral por ti. Te trajo a casa y te presentó como su hijo recién nacido, y el que tuvo alguna duda fue lo bastante listo como para mantener la boca cerrada.

—¿Menos tú?

—No, yo también me callé. Simplemente me fui. Hacía mucho tiempo que nuestro matrimonio era un desastre, pero me retenía el niño. Cuando el bebé murió ya no me pareció necesario seguir aguantando las mentiras de Sally.

—No, supongo que no.

—No me mires así —le dijo Kinkaid con brusquedad—. No es nada personal. Estoy seguro de que Sally te ha querido tanto como si te hubiera parido.

—¡Pues vaya consuelo!

Kinkaid se encogió de hombros.

—En cuanto a mí, no me sentía como si hubiera perdido una mascota y pudiera reemplazarla por otra. Al morir nuestro hijo no había razón alguna para que me quedara. Tú te convertiste en su nuevo juguete y, de todas formas, Sally ya no me necesitaba. —Soltó un suspiro—. Aunque no me resultó fácil prescindir de su fortuna. Aun así, no me arrepiento de lo que hice. Me casé con otra mujer, tuvimos un par de hijos, y luego seguimos caminos diferentes. Veo a mis hijas los fines de semana, suficiente para cubrir mi necesidad de padre.

Alex había apagado su cigarrillo.

—Será mejor que me vaya —anunció.

—No, hombre, no, quédate —suplicó Kinkaid, obligándole a acostarse de nuevo—. En cierto modo te siento como parte de la familia. Una especie de hijastro. Al fin y al cabo, eres el hijo de mi ex mujer.

—No, no lo soy.

—Escucha, seguro que Sally te quiere con locura. El hecho de que sorteara algunas leyes para conseguirte no cambia nada.

—¿Estoy adoptado legalmente?

—¡Caray, no lo sé, chico! Pero yo no me preocuparía por eso. Sally haría cualquier cosa por tenerte; a estas alturas ya no va a decir la verdad. Nunca le ha gustado reconocer sus errores.

—¿Crees que ha hecho algo mal?

—Eso no es asunto mío. Sally siempre utilizaba dinero para conseguir lo que quería. Y yo no quería lo mismo.

—Entiendo —dijo Alex, cogiendo otro cigarrillo del paquete que había sobre la mesa—. Así que somos dos.

—¿Dos?

—Carolyn y yo. Sally trajo una niña pequeña a casa al cabo de unos años. En esta ocasión no la hizo pasar como suya. Tampoco se molestó en adoptarla. Siempre dijo que las mujeres solteras no podían adoptar, pero yo no la creí. Sally era capaz de hacer todo lo que se propusiera.

—Pagando, claro —añadió Kinkaid—. Por cierto, chico, ¿cómo te llamas?

—Alex. Alexander MacDowell.

Kinkaid parecía triste.

—Nuestro hijo se iba a llamar Samuel. Samuel Kinkaid.

—Bonito nombre —comentó Alex.

—Sí.

Y cinco semanas más tarde, cuando Alex finalmente se fue, su nombre era Samuel Kinkaid.

Había sido sorprendentemente fácil desaparecer. A John Kinkaid la vida no le había sonreído demasiado desde que saliera de la burbuja protectora de los MacDowell, y le ayudó a conseguir los papeles pertinentes para empezar una nueva vida. No se pronunció al respecto, se limitó a darle a Sam un cartón de cigarrillos y cien dólares en el momento de partir, y le prometió acudir si le necesitaba.

No cumplió su promesa. Nunca más volvió a verle, pero no importaba. Ahora tenía una nueva vida. Por primera vez, era libre.

En muy poco tiempo había vivido una buena dosis de realidad, sin nadie que le sacara del apuro, sin dinero que protegiera cada uno de sus movimientos. Y lo había disfrutado, viajando sin rumbo por Europa, vagando, probando un montón de cosas nuevas para él. En los últimos dieciocho años había sido ladrón de coches, universitario, agente de Bolsa, obseso del esquí, gigoló y carpintero. Era fuerte, resistente, ciertamente su sentido del honor estaba tergiversado, y no necesitaba nada ni a nadie.

Hasta el momento en que se enteró de que Sally MacDowell se estaba muriendo.

No deja de ser curiosa la forma en que le llegó la noticia. Alex era un hombre realista, pero no podía dejar de pensar que había sido obra del destino.

Los MacDowell, a pesar de tener mucho dinero, intentaban pasar desapercibidos. Y Alex, deliberadamente, se había abstenido de saber de ellos. Pertenecían a su vida anterior, eran agua pasada. Ya no le importaban.

Cada vez que había tenido dinero ahorrado, tiempo libre, o cualquier otra excusa, había viajado a Italia. A la Toscana, para ser exactos. En un momento dado se preguntó si habría algún rasgo hereditario que le ligara a esa tierra, pero como era rubio y tenía los ojos azules, lo descartó. Fuera cual fuera el motivo, en ningún otro sitio se había sentido tan a gusto durante sus años errantes. Sólo en la Toscana Alex se sentía como en casa.

Incluso se había comprado una casa pequeña y medio derruida en las colinas. No era una villa exactamente, pero era algo más grande que una granja, poco más que ruinas, apenas habitable, y rodeada de enormes jardines que, independientemente de lo que estuviera floreciendo, olían siempre a rosas.

Su amigo Paolo le había estado ayudando a reparar el tejado, y al irse a su casa después de comer, se dejó el envoltorio de su sándwich. Un antiguo ejemplar de la edición internacional del *Wall Street Journal*.

Las páginas del periódico estaban gastadas y borrosas, el sol las había descolorado. Le seguía sorprendiendo que hubiera decidido leer las noticias de economía americanas de hacía dos meses. Claro que Alex necesitaba leer siempre algo en su tiempo libre: en el cuarto de baño, cuando veía la televisión o cuando estaba comiendo. Se encontró con una noticia que hablaba de la reorganización de las Industrias MacDowell mientras tomaba un plato de pasta fría.

El artículo no decía que Sally se estaba muriendo. Tampoco hizo falta; podía leer perfectamente entre líneas. Alex supo que había llegado la hora de volver a casa y encontrar las respuestas a todas las preguntas que habían sido objeto de su obsesión.

No recordaba con exactitud cuándo se le había ocurrido el plan. Al principio su intención era simplemente volver a casa y presentarse ante su querida familia. Lo lógico era que primero se dirigiese a Warren, no quería que Sally viese aparecer a su hijo pródigo y se muriera del susto.

Pero no había sido fácil. Warren estaba aislado del vulgo, y un sinfín de secretarias y recepcionistas le protegían de las llamadas. El número de teléfono de su piso de Nueva York no figuraba en el listín, y si en otra época Alex lo había sabido, lo había olvidado por completo.

Al final, molesto, dejó un seco mensaje diciendo que Alex MacDowell quería hablar con su tío. Debió imaginarse que la respuesta no se haría esperar.

Los MacDowell habían contratado un prestigioso bufete de abogados. Alex recibió la llamada breve y expeditiva de un socio adjunto: el hijo de Sally MacDowell estaba muerto y cualquier impostor sería tratado con dureza.

Fue entonces cuando se le ocurrió la idea. Una pequeña garantía, un plan infalible. Hacía años, alguien había intentado acabar con su vida. Probablemente habría sido uno de los influyentes MacDowell. Si le creían muerto, no le recibirían con los brazos abiertos ahora que se habían hecho a la idea de que todo ese dinero sería para ellos. Ignoraba qué contenía el testamento de Sally, pero estaba casi seguro de que si volvía una gran parte de su sustanciosa fortuna recaería en él, cosa que no haría ninguna gracia a Warren y Patsy MacDowell.

Una vez decidido el enfoque del asunto, Alex no tardó mucho en averiguar los detalles. Nunca se le declaró muerto, su afligida madre se había negado a admitirlo. Cuando muriera la herencia se convertiría en un caos hasta que lograran aportar alguna prueba. Cualquiera lo suficientemente amoral y sagaz recibiría a un hábil impostor con los brazos abiertos.

Y si mal no recordaba, su querido tío Warren era el anzuelo perfecto.

Había resultado sorprendentemente sencillo. Había localizado a Warren en su club masculino y se había sentado cerca de él en un tranquilo rincón del bar limitándose a esperar. La mirada de Warren se había posado en Alex con total desinterés patricio, entonces se quedó petrificado.

—¿Quién eres? —le había preguntado con voz ronca.

Alex había sonreído.

—¿Tu añorado sobrino?

—Está muerto.

—Tal vez. Te gustaría demostrarlo, pero no has podido hacerlo, ¿no es cierto?

Warren alcanzó su bebida de color ámbar, su mano, perfectamente cuidada, temblaba.

—¡Y tú qué sabes!

—Sé muchas cosas. Da la casualidad de que me parezco a un familiar tuyo desaparecido. Incluso me parecía a él por aquel entonces; la pasma me detuvo y me interrogó cuando le estaban buscando. Con la ayuda adecuada podría convencer a cualquiera de que soy Alexander MacDowell.

—¿Y por qué querrías hacerlo?

—Por dinero —respondió Alex con toda naturalidad—. No, no es que sea un avaro. No se me pasaría por la cabeza quedarme con todo lo que hubiera heredado el MacDowell ése. Al fin y al cabo, necesitaré ayuda para lograr mis objetivos. Pero piensa en lo que te convendría: no habría que esperar a tener pruebas que demostraran la muerte de Alexander; no habría dudas sobre la herencia. Planeamos algo sutil que nos beneficie a los dos, y cuando esa anciana esté muerta y yo haya cobrado una generosa cantidad de dinero, me esfumaré y no se sabrá nada más de mí.

Warren le miraba, desconfiado:

—¿Y crees que confiaría en ti? Tú debes de ser el farsante que ha estado intentando contactar con mi hermana. Pensé que mis abogados ya se habían ocupado de ti.

—No vayas tan deprisa, «tío Warren» —murmuró Alex—. Me da la impresión de que eres un hombre inteligente. No deberías rechazar una oportunidad como ésta sin antes sopesar los pros y los contras.

—¿Quién coño eres?

—Me llamo Sam Kinkaid. —Usó el nombre intencionadamente, pero Warren ni siquiera parpadeó. Era obvio que el ex marido de Sally había sido borrado de su banco de datos.

Warren se reclinó y, pensativo, miró a Alex durante largo rato.

—Podría llamar a la policía.

—Pero no lo harás. Volverás a tu piso de Park Avenue y pensarás en lo que te he dicho. Reflexionarás sobre ello, profundamente, con un par de whiskys. No se lo comentarás a nadie, porque eres lo bastante listo como para saber que un secreto anunciado a los cuatro vientos ya no es un secreto. Y luego, dentro de unos días, tal vez antes, me llamarás.

Warren arrugó la nariz en señal de desaprobación.

—Estás muy seguro de ti mismo, ¿verdad?

—Hay que tenerlos bien puestos para poder salir airoso de una cosa así. La cuestión es si tú también los tienes.

Durante mucho rato, Warren le miró fijamente, examinándole, y Alex pensó que le había tendido una buena trampa. Se levantó, proyectando su inmensa sombra sobre el viejo Warren.

—La decisión está en tus manos. Éste es mi número de teléfono. Estaré esperando noticias tuyas.

—Tendrás noticias de mis abogados —replicó Warren con frialdad.

—Gracias por la copa, tío Warren —dijo Alex sonriendo.

Su intuición le indicó cuándo llamaría Warren; intuyó bien. En menos de una semana Alex se estaba reuniendo con Warren para aprenderse la historia de la familia MacDowell, de la que sólo conocía una parte, el resto le era completamente nuevo. Se le habló de los distintos matrimonios de Patsy y de sus hijos, ya mayores; se le habló de la enfermedad de Sally y de sus fieles criados, Constanza y Ruben. Y se le explicaron muchas cosas de Carolyn Smith, la hija adoptiva que había entrado en la familia para no marcharse jamás.

Y recordó aquel inocente beso. El primer y último bocado de inocencia de su horrible y egoísta vida. Y miró a Warren a los ojos, sonriendo. Consciente de que iba a tener la oportunidad de saborear a Carolyn otra vez.

14

Aquella noche de fines de abril hacía mucho frío. Alex nunca había pasado un año entero en Vermont, por lo que no sabía cuándo empezaba la primavera, pero estaba seguro de que tendría que haber comenzado ya. Le habría sido más agradable allanar la biblioteca en una noche cálida y no con ese aire glacial.

Carolyn no había dicho nada al pasar junto a él; a lo mejor pensaba ignorarle durante lo que le quedara de vida a Sally. Alex se las había hecho pasar canutas, tal vez había forzado demasiado la máquina. Quería minar las fuerzas de Carolyn para que no pudiera defenderse; de lo contrario habría que estar preparados para lo peor.

Esta noche haría calor en Italia. Las estrellas brillarían sobre su recién reparado tejado, y su vida sería plácida y tranquila. En cuanto encontrara respuesta a sus preguntas.

Antes de salir a la terraza enlosada que conducía a la biblioteca, había desconectado el sistema de seguridad. Abrir la puerta usando su tarjeta de crédito sería pan comido.

Si Carolyn gritaba, actuaría con rapidez, pero estaba echada en el sofá-cama, observándole.

Alex no se había equivocado; Carolyn había colocado una silla frente a la puerta de entrada, sin caer en la cuenta de que la de la terraza era igual de peligrosa.

—¿Te importa que encienda una luz? —preguntó Alex con toda la naturalidad del mundo mientras corría el pestillo de la puerta de fuera. Podía tomárselo con calma; Carolyn no escaparía tan fácilmente si una silla le bloqueaba el paso de la otra puerta.

—Sí. —Su voz sonaba autoritaria, intransigente.

—¿Prefieres hacerlo a oscuras?

—¿El qué? Gritaré con todas mis fuerzas.

—En esta casa, ya sea por la edad o porque les interesa, casi todos están sordos. E incluso a oscuras, sé moverme con rapidez. Puedo hacerte callar antes de que hayas empezado siquiera.

—¿Para qué has venido?

Alex se acercó a ella. Veía bastante bien en la oscuridad, y Carolyn parecía pálida, ofuscada y enfadada. Eso estaba bien. Le atemorizaba un poco encontrársela llorando.

A Alex no solía impresionarle una mujer llorando. Pero sabía que por alguna razón no sería capaz de mostrarse insensible a las lágrimas de Carolyn. Sobretodo si era él quien las había causado.

Ya le había hecho suficiente daño años atrás. No se merecía llorar más.

—¿Te importa si me siento? —Alex pensó que siendo educado Carolyn no se sentiría ofendida.

—Sí.

Se sentó igualmente, al borde del colchón, cerca de su cuerpo cubierto por un mullido edredón. Carolyn se apartó, como si estuviera ante una serpiente de cascabel, y Alex estuvo a punto de agarrarla por el tobillo. Resistió el impulso. Ya tenía suficientes problemas; no quería empeorar las cosas.

Durante minutos que se hicieron eternos, los dos permanecieron sentados en la oscuridad, en incómodo silencio. A Alex le hubiera gustado que ella lo rompiera, pero era más tozuda, si cabe, que él. Más tozuda que Sally, pensó Alex, molesto por ese asomo de admiración que sentía. Si quería conseguir acostarse con ella, tendría que ser él quien tomara la iniciativa.

—¿No quieres preguntarme nada? ¿No quieres gritarme?

—No vale la pena. No servirá de nada si grito. Y me temo que todas mis preguntas ya tienen respuesta.

Era mejor así, se dijo Alex. Era mejor que ella pensara que era un impostor, un farsante, un canalla. Eso se dijo, pero se estaba mintiendo a sí mismo.

—Muy bien —dijo perezosamente—. Entonces supongo que ahora me toca a mí hacer preguntas. ¿Qué piensas hacer?

—¿Con qué?

—Con la verdad que acabas de descubrir. No has ido corriendo a contárselo a Sally, claro que puede que estés esperando a mañana. ¿O es que estás pensando en ir a la policía?

—Se me había ocurrido hablar con los abogados.

—No es una buena idea —murmuró—. ¿Y si alguno de ellos está metido en esto con Warren y conmigo? Y ya sabes lo despiadados que pueden llegar a ser los abogados. Aquí hay mucho dinero en juego. Es posible que Warren no conozca ningún asesino a sueldo, pero no me sorprendería que alguno de los abogados de la familia MacDowell contratara uno.

—A lo mejor cuentan con que seas tú quien haga el trabajo.

Alex sacudió la cabeza.

—Soy un impostor, no un asesino —aclaró—. Si el plan se va a pique me largaré. No intentaré forzarlo.

—De momento sigues aquí.

—Porque no estoy seguro de que el trato se haya terminado. ¿Qué harás, Carolyn?

Carolyn suspiró, nerviosa. Respiraba entrecortadamente, como si hubiera estado llorando, pero Alex sabía que no había llorado.

—Aún no lo sé. Depende de muchas cosas.

—¿De qué, por ejemplo?

—De lo que le ocurrió al verdadero Alexander MacDowell. ¿Está muerto?

Alex sabía que Carolyn, a oscuras, no le vería sonreír irónicamente.

—Dímelo tú. Eres el único testigo de aquella noche en Lighthouse Beach.

—No, no soy el único. Quienquiera que intentara matarle sabe lo que sucedió.

—¿Y si esa persona ya ha pasado a mejor vida? A lo mejor se trataba de un padre que estaba harto de que Alex persiguiera a su hija y decidió mandarle al otro barrio.

—Lo dudo mucho.

—¿Tú crees que está muerto?

Carolyn no respondió.

—¿Qué haces aquí todavía? Si tuvieras un poco de sentido común te largarías.

—Ya te he dicho que no estoy seguro de que el plan se haya desbaratado. ¿En serio quieres que Sally se despierte y vea que su querido hijo ha vuelto a desaparecer? Eso la mataría.

—De todas formas, se morirá. —La monótona voz de Carolyn no dejaba traslucir su emoción.

—Sí, es cierto. A lo mejor puedes adelantar el proceso. Al fin y al cabo, seguramente heredarás bastante poco dinero, y ya no tendrás que volver a ver a esta familia nunca más. Debes estar hasta el gorro de mover el culo cada vez que chasquean los dedos.

—Tampoco es para tanto.

—¿Crees que Warren te quiere como a una sobrina? —la desafió.

—Warren no quiere a nadie; ya deberías saberlo. No me extraña que te haya puesto al día de los pormenores de esta familia. El amor, la honra y la unión familiar no están entre sus virtudes.

—Tienes razón.

—No me he quedado por Warren y el resto de la familia.

—Yo me imaginé que te habías quedado por el dinero —comentó Alex.

—Si eso es lo que crees, adelante, créetelo.

Alex sabía perfectamente que no era verdad, aunque por el bien de Carolyn hubiera preferido que sí lo fuera. Si hubiese sido una ambiciosa calculadora, o incluso una mujer con un nivel de autoestima y avaricia razonable, estaría mejor de lo que estaba ahora, víctima de las manipulaciones de los MacDowell.

—Ya sé que quieres mucho a Sally —admitió Alex—. Que te quedaste con ella porque la quieres y estás agradecida, y que la herencia te ha traído siempre sin cuidado. Entonces, ¿en qué quedamos? ¿Vas a decirle lo que arruinará sus últimas semanas de vida? ¿O piensas limitarte a contemplar cómo un impostor se burla de ella en su cara?

Carolyn se mostró dubitativa.

—No creo que Sally sea el motivo de que Warren te contratara —sugirió—. ¿Para qué? ¿Para que muera más feliz?

—Realmente, eres muy ingenua, cariño —dijo Alex con toda naturalidad—. Pero ¿no acabas de decirme que Warren no tiene ni pizca de sentimental y honrado? No quiere ver peligrar su herencia.

—¿Y qué se supone que tienes que hacer tú? ¿Ceder todo ese dinero mediante un escrito y volver a desaparecer? ¿No te parece que sería un poco sospechoso?

—¿Quién podría ponerlo en duda?

Carolyn se reclinó sobre las almohadas, su expresión era tranquila.

—Yo misma.

—Sin embargo, no lo harás. —Entonces Alex se movió, pero Carolyn no intentó esquivarle. Tal vez sabía que sería inútil. A oscuras, se inclinó sobre ella y le puso las manos sobre los hombros. Bajo sus fuertes manos, los hombros de Carolyn parecían pequeños y de delicados huesos.

Carolyn permaneció inmóvil, mirándole, y Alex no pudo contenerse. Suavemente, con la única intención de provocarla, rozó los labios de Carolyn con los suyos.

—¿Sabes cómo podemos arreglar este pequeño problema, Carolyn? —le susurró—. Es muy sencillo, no sé por qué no se me ha ocurrido antes. Warren me ha enseñado el testamento, tu herencia no es muy grande, podrías hacerte con un poco más para aumentarla. Creo que podría arreglarlo con Warren para que te diera parte de la herencia de Alexander. ¿Qué te parecería eso?

Volvió a besarla, aumentando ligeramente la presión; los labios de Carolyn eran suaves y esponjosos bajo los suyos. Lo más inteligente habría sido apartarse, dejarla deseosa, anhelante.

Pero la tentación era más fuerte que él. Emitiendo un leve gemido, Alex colocó su boca, inclinada, sobre la de Carolyn, abriéndola, usando la lengua.

Ella le devolvió el beso. Tampoco podía resistirse, se notaba en su boca, en el modo en que sus manos cogían a Alex por los hombros intentando alejarle, pero que, en cambio, le atraían más hacia sí. Le devolvió el beso, era más de lo que Alex podía soportar.

Y luego le apartó empujándole con fuerza. Alex no trató de agarrarse a ella, tal era la emoción que le causaban su boca, sus caricias y su olor; el impacto de su propia necesidad.

—Te propongo un trato —sugirió Carolyn con voz áspera y ahogada—. Mantente alejado de mí. No vuelvas a tocarme, ni a acercarte a mí. Dile a Warren que aún te odio, me da igual. Mientras me dejes en paz y no hagas daño a Sally, puedes hacer lo que te dé la maldita gana.

—¿Dónde está la trampa?

—En el momento en que me pongas una mano encima llamaré a la policía, sin importarme si la verdad le provoca un infarto a Sally. ¿Entendido?

—Sí.

—¿Y?

Alex sonrió con ironía, esperando que la oscuridad le impidiera a Carolyn verle, eso le delataría.

—Estoy sopesando qué es más importante: el dinero que me ha prometido Warren o follar contigo.

—Conmigo ya te has acostado —comentó ella amargamente—. Ve a por el dinero.

Habría sido muy fácil contarle la verdad. Le habría costado conseguir que Carolyn le escuchara y le creyera, pero podría haberlo hecho. Había demasiadas cosas que sólo ellos dos sabían.

Claro que entonces ella pensaría que Alex había falsificado la cicatriz y fingido la alergia a las gambas. Habría pensado que todo era una especie de montaje.

Alex no estaba muy seguro de lo que quería que ella creyera. De lo que quería en general, aparte de averiguar la verdad de lo ocurrido aquella noche. En cuanto tuviese las respuestas, lo demás vendría rodado. Y todo cobraría cierto sentido.

No estaba más cerca de la verdad de lo que lo había estado sentado sobre su tejado de la Toscana. La única diferencia estribaba en que ahora estaba metido en la familia que había abandonado hacía ya tanto tiempo. Estaba involucrado física y emocionalmente.

Y estaba con la niña/mujer que había dejado entonces. Si quería un poco de paz, tenía que prometer no volver a tocarla.

Los conceptos de paz y de no tocar a Carolyn Smith se oponían diametralmente, pero en ese momento no tenía ganas de pensar en ello. Lo que tenía ganas de hacer era retirar el edredón de ese esbelto cuerpo y comprobar si Carolyn seguía sabiendo tan bien como hacía un par de noches.

Pero no lo hizo.

—Prometo no acercarme a ti —afirmó—. Por ahora.

Carolyn no parecía estar especialmente complacida.

—Tú verás lo que haces. Sé perfectamente que no soy irresistible, así que mejor dedícate a congraciarte con el resto de la familia. Aunque ya debes de haberlo hecho, ¿no? Después de haberme utilizado, claro.

—Yo no lo llamaría precisamente así —se quejó Alex—. ¿Acaso no te gustó?

—¡Largo de aquí!

Alex se levantó con un ligero e intencionado aire arrogante.

—¿Quieres que me vaya por fuera o puedo ir por dentro?

—Vete por donde has venido.

—¿Es que no quieres que nadie sepa que hemos sido amantes?

Alex era consciente de que Carolyn estaba a punto de perder los nervios, pero algo le impedía detenerse.

—Tú y yo no hemos sido amantes —respondió Carolyn, con voz tensa.

—¿Ah, no? ¿Y qué fue lo de la otra noche, entonces?

—Un gran error.

—Y tú no puedes permitirte cometer un error, ¿no es cierto, Carolyn? La perfecta Carolyn, el arquetipo de lo intachable.

—No suelo repetir mis errores —afirmó.

—Lo repetirás.

—Ya te he advertido…

—Y yo te he dado mi palabra. No te tocaré, cariño. Ni siquiera respiraré a tu lado, ni te besaré como necesitas que te besen. No te llevaré a la cama ni te follaré hasta que pierdas el sentido. No, hasta que tú me lo pidas.

La risa de Carolyn sonó forzada.

—Adelante, sigue. ¿Y qué tal si te lo suplico de rodillas? Eso es lo que te gustaría, ¿no?

—No me gusta hacerme de rogar, Carolyn. No tienes más que pedirlo.

Si Carolyn hubiera tenido algo a mano, se lo habría tirado a la cabeza, pero su sentido común le indicó que una guerra de almohadones no llevaría a ninguna parte. Simplemente siguió sentada en la cama, impertérrita, mientras Alex se iba sigilosamente por la puerta de la terraza.

Carolyn salió a rastras de la cama minutos antes de las seis. Las cortinas de la biblioteca eran muy finas y dejaban que se colara la luz matutina, que se habría colado igualmente aun siendo éstas más gruesas. Justo después de irse Alex, Carolyn se levantó para poner una silla frente a la puerta de la terraza, pero no logró convencerse de estar a salvo de cualquier intruso. Si el hombre que se hacía pasar por Alexander MacDowell quería llegar hasta ella, lo haría. Era implacable, y sólo su frágil promesa y su reconocido interés propio le mantendrían a raya.

Se duchó en el gimnasio, luego se miró en el espejo. Si hacía un par de días su aspecto ya era horrible, eso no era nada comparado con su reflejo esta mañana. Tenía la piel pálida, casi de porcelana, excepto unas manchas moradas debajo de los ojos. Su piel parecía cansada y frágil; su mirada fría y desesperada; y su boca, también pálida, era una única y sutil línea de preocupación.

Con esa cara no podía animar a una anciana moribunda, pensó, al tiempo que cogía el maquillaje. El resultado no fue nada espectacular, pero al menos el artificial color rosa de sus mejillas le daba un cierto aire de tranquilidad, y su boca había adquirido un bonito color rosado.

El sol ascendía entre las montañas, en el límite de los campos que se extendían más allá de la casa, y de pronto sintió ganas de alejarse de ella, de las mentiras y traiciones que, descontroladas, recorrían sus pasillos perfectamente decorados, del asfixiante aire de una muerte inminente. Cogió el abrigo de piel que alguien había dejado colgado en el gimnasio, metió los pies en un par de botas para la lluvia y salió al recién amanecido jardín.

Aquella noche había helado, pero el sol estaba calentando la tierra con avidez, y Carolyn cruzó el jardín de césped siguiendo el estrecho camino de gravilla en dirección a los campos en rastrojo. Llegó hasta el muro de piedra y se detuvo, volviéndose para echar un vistazo a la casa. Las ventanas, meros reflejos del intenso sol de la mañana, le devolvían la mirada. A estas horas aún estaban todos durmiendo, se decía, consciente de que alguien la observaba.

Se subió a la pared de piedra y saltó sobre el basto campo, ciñéndose la chaqueta de piel. Un riachuelo discurría justo enfrente, y vio el tronco caído que no había dejado que el servicio de jardinería retirara. Al derretirse la nieve el río crecería, la corriente avanzaría frenéticamente, y ella se sentaría en el tronco a respirar el aire frío de la mañana. Tal vez entonces vería el futuro con mayor optimismo.

Pero nunca llegó hasta el río. Se topó con un conejo que yacía sobre la incipiente hierba, con la mirada fija e inerte, y Carolyn se arrodilló desesperada. Esa zona estaba repleta de animales salvajes: coyotes que se escondían en el bosque sin aparecer nunca, pero que dejaban huellas de su matanza. También había linces rojos, y algunos hasta insistían en que los pumas habían vuelto a las montañas de Vermont, aunque hasta el momento nadie había visto nada más que un montón de excrementos.

Quienquiera que hubiera matado este conejo lo había hecho a conciencia, brutalmente, y Carolyn se incorporó, indescriptiblemente abatida. Oyó un ligero zumbido mientras algo pasaba volando junto a su cabeza, y agitó los brazos a diestro y siniestro. Era temprano incluso para las moscas negras, y lo que acababa de ver era demasiado pequeño para ser un pájaro.

Ya se le habían quitado las ganas de ir al río. Se giró, y algo volvió a pasar junto a ella emitiendo un fuerte zumbido; de repente supo qué era.

Se tiró al suelo, medio helado, mientras otra bala se estrellaba contra un árbol. No se oyó ningún ruido de explosión, pero no había otra explicación. Alguien la estaba disparando.

Tenía que ser un estúpido error. Algún cazador furtivo debía haberla confundido con un animal. No, menuda locura, la mañana era despejada y soleada, y ella no se parecía a nadie más que a sí misma.

Un cazador no usaría un silenciador. Carolyn levantó la cabeza, mirando a lo lejos. La casa estaba a mucha distancia y todas sus puertas y ventanas estaban cerradas. Era imposible que alguien, desde una de ellas, la utilizara como blanco para sus prácticas de tiro.

Quien hubiera sido debía estar en el bosque, que lindaba con los campos. Allí había un sinfín de sitios para esconderse; imposible adivinar de dónde procedían las balas. Lo único que Carolyn podía hacer era permanecer echada sobre la hierba y rezar para que quien quisiera matarla no tuviera el valor de salir del bosque para divisar su objetivo con mayor claridad.

Carolyn no tenía conocimiento de que hubiera armas de fuego en casa. Sally siempre había detestado la caza y, para disgusto de los vecinos, había cercado sus hectáreas de terreno. Warren era demasiado melindroso para mostrar interés en caminar por los campos en busca de una presa. Alex, por otra parte, había sentido siempre la típica fascinación masculina por las armas de fuego.

Pero ese hombre no era Alex, se recordó Carolyn. No le conocía de nada, era un tramposo y un mentiroso que la había conquistado en todos los sentidos. Era factible que se tratara de un tirador de élite. Al fin y al cabo él era quien más tenía que perder.

Aunque si, en efecto, era un tirador profesional, su objetivo no había sido acabar con ella. A lo mejor sólo quería asustarla. Un aviso poco sutil, para que se apartara del medio y dejara el camino libre a Warren y su protegido.

Carolyn no se imaginaba a Warren sosteniendo una escopeta. No se lo imaginaba asesinando a nadie.

En cambio, no podía poner la mano en el fuego por el hombre que se hacía pasar por Alex.

¿Iría a campo traviesa y pondría el cañón de esa escopeta en la nuca de Carolyn y dispararía? No quería morir sin saber quién quería matarla. A la fuerza tenía que ser Alex; era el que más tenía que perder.

Entonces ¿por qué no se lo acababa de creer?

Bajo sus pies, el suelo estaba duro y el frío le penetraba en los huesos. El sol brillaba con fuerza y le calentaba el dorso de su cuerpo, mientras ella permanecía tumbada, medio temblando, medio sudando, esperando que le llegara su hora. La sacudió una sensación de *déjà vu*, y de pronto se volvió a ver con trece años, acurrucada por el frío en Lighthouse Beach, atenta al disparo de una pistola.

Carolyn perdió la noción del tiempo. Es probable que incluso se quedara dormida; imposible saberlo. El sol siguió alzándose en el cielo, y le pareció oír voces a lo lejos; supo que no podía continuar ahí.

Intentó ponerse de pie, pero las piernas no le respondieron, y cayó al suelo de nuevo, casi esperando que una bala le entrara en la cabeza. No oyó ningún zumbido aterrador, ni vio ningún diminuto ni asesino objeto rozándole el cuerpo. Lo volvió a intentar, y divisó la casa con las persianas abiertas y gente moviéndose tras las ventanas.

Ahora no la dispararía nadie, no ante la presencia de testigos. Todo lo que tenía que hacer era caminar hacia la casa, despacio, con cuidado, y estaría a salvo.

Hasta que quienquiera que hubiera intentado matarla, decidiera volver a actuar.

15

Patsy estaba sola, sentada en la punta de la mesa, ya vestida y bebiendo a sorbos un café flojo con leche con su habitual elegancia. Era probablemente la primera vez que Carolyn veía a la hermana pequeña de Sally antes de las once de la mañana, y la única que hubiera preferido no encontrarse con ella.

—¿Qué te ha pasado? —Patsy sonaba más quisquillosa que preocupada—. Cualquiera diría que has luchado a muerte contra un cocodrilo. —Incluso hablaba con mayor claridad de lo que acostumbraba, claro que no llevaba en pie el suficiente tiempo como para haber empezado su dosis diaria de alcohol.

—He salido a dar un paseo y he tropezado. —Hasta que pronunció las palabras Carolyn no sabía que iba a mentir. De haber tenido un poco de sentido común, habría llamado a la policía para que inspeccionaran el bosque.

Salvo que sabía, instintivamente, que no encontrarían nada. No pensarían que ella mentía, por supuesto, pero dudarían acerca de lo que les contara. Y se lo dirían a Sally, que no estaba en condiciones de tomar las riendas del asunto.

—¡Me parece extraordinario! —exclamó Patsy.

—¿Que me haya caído?

—No, que te hayas ido a dar un paseo. —Se estremeció visiblemente—. Supongo que estarás de acuerdo conmigo en que se concede excesivo valor al hecho de estar en comunión con la naturaleza. ¿Quieres tomar un café o prefieres irte a cambiar primero?

Lo que Patsy prefería estaba muy claro a juzgar por la expresión de su cara, pero a Carolyn le apetecía más lo contrario.

—Un café, por favor —respondió, sentándose cerca de Patsy y en parte lamentando no haberse tropezado con excrementos de vaca para acabarle de alegrar el día a su tía.

Patsy arrugó la nariz pero le sirvió un café a Carolyn, pasándole la taza y dejando ver una mano impecablemente cuidada con un pulso perfecto.

—¡Aquí tienes, querida!

—Hoy has madrugado mucho —comentó Carolyn con ligereza.

—No podía dormir. De vez en cuando me despierto al amanecer, y me es imposible volver a coger el sueño. Me he dado cuenta de que lo único que puedo hacer es levantarme e imaginarme que aún es de noche y actuar como una loca decadente. —Bostezó de manera exagerada.

—¿Hay alguien más despierto? —Carolyn trató de sonar natural, y Patsy estaba demasiado concentrada en algún ambiguo proceso mental interno como para captar la tendenciosa pregunta.

—Antes me ha parecido ver a Alex —respondió alegremente—. Tenía pinta de estar a punto de salir. Me extraña que no te lo hayas encontrado mientras paseabas.

Carolyn puso la taza con cuidado sobre la mesa. Patsy seguía absorta y no notó el efecto que sus palabras habían tenido, pero Carolyn ya estaba acostumbrada a protegerse contra todo.

«¿Quién más podía haber sido?», se preguntó Carolyn. Le había pillado mintiendo; sabía que era, sin duda, un fraude, un impostor, un farsante. Aún no tenía pruebas que lo demostraran; sólo su palabra contra la de Alex. Y contra la de Warren.

Carolyn no podía detenerles, pero sí obstaculizarles el trabajo, de modo que un disparo accidentado sería una buena solución para el problema.

No podía creer que pretendieran salir impunes de ésta, algo discutible si ella hubiera pasado ya a mejor vida. No era su intención vindicarse desde la tumba.

—¿Sabes dónde está ahora? —preguntó Carolyn, cogiendo un croissant y procediendo a desmigajarlo.

—Supongo que estará con Sally. —Clavó su límpida mirada en Carolyn, la piel que rodeaba sus ojos, de casi sesenta años, era firme, suave y perfecta—. ¿Aún no le has olvidado?

—¿Cómo dices?

—¿No eres ya mayor para seguir enamorada de él? Hace tiempo que deberías haberlo superado.

—No estoy enamorada de él.

—Pues de pequeña sí lo estabas.

—Ya no soy una niña.

—Es cierto. Es sólo que me da miedo que Alex también se haya dado cuenta de eso. Recuerdo que entonces nos tenía preocupados que Alex te convirtiera en el objetivo de sus fastidiosas proclividades. No lo hizo, ¿no?

—No hizo, ¿qué?

—Molestarte cuando tenías trece años —dijo Patsy sin rodeos.

Hubo un beso que había recordado durante dieciocho años. El cuerpo de Alex, fuerte y tierno, apretado contra el suyo. Por más que intentara disimularlo, él también era un niño en aquella época.

—No —contestó Carolyn.

—Es que es algo que siempre me he preguntado. Te pusiste muy enferma tras su desaparición, y te volviste más introvertida aún que antes. Tenía miedo de que Alex hubiera hecho o... dicho algo aquella noche antes de irse. Le viste antes de marcharse, ¿verdad?

Carolyn llevaba dieciocho años mintiendo, ya era un mecanismo automático.

—No —respondió—. Le vi por última vez aquella misma tarde en la playa.

La mirada de Patsy era extraordinariamente nítida.

—¿Recuerdas el espantoso número que se montó durante la cena?

Carolyn sacudió la cabeza en señal de negación.

—Ni siquiera recordaba que tú estuvieras también.

—Pues estaba. —Patsy se recostó en la silla, jugueteando con la taza de café—. He estado pensando. ¿Por qué no te vas de aquí, cariño?

—¿Perdón?

—Lo digo en serio. Nadie duda que has consagrado tu vida entera a mi hermana. Pero ¿no crees que es hora de que tengas la tuya propia? El hijo de Sally ha vuelto, ella ya no te necesita a su lado. Te convendría tomarte un respiro.

—No creo que todo esto dure mucho más, Patsy —le recordó Carolyn amablemente. Patsy no había sido nunca muy cariñosa con su hermana mayor, ni se la había visto muy triste por el estado en que ésta se encontraba, pero Carolyn siempre supuso que era simplemente una forma de negación.

—Tienes razón —reconoció Patsy con indiferencia, jugando con uno de los pesados tenedores de plata—. Es sólo que pensé que así te sería más fácil.

—Es todo un detalle por tu parte que te preocupes por mí.

Los ojos de Carolyn y Patsy se encontraron.

—Ya sé lo que piensas de mí, Carolyn —afirmó en voz más baja—. Crees que soy una tonta y una frívola a quien no le interesa nada más que sí misma. Pero tú eres casi como de la familia, te conozco desde que tienes dos años y me preocupo por ti.

Casi como de la familia. Carolyn apuró el café templado de la taza y obsequió a Patsy con su mejor sonrisa.

—Me da igual que Sally no me necesite. Yo necesito estar aquí.

Patsy sonrió.

—Lo entiendo, cariño. Todos necesitamos estar juntos en tan tristes momentos. Pero… —Su voz se apagó.

—¿Pero qué…? —la instó Carolyn.

—Vete… con cuidado.

Carolyn se quedó helada.

—¿A qué te refieres?

Patsy agitó la mano despreocupadamente.

—¡Oh, cielos, y yo qué sé! Supongo que lo primero que me sale es el instinto maternal. Sencillamente me preocupo por todos.

Por lo que a Carolyn se refería, el instinto maternal de Patsy sólo afloraba con George, y toda su atención se centraba siempre en sí misma. O Patsy sabía algo, o lo sospechaba. Y era demasiado precavida para confesarlo.

Por alguna razón, Carolyn no se esperaba que Alexander MacDowell, o el hombre que fingía ser, entrara en el *office* y se sentara a la mesa con la naturalidad de alguien que realmente perteneciera a ese lugar.

—Precisamente estábamos hablando de ti —le dijo Patsy con voz aterciopelada.

—¿Ah, sí? —Su preciosa y generosa boca sonrió abiertamente, y si había algún indicio de reserva en sus ojos azules, Carolyn no lo percibió. Parecía totalmente relajado, y a Carolyn le fue imposible desmontar su farsa—. ¿Y qué decíais? —Cogió la taza de café que le tendió Patsy y empezó a meter en ella una cantidad indecente de cucharadas de azúcar.

—Me estaba advirtiendo que fuese con cuidado —explicó Carolyn.

Sus ojos se encontraron con los de Alex, burlones y desafiantes.

—¿Y con qué cree Patsy que debes ir con cuidado? Desde luego, no lo dirá por mí. Soy totalmente inofensivo, ¿verdad, tía Patsy?

—Desde luego —respondió Patsy sin rastro de ironía—. En realidad, lo que le estaba diciendo a Carolyn no tenía nada que ver contigo, por supuesto. Se ha caído antes dando un paseo y se ha hecho daño. Le he advertido que mire bien por dónde va. Sólo nos faltaba tener que cuidarla a ella también.

Los ojos de Alex se entornaron, ahora sin pizca de diversión.

—¿Qué ha pasado?

«Sabes de sobra lo que ha pasado», quiso gritarle Carolyn. «Has intentado matarme, o asustarme.»

—He tropezado con algo y me he caído —dijo Carolyn—. Ha sido un despiste. No volverá a ocurrir.

Si su mirada burlona ya era inquietante, más lo era aún la extraña expresión de sus ojos.

—Patsy tiene razón —afirmó Alex de repente—. No es el mejor momento para que ocurra una desgracia.

—Y no ocurrirá —insistió Carolyn, incapaz de ocultar su nerviosismo.

—De hecho —prosiguió Patsy—, le estaba sugiriendo a Carolyn que ahora que estás aquí, debería tomarse un respiro. Debería irse por un tiempo, lejos de responsabilidades y muertes. Al fin y al cabo, Sally tiene de nuevo a su hijo. Ya no la necesita.

Carolyn podría haber pensado que Patsy había pronunciado esa última frase con intencionada malicia, pero era demasiado obtusa para hacer algo semejante.

—Me encanta saber que me consideras tan importante, tía Patsy —comentó Alex recalcando las palabras—. Pero me temo que mi llegada no debe excluir a nadie, especialmente a Carolyn, que ha sido mucho mejor hija que yo.

—Sí, pero el que un hijo sea más obediente y respetuoso no tiene nada que ver con el amor que le profesen sus padres. De todos mis hijos, Grace es la más simpática, la más generosa y la que tiene el carácter más dulce. Y me aburre a morir. En cambio a George, que es tan egoísta como yo, le adoro. —Patsy bostezó, complacida, y después sonrió con indiferencia mientras se ponía de pie—. Una cosa más, me encantaría que os llevarais bien, nunca lo habéis hecho, ni siquiera de pequeños. Sería todo un poco más llevadero si pudierais aparcar vuestras discusiones por el momento. O eso, o uno de los dos tendrá que marcharse.

Lo que menos le apetecía del mundo a Carolyn era estar a solas con Alex, pero si salía corriendo detrás de Patsy generaría más preguntas indeseadas. Y tampoco quería que Alex supiera lo nerviosa que le ponía su presencia. Aunque seguramente lo intuía y estaba haciendo todo lo posible para incomodarla. Pero ni por asomo pensaba hacer o decir nada que le sirviera como prueba del poder que ejercía sobre ella.

—¿Por qué Patsy tiene tanto interés en deshacerse de ti? —murmuró Alex perezosamente.

—¿Y qué te hace pensar que no es de ti de quien quiere librarse? Únicamente ha dicho que tendrá que irse uno de los dos.

—Ella ya sabe que yo no me iré. Sólo quedas tú.

—Me ha estado preguntando sobre la noche de la muerte del verdadero Alex. —Cambió de tercio deliberadamente.

Alex hizo una mueca de fastidio.

—¿Te importaría no ir contando a los cuatro vientos el rollo ése del «verdadero Alex»? Nunca se sabe quién puede estar escuchando.

Carolyn sonrió con dulzura.

—No, nunca se sabe, ¿verdad? ¿Vas a decirle a tu cómplice que sé la verdad?

—¿A cuál? ¡Ah! ¿Te refieres a Warren? No, confío en tu discreción. Yo en tu lugar mantendría a Warren completamente al margen y hablaría del tema sólo conmigo.

—¿Acaso tú eres menos peligroso?

—Sin duda alguna.

Carolyn le miró fijamente desde el otro lado de la amplia mesa, dejando que sus ojos escudriñaran al hombre que se había burlado de ella, que la había engañado y seducido. ¿Sería el mismo hombre que había intentado matarla porque sabía demasiado?

Alex era indecentemente guapo, con sus rasgos cosacos y su erótica boca. Llevaba el pelo, rubio, peinado hacia atrás y aún húmedo de la ducha matutina; parecía un príncipe ruso extraviado que viniera a reclamar su corona.

Excepto que era un impostor, y no sólo en un aspecto.

—¿Te vas a ir? —Cogió el termo y se sirvió otra taza de café, proporcionándole a Carolyn el dudoso privilegio de admirar su cuerpo esbelto y elegantemente musculado mientras estiraba el brazo. Recordaba más cosas; la falsa cicatriz, en la parte inferior de su cadera. Su piel, caliente y suave...

Carolyn despertó bruscamente de su sueño erótico:

—Eso es lo que querrías, ¿no?

—Probablemente facilitaría las cosas. Pero no es mi intención presionarte. Lo pregunto por pura curiosidad.

—Nada me moverá de aquí hasta que Sally se haya muerto —le espetó—. Hagas lo que hagas.

—¿Y qué crees que haré? —replicó Alex—. Ya me has dicho que llamarás a la policía si vuelvo a tocarte sin que tú me lo hayas pedido.

—Y yo te he dicho que eso será cuando las ranas críen pelo...

—Chicos, chicos. —Warren entró en la habitación, parecía asquerosamente contento para estar involucrado en una conspiración criminal que tenía como objetivo estafar a su hermana moribunda—. ¿Ya os estáis peleando otra vez? Lleváis toda la vida igual. Le he comentado a Patsy que seguíais discutiendo tanto como siempre, pero espero, por el bien de todos, que durante algún tiempo sepáis mantener vuestras diferencias al margen.

—No. —Fue la respuesta de Carolyn, que se levantó de la mesa.

—¿Ni siquiera le das los «buenos días» a tu tío Warren? —preguntó apesadumbrado, él, que era el ser menos sociable de la faz de la Tierra.

—Habla con tu «sobrino» —dijo ella deliberadamente, y abandonó la habitación, sin importarle ya si daba o no la impresión de estar huyendo.

En efecto, estaba huyendo.

—¿A qué ha venido todo esto? —inquirió Warren, ocupando el asiento que Patsy había dejado libre en el extremo de la mesa y sirviéndose un café.

Alex se limitó a encogerse de hombros.

—Ya conoces a Carolyn, tiende a exaltarse por tonterías.

—Pues ésa no es la Carolyn que yo conozco. En realidad siempre ha sido un jovencita callada y reservada, una perfecta MacDowell. —Había en su voz un leve indicio de soberbia que Alex no lograba comprender.

—Es curioso que la perfecta MacDowell no sea para nada una MacDowell —comentó perezosamente, expectante ante la respuesta de Warren.

Pero Warren ya estaba de vuelta, era un viejo zorro con el alma de un político y la moral de un hombre de negocios. No contaría nada que no le interesara revelar.

—La vida está llena de rarezas —dijo—. Carolyn está mucho más alterada que la última vez que la vi. Me imaginé que era debido al estrés por la inminente muerte de Sally. Siempre ha estado muy unida a ella. Pero ahora se me ocurre que puede que seas tú la causa de su reciente irritabilidad.

—A lo mejor conmigo saca a relucir su parte más oscura —sugirió Alex.

—Pues que no lo haga. No podemos permitirnos el lujo de crearnos enemigos innecesarios. Puede complicar mucho las cosas que Carolyn sospeche de tu identidad. Nada que no pudiéramos arreglar, por supuesto, pero hasta donde sea posible, quiero que todo vaya como la seda.

A Alex le rondaba por la cabeza una desagradable sospecha formada a raíz de las palabras, a primera vista casuales, de Patsy y el estado un tanto penoso en que se encontraba la ropa de Carolyn.

—¿Y cómo lo arreglarías?

—Yo he hablado de «nosotros», ¿no es cierto? Porque estamos juntos en este asunto —especificó Warren con brusquedad.

—Evidentemente.

—Si no consigues seducir a Carolyn para que esté calladita, siempre podemos probar con el soborno.

—No creo que eso diera mejor resultado que la seducción.

—Es posible —afirmó Warren desalentado—. Bueno, si empieza a sospechar, podríamos provocar un pequeño accidente.

Alex se quedó petrificado.

—¿Qué clase de accidente?

—¡Oh, nada serio! Ya se nos ocurriría algo. Un accidente que la mantuviera unos cuantos días en el hospital lejos de toda esta historia. O alguna cosa relacionada con el talonario de Sally, que Carolyn ha estado controlando; podría provocar una especie de incómoda discusión en la que me viera obligado a tener que informar a Sally.

—Realmente, Warren, eres un auténtico encanto —comentó Alex con ironía, ocultando el asco que sentía.

—Somos de la misma calaña, chaval. De hecho, el verdadero Alex era un cabrón. Si viviera, no me extrañaría que fuera peor que nosotros dos juntos.

Alex dio un pequeño sorbo de su café azucarado.

—¿Qué te hace pensar que está muerto?

—¡Pero si es obvio! Si estuviera aún con vida habría vuelto en busca del dinero —aclaró Warren tranquilamente.

—Me ha parecido que lo decías con mucha seguridad, querido tío —replicó—. Como si tuvieras conocimiento de lo que le pasó exactamente al hijo de Sally.

Warren se echó a reír.

—¡Menuda imaginación! No me toques las narices, muchacho. Ya estamos en la recta final. Sally está con respiración asistida y no creo que dure mucho. Si no perdemos los nervios llegaremos a buen puerto, siempre y cuando Carolyn no nos sorprenda con alguna idea brillante. No pienso tirar la toalla a estas alturas del partido.

—¿Carolyn es la única que te preocupa?

—Desde luego. Has hecho un trabajo estupendo congraciándote con George y Tessa y, en cuanto a Patsy, es incapaz de ver más allá de sus narices. Pero si lo hiciera, le traería sin cuidado mientras pudiera seguir con su tren de vida. Carolyn es peligrosa porque no tiene nada que perder. Y porque tiene una jodida vena puritana capaz de arruinarlo todo en virtud de su estúpido sentido de la moral.

—Un concepto con el que no estás muy familiarizado, tío Warren.

—No me provoques. No estoy de humor para bromas.

—Si Carolyn es la quintaesencia de los MacDowell, ¿cómo es posible que cargue con defectos tales como la honradez y la decencia?

Warren le miró fijamente.

—No creo que tú tengas nada de lo que enorgullecerte después de haber venido a proponerme esta farsa.

—Y no olvides que tú accediste a ella sin pensártelo dos veces —le recordó Alex con frialdad.

—Por eso somos dos bichos despiadados con una noción del bien y el mal que brilla por su ausencia. Nadie se ha hecho millonario siendo ético.

—Nunca pensé que tuvieras que preocuparte por hacerte rico. ¿Acaso no eres un MacDowell?

—Ya sabes que nunca se es lo bastante rico. En este mercado impredecible lo más inteligente es custodiar el activo lo mejor que uno sepa.

—Aunque no sea tuyo —observó Alex irónicamente.

—¿Es que de repente tienes conciencia? ¿No te parece un poco tarde? Recuerda que todo esto fue idea tuya.

—Ya me lo has recordado antes. —Clavó la vista en su tío—. Y estate tranquilo, mi conciencia está bajo control, mientras dejemos una cosa aclarada.

—¿Me estás dando órdenes? ¿A mí?

—Ni Carolyn, ni nadie, tendrá un pequeño accidente. ¿Entendido? Soy un impostor, no un asesino. —Podía sentirse ufano de su seguridad al hablar. De hecho, era la verdad. Les estaba engañando a todos, aunque no del modo que creían.

Warren se encogió de hombros.

—Dejaré a Carolyn en tus manos. Asegúrate de que no empiece a sospechar nada, de lo contrario me veré obligado a meter la mano.

—Si metes la mano, te la cortaré.

Warren le miró con cara de extraterrestre.

—Para no ser partidario de la violencia, ¡eres bastante cruel! ¿Insinúas que debería preocuparme por mi seguridad?

Alex esbozó una plácida sonrisa, únicamente para atemorizar a Warren.

—Nunca está de más ser precavido, tío Warren. La vida está llena de pequeñas sorpresas.

Warren clavó los ojos en él, completamente consternado.

—No resulta fácil sorprender a un veterano como yo. Dudo mucho que nada de lo que digas pueda escandalizarme.

Alex apuró el café y, en silencio, dejó la taza en el platillo.

—Te sorprenderías, tío Warren. —Y sonrió perversamente.

16

Alex dio un portazo al entrar, sin importarle si con ello despertaba o no a sus primos de sus dulces sueños. Estaba nervioso, frustrado, angustiado por la sensación de que algo andaba mal en esa casa. Algo incluso peor que un intento de asesinato ya olvidado.

Durante los últimos días había encontrado más de una razón para evitar estar en su cuarto, pero en este momento no había otro sitio adonde ir. No podía deshacerse del recuerdo de Carolyn, de la expresión afligida de sus ojos cuando vio la inyección hipodérmica y se dio cuenta de que había estado a punto de matarle, de que había cometido un error; del inconfundible miedo que yacía bajo el verdadero deseo sexual y que Alex sintió emanar de ella, cuando ésta le puso la mano sobre la cicatriz de la cadera; de su leve sollozo cuando alcanzó el orgasmo.

Dormía cada noche en esa misma cama, recordando cómo la había tumbado en ella y la había saboreado. Carolyn ya no estaba, pero él la seguía sintiendo allí, inalcanzable.

Nunca pensó que volvería a su antigua vida precisamente para ser víctima de una obsesión sexual adolescente. Le estaba bien empleado, pensó con ironía. Siempre había sido un poco demasiado maquiavélico con tal de lograr sus fines. Justo ahora que tenía el objetivo más próximo, se estaba distrayendo.

Había vuelto por una razón: para averiguar quién intentó matarle, y por qué. Hasta el momento no estaba más cerca de la verdad que cuando vivía en Italia.

Al menos dos personas sabían la respuesta a esa pregunta. Una era Carolyn Smith, pero los secretos estaban encerrados en las profundidades de su mente, de donde ni siquiera ella misma podía desenterrarlos. Ella había visto lo ocurrido aquella noche, por mucho que lo ocultara.

Y Alex también. Claro que él tenía una excusa para no acordarse. Había sufrido una lesión en la cabeza además de un trauma producido por el disparo, y ese tipo de lesiones no era fácil de curar. Quienquiera que hubiese tratado de asesinarle probablemente ya había contado con ello.

A no ser que el tercer testigo, el asesino, estuviera convencido de haber acertado a la primera.

A primera vista todo apuntaba a que hubiera sido Warren. Nunca, ni una sola vez, puso en duda la identidad de Sam Kinkaid, ni le preocupó que pudiera aparecer el verdadero Alexander MacDowell. Alegaba que era una cuestión de sentido común; nadie dejaría todo ese dinero por reclamar.

Pero Alex sabía muy bien lo sencillo que era dar la espalda a millones de dólares. Lo había hecho ya en una ocasión, y no se arrepintió nunca. Ahora tenía la intención de volver a hacerlo.

No ganaría nada procurando demostrar quién era, aunque decidiera que era una buena idea. No había huellas dentales y una prueba de ADN no revelaría nada. Había sido comprado y vendido de pequeño; quien le trajo al mundo le rechazó hacía muchos años.

Podía trabajarse más a Carolyn. Era la única fuente de información segura. A lo mejor Alex podía emborracharla, hacerla enfadar, drogarla, cualquier cosa con tal de despertar su recalcitrante memoria. Tal vez podría convencerla de que se sometiera a hipnoterapia, al suero de la verdad, convencerla de que si no sacaba a la luz sus recuerdos, éstos la perseguirían durante toda su vida. Alex sabía que no sería preciso ejercer mucha presión sobre ella.

Pero no quería hacerlo. Ya había trastocado bastante la vida de Carolyn, que le miraba como si fuera una mezcla entre Ted Bundy y Brad Pitt. Seguro que daría con las respuestas sin hacerla pasar por eso.

Aun así, no era del todo honesto por su parte. Carolyn le estaba volviendo loco, invadiendo sus sueños, atormentándole en las horas de vigilia; estaba mucho más concentrado en ella que en el intento de asesinato de hacía dieciocho años. Saldría mejor parado alejándose de ella, cuando menos hasta que averiguara la verdad de su pasado. No sabía con seguridad lo que ocurriría después. Tal vez desaparecería y volvería a refugiarse en Italia.

O tal vez se llevaría a Carolyn consigo.

Alex seguía pensando en Sally como su madre, al margen de los trapicheos que hubiera hecho o las leyes que hubiera infringido para conseguir tenerle. Sally dormía, su piel era de un gris pálido y de su nariz patricia salían tubos de oxígeno.

Se sentó junto a la cama, mirándola fijamente como había hecho durante horas desde que regresara, tratando de entenderla.

—¿Y bien? —La voz de Sally era tan débil que Alex casi pensó que era producto de su imaginación. Entonces abrió los ojos y le miró con desencanto.

—¿Y bien, qué? —replicó Alex tranquilamente.

—¡Eres tan listo! —murmuró Sally—. ¿Estás esperando a que me muera?

—No.

Su respuesta la asustó.

—Pensaba que habías vuelto para eso. Para despedirte de tu querida y anciana madre, para facilitarle el paso a la otra vida.

—Eso también —admtió Alex.

—¿Tenías otra razón para volver? Aparte del dinero, claro.

Alex no se molestó en discutir con ella. Siempre que se sentía amenazada salía con el tema de la herencia. Obviamente, en ese momento se sentía amenazada, y Alex no quiso empeorar las cosas. Pero tampoco iba a desaprovechar la oportunidad de obtener repuestas.

—¿De dónde vengo?

Sorprendentemente, Sally ni parpadeó.

—No me puedo creer que a tus treinta y cinco años aún no sepas de dónde vienen los niños. Te lo mereces por haberte ido sin darme tiempo a informarte de cómo funciona el mundo real.

—Tengo nociones de sexo desde que tengo doce años, tal vez menos. —Posó una mano sobre la de Sally, huesuda y venosa, y la sintió frágil—. Quiero saber de dónde vengo. ¿A quién me compraste?

Sally entornó los ojos.

—No sé de qué me hablas, Alex, y te suplico que no trates de confundirme. Me canso enseguida últimamente. ¿Por qué no me dejas descansar y luego me explicas tu ridícula...?

—John Kinkaid me contó que vuestro hijo nació muerto, que te fuiste y que volviste conmigo en su lugar. Quiero saber de dónde procedo. En realidad, me gustaría saber si estoy legalmente adoptado o no.

—Kinkaid —susurró Sally con voz de profundo odio—. Pensé que había muerto hace tiempo.

—Y así es. Murió.

Alex había conseguido asustarla, y esta vez no se molestó en disimularlo.

—Entonces, ¿quién te lo ha dicho?

—Él me lo dijo. Cuando huí, fui a parar a su casa, y no consideró oportuno engañarme. Hace dieciocho años que sé que no soy tu hijo.

—¡Sí que eres mi hijo, maldita sea! —exclamó con la voz apagada, casi susurrando—. Eres mi hijo del alma, aunque no te haya engendrado yo. Y lo sabes, por mucho que te empeñes en negarlo.

—Lo sé —consintió Alex. Su mano seguía estando sobre la de Sally, quien volvió la palma hacia arriba para sujetar la de Alex. Pero sigo queriendo que me cuentes cómo me encontraste.

El suspiro de Sally fue tan débil que su hijo apenas pudo percibirlo.

—Pensaba que a estas alturas ya sabías que todo tiene un precio en esta vida. Hace treinta y cinco años era muy fácil obtener un bebé no deseado.

—De modo que entraste en un orfanato y me escogiste a mí.

La sonrisa de Sally no era precisamente alegre.

—Ojalá hubiera sido tan sencillo. Soy prudente y siempre me preparo para cualquier eventualidad. Cuando me quedé embarazada tenía más de cuarenta años, lo cual no presagiaba ningún éxito. Aunque el parto hubiera ido bien cabía la posibilidad de que el bebé naciera con Síndrome de Down, en cuyo caso habría tenido que sustituirlo por otro.

A Alex debería haberle horrorizado oír lo que oyó. En parte fue así. Pero otra parte de él conocía a Sally demasiado bien como para sorprenderse ante su impasible crueldad.

—¿Y qué hiciste entonces?

—Me enteré de que había una chica embarazada más o menos de los mismos meses que yo. Era de buena familia, al igual que el padre, muerto en un accidente de coche, y estaba intentando ocultar el embarazo a sus padres. Simplemente la ayudé.

—A cambio de que te diera a su hijo. ¿Y qué habrías hecho si tu bebé hubiera sobrevivido?

—Habría entregado al bebé en adopción, que era lo que quería esa joven.

—Esa joven —comentó Alex en voz baja—. Mi madre biológica. ¿Cómo se llamaba?

—No importa, ya está muerta. Su familia no supo nunca de tu existencia; también han muerto. Es demasiado tarde para reencuentros familiares.

—¿Cómo murió?

Los ojos de Sally se encontraron con los suyos.

—Dando a luz.

—Así que yo la maté.

—No, cariño —dijo Sally en voz baja, sin sombra de arrepentimiento—. Me temo que fui yo.

Carolyn se apartó de la ventana, dejando caer la cortina. Alex había dado un portazo al salir de casa, y ella había observado en sobrecogido silencio cómo la gravilla salía disparada de debajo de los neumáticos de su viejo jeep mientras aceleraba por el camino de la finca. Debía de haber explotado por algún motivo; era un actor, un hombre que controlaba perfectamente sus reacciones. Tenía que haber ocurrido algo tremendo para que reaccionara de esa manera.

Se apoyó contra la pared y cerró los ojos, preguntándose si el incidente sucedido en el campo aquella mañana no era más que una fantasía. Carolyn no había visto nunca una bala, ni siquiera había oído un disparo. Llevaba más de una semana sin dormir bien, desde que el hijo pródigo había regresado a su dulce hogar, no sería de extrañar que estuviese empezando a volverse paranoica.

A lo mejor él se había dado cuenta de que no tenía por qué temerla. Carolyn no arruinaría las últimas semanas de Sally en esta vida. Y lo que ocurriera después con el dinero le importaba un bledo. Si Warren quería cometer un crimen con el fin de acceder a él con mayor celeridad, era asunto suyo. Le traía sin cuidado hasta el insignificante legado que Sally le había dicho que le dejaría. Lo único que Carolyn quería era no volver a ver a los MacDowell en lo que le quedaba de vida.

Siempre les había considerado su familia. Una familia ni muy cariñosa ni muy unida, pero en definitiva familia. La última semana le había servido para darse cuenta de lo equivocada que estaba.

Qué extraño que no se encendieran los habituales sentimientos de aflicción y abandono. Repentinamente, vislumbró la libertad, con toda su incertidumbre, y mientras una pequeña parte de ella se amedrentaba ante su inmensidad, la otra se sentía lista para volar.

Todo lo que tenía que hacer era evitar estar a solas con el hombre que fingía ser Alexander MacDowell.

Patsy se había retirado a su habitación; Warren estaba sentado en la pequeña biblioteca, revisando el talonario y con aspecto a la vez cansado e impaciente. Tessa y George no estaban a la vista, con lo que sólo quedaba Sally.

El cuarto estaba a oscuras y hacía calor, no se oía nada a excepción del ruido de los diversos aparatos médicos. Carolyn se quedó de pie junto a la puerta, contemplándola, intentando desesperadamente distanciarse de esa anciana que había sido su única madre, que seguía siendo la única persona en el mundo que se preocupaba por ella.

Y se estaba muriendo. En los últimos días se había encogido y encerrado en sí misma. Durante los dos primeros días, tras la llegada de su hijo, Sally había tenido más vida y energía de lo que Carolyn había observado en muchos meses. Pero ahora estaba pagando el precio por esa explosión de falsa salud, recorriendo con más rapidez el camino hacia la muerte.

Como de costumbre, Sally dormía, su cara pálida, cérea, seguía en la sombra. La silla que había normalmente junto a su cama había sido sacada del medio, como si alguien se hubiera ido enfadado sin fijarse en lo que tiraba por el camino. En el suelo permanecía volcada una papelera, en la alfombra había un vaso roto y hecho añicos.

Sally abrió los ojos. Le llevó un instante enfocarlos en Carolyn, la decepción era patente.

—Le diré a alguien que arregle este desorden —susurró Carolyn, presta a salir.

—¡No! —exclamó Sally con un hilo de voz—. Siéntate conmigo, Carolyn. Necesito hablar contigo.

Apenas podían apreciarse las pálidas marcas de unas lágrimas secas sobre su piel ajada. Pero ahí estaban, y Carolyn no había visto en su vida llorar a Sally MacDowell.

—Por supuesto —concedió, volviendo a colocar la silla al lado de la cama—. ¿Te duele mucho? ¿Quieres que intente localizar a la señora Hathaway?

Sally movió la cabeza en señal de negación.

—Me parece que la morfina no podrá ayudarme esta vez. Estoy pagando por mis pecados, Carolyn. No digo que no me lo merezca. Pero lo cierto es que no lo estoy pasando nada bien.

—No me puedo imaginar pecados tan graves como para que tengas que sufrir por ellos —murmuró Carolyn.

—Y eso que yo siempre pensé que la imaginación era uno de tus puntos fuertes. —Sally ensayó una sonrisa—. He hecho más cosas perversas y egoístas de lo que jamás podrías adivinar. Descuida, no voy a hacer una confesión en el lecho de muerte. No tienes por qué saberlo, además, hay ciertas cosas que prefiero que se vayan conmigo a la tumba.

—A lo mejor te sentirías mejor si hablaras de ello.

—A lo mejor sí. Y a lo mejor no me merezco sentirme mejor. —Sally suspiró, hundiéndose en las almohadas.

—Alex se ha enfadado contigo. —Era una conclusión razonable.

—Y con razón. —Sally miró fijamente a Carolyn—. Sólo hay una cosa en el mundo de la que me siento orgullosa, Carolyn, y me temo que también he estado a punto de destrozarla.

—Alex no está destrozado.

—No me refiero a Alex. No puedo atribuirme el mérito de las virtudes de Alex, sólo de sus defectos, de los que soy más que responsable. No, lo mejor que he hecho en mi vida es ser tu madre. Aunque nunca pude adoptarte, al menos te eduqué dándote amor y seguridad, dándote aquello que no habrías tenido si… —Su voz se fue apagando, ya fuera por el cansancio o por la repentina certeza de haber hablado demasiado.

—Para mí has sido la mejor madre del mundo —afirmó Carolyn en voz baja.

—No es para tanto. Pero lo he intentado. —Sally suspiró—. Quédate conmigo, Carolyn. Me da miedo estar sola.

Sally MacDowell no había tenido miedo a nada ni a nadie en toda su vida.

—Claro que me quedaré —prometió Carolyn—. Estaré aquí todo el tiempo que quieras.

«Yo maté a tu madre», había dicho Sally. La mujer que le había educado, mimado, amado, traicionado.

Alex apretó con fuerza el acelerador, ajeno a los altos pinos que pasaban a derecha e izquierda del coche. No la había tomado en serio. Incluso se había reído ante la categórica confesión de Sally, convencido de que se trataba de una broma de mal gusto.

—¿Que fuiste tú? —había dicho Alex—. ¿Qué hiciste, contratar a un sicario para ocultar las pistas?

Y Sally le había mirado con ojos tristes.

—Mi bebé fue prematuro, Alex. Murió dentro de mí tres semanas antes de nacer, y los médicos tuvieron que extraer el feto para que yo no muriera. Y yo quería tener un bebé. Con dinero era todo mucho más fácil. No fue fácil convencer a los médicos y también a esa pobre chica. Yo ordené que se le provocara el parto. Y como tú seguías sin querer salir, le hicieron una cesárea para traerte al mundo y ella murió desangrada. La cosa se complicó, y no pudieron detener la sangría, y si hubiéramos dejado que diera a luz cuando estuviera lista, cuando su cuerpo estuviera preparado, habría sobrevivido.

—Eso es imposible saberlo. —Alex no reconocía su propia voz.

—Lo mismo me dijo el médico. Claro que puede que exagerara, porque quería cobrar más. ¡Qué más da! La culpable, en definitiva, fui yo. Jugué a ser Dios, intentando que todo saliera como yo quería. Fueron enterrados juntos. Mi bebé y la mujer, que murió dándote a luz. Solía preguntarme si ella estaría cuidando de mi bebé en el cielo. —Sally lanzó un suspiró—. ¡Malditos medicamentos! Se me dispara la lengua cuando empiezan a tener efecto. Pero es que no puedo soportar el dolor. Quizá debería, para pagar por mis pecados.

—¿Cómo se llamaba? —Alex no intentó suavizar la tremenda rabia que se desprendía de su voz—. ¿Dónde fue enterrada?

Sally se había girado para mirarle, tenía los ojos vidriosos, ausentes.

—Cariño, hice que la enterraran en una fosa común bajo un nombre falso que ni siquiera recuerdo.

Y Alex se había levantado y se había ido, tirando todo lo que encontró a su paso.

Era curioso, pensó amargamente, que no se hubiera dado cuenta hasta entonces de que seguía teniendo un lado sentimental. En el fondo siempre había pensado que algún día encontraría a la mujer que le había traído al mundo. Tenía que ser más joven que Sally; lo más posible es que tuviera entre cincuenta y sesenta años, tal vez menos. Sally se estaba muriendo, y él no quería causar más daño. Pensó que tras su muerte podría empezar a buscarla.

Pero no había ninguna mujer de mediana edad esperándole. Había muerto, había muerto a manos de una mujer despiadada y unos médicos incompetentes. Había muerto dándole a luz a él, fuera o no su culpa.

Cuando Alex se salió de la carretera y apagó el motor, ya estaba a treinta kilómetros de la finca de los MacDowell. Distraídamente, se percató de que le temblaban las manos. No recordaba que le hubieran temblado antes.

Tendría que haberse quedado en la Toscana en lugar de volver para sacar a la luz un pasado que más le habría valido dejar enterrado. Sally debía de haber desistido de hallarle con vida hacía mucho tiempo; su asesino probablemente ni se acordaba de él.

Sería mejor que algunas preguntas se quedaran sin respuesta. Pero de todos modos había vuelto en busca de esas respuestas, y ahora estaba pagando el precio.

Lo más conveniente sería seguir conduciendo. Alex no quería para nada el jodido dinero, ni tenía tampoco intención de reclamarlo. Aparte de ver la cara que pondría Warren cuando se enterara de que había sido engañado por el mismísimo Alex, no tenía nada más que hacer allí. Quienquiera que hubiera intentado acabar con su vida, probablemente tendría sus motivos. A lo mejor fue el presentador de deportes jubilado, cuyo coche había robado aquella noche de verano de hacía dieciocho años. A lo mejor fue un asesino en serie.

Lo dudaba mucho. Algún miembro de su querida familia le había disparado por la espalda, arrastrándole o tirándole después al mar para que se ahogara. Pero por alguna razón que desconocía ya no le importaba un comino. Había misterios que era mejor dejar por resolver.

Si daba media vuelta, tendría que hacer las paces con Sally, y ni tan siquiera se sentía con ánimos de mirarla. Si volvía, tendría que arreglar las cosas con Carolyn Smith, otro misterio. Si volvía...

Alex se había pasado la mayor parte de su vida huyendo. Huyendo de su casa, de las responsabilidades, de la familia, del compromiso. Era una persona solitaria, era más feliz así. Tenía conocidos y un par de amigos íntimos, pero siempre se enorgulleció de no necesitar a nadie.

Ahora, sin embargo, tenía miedo de empezar a necesitar a alguien. No a cualquiera, sino a Carolyn.

Era demasiado joven para sufrir la crisis de los cuarenta. Tal vez era sólo una reacción a la idea de perder a su madre. De perder a dos madres en un breve lapso de tiempo, pensó consternado. No era de extrañar que estuviera neurótico.

No podía ser un niño consentido eternamente. A lo mejor no se trataba de la crisis de los cuarenta, sino de una inevitable madurez largamente retardada. Alex no podía huir. Podía irse, pero únicamente tras hacer las paces con ellas.

Debía presentarse ante Sally y perdonarla. A pesar de lo que había hecho, era su madre, al margen de legalidades, de la honra o los lazos de sangre.

Y debía enfrentarse a Carolyn Smith, o su imagen le perseguiría como había sucedido durante los últimos dieciocho años. Era una mujer reservada, fascinante y complicada, pero a fin de cuentas un ser humano. Nunca había necesitado ni amado a nadie. No podía empezar su nueva vida cometiendo otra vez los mismos errores.

Se iría, pero no sin despedirse antes de ellas.

Y luego sería libre.

17

Era media tarde cuando Alex hacía su entrada por el aparentemente estrecho camino de la mansión de los MacDowell. Había empezado a caer una ligera cortina de agua; la corteza gris-plateada de los arces parecía más rojiza. La primavera llegaba por fin a las zonas heladas de Vermont. Pero Alexander MacDowell estaba cansado de esperar.

Oyó voces en el salón, y el tintineo de copas. Aún no era la hora del cóctel, claro que Patsy no tenía reparos en empezar a beber en cuanto se le presentaba la ocasión. Debería entrar, servirse un buen trago del mejor whisky y mostrarse amable. Había cosas que no tenían arreglo.

Sin embargo fue directamente a los aposentos de Sally. Estaba dormida, su aspecto era peor con la luz del atardecer que se filtraba, y se acercó a los pies de la cama, observándola, buscando la rabia y el perdón.

Sally era su madre. Era así de simple, así de fácil. Daba igual lo que había hecho y quién era. Daba igual si se arrepentía o no de sus pecados egoístas, ella siempre le quiso lo mejor que supo. Y él la quería; ahora podía reconocerlo. Como también reconocía que tenía que dejarla marchar.

No estaba sola en la habitación. Alex ni siquiera había notado la presencia de Carolyn en la penumbra, durmiendo, hecha un ovillo, en la silla excesivamente mullida. Entre las oscilantes sombras parecía etérea, deliciosamente bella. Era extraño que ella no supiera lo hermosa que llegaba a ser. Daba la impresión de que Carolyn había hecho todo lo posible para negar cualquier efecto que su belleza pudiera tener en la gente. Era una realidad innegable en ella, como su rubia melena o las escasas pecas que poblaban su elegante nariz.

La habitación estaba tranquila y en silencio, sólo llenaba el aire el ligero zumbido de las máquinas, un relajante abejoneo que le hacía a uno olvidarse del mundo exterior. Alex tomó asiento en la silla que había a los pies de la cama, introdujo sus largas piernas debajo de ésta, y se dedicó a observar a las dos mujeres más importantes de su vida.

Sintió algo raro, casi irreal, mientras posaba su mirada en una y otra alternativamente, sus rostros se mezclaban, uno viejo, otro joven, el uno mayor y marchitándose, el otro prácticamente inmaculado. La nariz elegante, los ojos separados de la nariz, la misma boca generosa. Una mayor, la otra joven. La misma cara. La misma cara patricia, típica cara MacDowell, en ambas mujeres.

Su asombro era tal que no podía moverse, no podía reaccionar. ¿Cómo era posible que no lo hubiera visto antes? ¿Cómo era posible que nadie se hubiera fijado en el impresionante parecido físico? Una vez descubierto, era imposible volver a ignorarlo, y sin embargo, Carolyn no tenía la menor idea de lo que para él era evidente. Había sido tratada como una intrusa, aceptada por los MacDowell a regañadientes, sin saber aún que tenía más derecho que él mismo a estar allí.

¿De dónde había salido Carolyn? Sally debía tener más de cuarenta y cinco años cuando ella nació, de ninguna manera podía ser su madre. Tessa sólo tenía unos cuantos meses más que Carolyn, lo que eliminaba la posibilidad de que fuera Patsy.

Había algunos parientes lejanos, por supuesto, pero lo cierto es que en las últimas generaciones, a excepción de la progenie de Patsy, el linaje de los MacDowell había demostrado ser sorprendentemente escaso y parecía estar en extinción.

Lo que le llevaba a Warren. Siendo Alex un mocoso adolescente solía preguntarse si Warren era gay, y si las elegantes y refinadas mujeres con las que salía ocasionalmente no eran más que una tapadera. Resultaba incomprensible que un hombre pudiera encontrar cosas más interesantes que el sexo y la pasión.

Pero ahora parecía evidente que hacía treinta años, al menos durante un breve periodo de tiempo, la pasión y el sexo habían gobernado su vida, de lo contrario Carolyn no existiría.

Podía equivocarse. Warren jamás había mostrado el más mínimo interés paternal en Carolyn; para él era una simple intrusa que a su vez le convenía. Al dar instrucciones a Sam Kinkaid, el impostor, sobre cómo hacerse pasar por Alexander MacDowell, se había referido a Carolyn como si de una vulgar criada de la familia se tratara, carente de interés o de importancia. De hecho, si la memoria no le fallaba, Warren incluso se había quejado del pequeño fideicomiso que Sally había reservado para ella, diciendo que era totalmente innecesario.

A lo mejor Warren no era el padre de Carolyn. Pero Alex no pondría la mano en el fuego por ello. Warren era el ser menos paternal y sentimental que había conocido nunca, dispuesto a embaucar a su hermana mayor en su lecho de muerte con el fin de hacerse con más dinero del que le correspondía. Probablemente, no dudaría un segundo en dejar abandonada a su hija. Tenía demasiadas cosas dándole vueltas a la vez en la cabeza, y Alex se levantó repentinamente, en silencio, incapaz de enfrentarse a ninguna de las dos mujeres, conociendo y guardando sus secretos en el corazón. Definitivamente, necesitaba ese trago, aunque para ello tuviera que ver a tía Patsy y a tío Warren. Necesitaba coger una buena trompa, emborracharse como no recordaba haber hecho.

—¿Cómo está tu madre, muchacho? —le saludó Warren amablemente, era el vivo retrato de la afabilidad.

—Muriéndose —respondió Alex con brusquedad, mientras se servía un whisky solo en vaso alto.

Warren hizo una mueca.

—Eso ya lo sabemos, Alex.

—Entonces, ¿para qué me preguntas? —Alex cogió su bebida y fue hasta las cristaleras dando la espalda a su adorada familia.

—Cariño, en esta familia se es partidario de las conversaciones educadas —susurró Tessa, acercándose a Alex por detrás. Olía a un perfume nauseabundamente caro que siempre le había producido arcadas, y acarició el brazo de Alex con la mano.

—He vivido solo demasiado tiempo —comentó Alex, dando un gran sorbo de whisky—. Mis valores han cambiado.

—¿Valores? —repitió Patsy soltando una carcajada—. ¿Qué es eso? —Posó su brillante mirada en su hijo—. ¿Podrías servirme otra copa, Georgie?

—No me llames Georgie —le espetó éste, los ojos saliéndosele de las órbitas.

—Estamos todos un poco irritables —murmuró Tessa en el oído de Alex—. ¿Por qué no nos vamos a algún sitio donde podamos estar los dos solos?

Alex se volvió y la miró atentamente.

—¿Te estás insinuando, Tessa?

Tessa sonrió, coqueta.

—¿Tienes escrúpulos porque somos primos? ¿Forma eso parte de tus «valores»? Pues no te preocupes, cariño. El matrimonio entre primos hermanos es totalmente legal en este estado.

—No pienso casarme contigo, Tessa —silabeó Alex.

—En realidad yo tampoco estaba pensando en eso —anunció bruscamente.

Alex lo consideró. Echó un vistazo a su perfecta cara de niña consentida, luego a su elegante cuerpo de modelo, y se preguntó si podría olvidarse de Carolyn tirándose a su prima carnal.

La respuesta fue negativa.

En esta ocasión, a diferencia de las anteriores, Alex se fijó en el parecido que ambas guardaban. Tenían el mismo cuerpo esbelto y elegante, aunque Tessa lucía una delgadez extrema que no invitaba precisamente a la lujuria. La misma estructura ósea, aunque los labios de Tessa, a pesar de haberse inyectado colágeno, eran más finos, menos espléndidos; y sus ojos tenían un brillo opaco distinto al de los de Carolyn, que reflejaban sin ambages lo que sentía.

No, no quería a Tessa. No quería a ninguno de los que estaban allí, ni su dinero, ni sus mentiras. Quería la verdad, y después quería largarse y no volver a mirar nunca atrás.

Sólo deseaba que Carolyn también lograra escapar.

Alex le apartó con suavidad la mano de su brazo.

—Gracias, pero no gracias, Tessa. —Fue la respuesta de Alex—. Ahora no tengo ganas de acostarme con nadie.

—¿Y qué te apetece hacer, pues?

—Me apetece emborracharme.

—Eso nunca soluciona nada, Alex —intervino Warren—. Sé que estás triste por la inminente pérdida de tu madre, y que te sientes tremendamente culpable por haber estado separado de ella durante tanto tiempo, pero te aseguro…

—Vete a la mierda, tío Waldo.

Fue tal la sorpresa de Warren, que su cara, siempre impecable y bronceada artificialmente, volvió pálida.

—Había olvidado que solías llamarme así —dijo con la voz ahogada—. Hacía más de veinte años que no pensaba en ello.

Alex debería haber ido con más cuidado, había sido un movimiento estúpido y rebelde.

—Muy propio de ti —apuntó Alex. Cogió la botella de Glenlivet y otro vaso de la bandeja y caminó hacia la puerta—. Con vuestro permiso, iré a hacer compañía a mi prima mientras vela a mi madre.

—¿Tu prima? ¿A cuál te refieres? —inquirió George. Patsy estaba sentada en una esquina, canturreando, con la mirada ida y vidriosa, y Warren seguía contemplándole, estupefacto.

—A Carolyn —contestó Alex—. A mi querida, dulce y leal prima Carolyn.

—No es nuestra prima, Alex —comentó Tessa tajantemente.

—¿Ah, no? —Alex miró a Warren, que parecía estar a punto de vomitar—. Me temo que os llevaríais más de una sorpresa.

Carolyn se movió medio dormida cuando entró Alex, y abrió los ojos, sorprendida de verle, mientras él le servía una copa y la dejaba en la mesita repleta de medicamentos que tenía al lado.

—Se me ocurrió que te vendría bien beber algo —explicó Alex, sentándose de nuevo a los pies de la cama.

Carolyn no tocó la copa.

—No creo que tía Sally tenga que presenciar cómo te pones de alcohol hasta las cejas —le susurró.

—Tía Sally le quiere aquí, ebrio o sobrio —dijo una voz desde la cama.

Parecía una voz casi de ultratumba. Sally no abrió los ojos, ni tampoco se movió, pero buscó a Alex a tientas con la mano.

—Entonces yo me iré... —Carolyn empezó a caminar en dirección a la puerta, pero Alex la detuvo antes de que lo hiciera Sally.

—Os necesito a los dos —anunció Sally. En ese momento abrió los ojos, concentrando todas sus fuerzas en fijar la vista en ellos.

Alex no tenía intención de soltar a Carolyn dejando que huyera. No estaba seguro de que su amor por Sally fuera más fuerte que lo que sentía por él, y no quería correr riesgos. La acompañó de vuelta a su silla y suavemente la obligó a sentarse, luego le puso la copa en la mano.

—Nos tienes a los dos, mamá. —Alex no la llamaba así desde que era pequeño, le parecía demasiado cursi. A Sally se le llenaron los ojos de lágrimas.

—¿Quién es mi campeón? —le susurró, una antigua letanía de sus más tempranos recuerdos, un último intento de obtener su perdón.

—Yo —respondió él, concediéndoselo, inclinándose sobre ella y dándole un beso en la mejilla, frágil y fría.

Alex volvió a sentarse en la silla que había a los pies de la cama y se sirvió otra copa.

Hacía ya años, Alex se había dado cuenta de que tenía un verdadero problema con el alcohol. El problema era que bebiera lo que bebiera nunca perdía el conocimiento. A las tres de la mañana, estando Sally estabilizada, Alex salió de la habitación para tomarse un café y darse una ducha. A las cinco, se fue a dar un paseo entre la helada neblina. A las seis, se encontró a Carolyn en el vestíbulo, sus estrechos hombros temblaban mientras sollozaba en silencio.

Miró hacia la habitación de la enferma. Sally yacía apoyada contra las almohadas, si cabe más encogida que antes. Se acercó rápidamente a la cama, pero Sally le miró con serena determinación.

—Cuida de ella, Alex —susurró.

—No creo que ella quiera.

—Te quiere. Llévatela y déjame dormir un poco. Por favor. —Esbozó una sonrisa de complicidad, una sonrisa que él conocía demasiado bien. Sabía lo que su madre planeaba hacer, sabía qué quería, y no iba a ser él quien se lo impidiera.

Suavemente, le dio un beso de buenas noches y ella le sonrió.

—Tú ocúpate de ella —volvió a decir—. Prométemelo.

—Te lo prometo.

Al abandonar la habitación Alex cerró la puerta con sumo cuidado. Carolyn alzó la vista, sobrecogida, con la cara surcada de lágrimas, pero él no malgastó el tiempo. Se limitó a rodearla con los brazos, hundiéndole la cara contra su pecho, abrazándola.

Carolyn opuso resistencia, de modo que la besó. Ella le pegó y él simplemente la cogió en brazos.

No sabía adónde llevarla. Subir con ella por las escaleras le parecía demasiado melodramático; además, lo más probable era que Carolyn se desgañitara. En la planta baja no había más cama que la de Sally, y dudaba mucho que alguien hubiera preparado el sofá-cama de la biblioteca. La llevó allí de todas maneras, la sentó en una silla tapizada y procedió a bloquear las diversas puertas con más sillas.

—¿Se puede saber qué estás haciendo? —Las palabras apenas eran audibles, ensordecidas por las lágrimas y la indignación, y Alex la ignoró mientras preparaba la cama. La sábana bajera seguía estando puesta, pero desconocía dónde se guardaban las almohadas y el resto de sábanas y mantas. Tampoco las necesitaba.

Se acercó a ella, ya levantada de la silla dispuesta a batallar. Alex estaba tranquilo, y empezó a desabrocharle la blusa salvajemente. Carolyn le pegó en las manos en un vano intento de detenerle, pero él abrió con brusquedad la prenda de seda.

—¿No habíamos acordado que no me tocarías hasta que te lo pidiera? —susurró Carolyn, furiosa.

—Pídemelo. —Le quitó la blusa, y extendió la mano hacia la cinturilla de los tejanos.

—Vete a la mierda —le dijo ella, y le propinó una patada en la espinilla.

Alex le cogió la cara con las manos, sujetándola, aproximándole la boca a la suya.

—Pídemelo —insistió Alex, su boca a pocos centímetros de la de ella.

Carolyn dejó de forcejear. Tenía la cara húmeda debido a las lágrimas, le pareció que estaba perdida, rota, y condenadamente a gusto.

—¿El qué? —murmuró ella.

—Lo que quieras.

—Dime la verdad.

—No estoy seguro de que quieras saberla —anunció él.

Alex pensó que insistiría, que reventaría de rabia. En cambio, como de costumbre, le sorprendió.

—Puede que tengas razón. Tal vez sea mejor no saber algunas cosas. —Carolyn cerró los ojos, sus pestañas estaban mojadas—. Bésame.

La sorpresa le impidió moverse.

—¿Qué? —preguntó Alex.

—Has dicho que te pida cualquier jodida cosa que quiera —respondió ella en voz baja y tensa—. Quiero que me beses. Quiero que te metas conmigo en esa cama y que me hagas olvidar de todo. Olvidarme de que eres un mentiroso, de que Sally se está muriendo, de que alguien ha intentado matarme. Quiero ver si eres lo suficientemente bueno para distraerme.

Alex acercó las manos al sujetador blanco de encaje y cubrió los pechos, pequeños, perfectos.

—Lo soy —afirmó en voz baja.

—Demuéstramelo —ordenó ella—. Ahora.

La miró fijamente, observó su rostro lleno de angustia y necesidad. Si fuera una buena persona, un hombre de bien, se estiraría en la cama con ella y la abrazaría. Pero nunca fue una buena persona, su sentido de la honra era nulo, y necesitaba perderse en la dulzura de su cuerpo tanto como ella.

La habitación estaba a oscuras, con sombras creadas por la luz matutina que se colaba por las ventanas desprovistas de cortinas. La cara de Carolyn estaba también en la sombra, pero no parecía importarles. Los dos vivían en la penumbra, rodeados de secretos y mentiras.

Pero lo que había entre ambos era real. Y eso era lo único que importaba.

La besó, fue un beso lento, profundo, suplicante, y ella, temblando, hundió los dedos en los hombros de Alex. Jamás una mujer había temblado con él, pero Carolyn era distinta a todas las mujeres con las que había estado antes. La lucha había terminado; ya había demasiadas cosas por las que luchar. Ahora podía perderse en su cuerpo, en su alma. Eso es lo que quería.

—La última vez huiste —susurró Alex frente a su boca—. ¿Huirás hoy también?

—No.

—¿Aunque sea un tramposo, un mentiroso, un impostor y un ladrón?

—¿Lo eres?

—¿Te importa?

—No —dijo ella en voz baja pero firme—. Te quiero. Me da igual quién seas y cómo seas, nada de eso importa. Te necesito.

Hasta ese momento Alex no se dio cuenta de que había estado refrenando sus emociones. Las palabras de Carolyn rompieron ese control, franquearon el formidable autocontrol que había ido construyendo desde que era un niño.

Ninguno de los dos quería pensar. Él dio un paso hacia atrás.

—Desnúdate —ordenó Alex con voz ronca, sacándose el jersey por la cabeza.

Ella vaciló unos instantes. Sin dejar de mirarle a los ojos, se desabrochó los tejanos. Se los quitó, pero debajo llevaba la ropa interior, nada del otro mundo, y un par de calcetines. Había algo ridículamente atractivo en esos calcetines, y él no quiso que se los sacara.

Alex se bajó los tejanos, sacando los pies de su interior, pero ella seguía con la mirada clavada en su cuerpo. A pesar de que habían hecho el amor con anterioridad, y de que ella ya entonces no era virgen, ahora se mostraba vergonzosa ante la desnudez. Del cuerpo de Alex y del suyo propio.

—Métete en la cama.

Alex notaba que Carolyn se sentía insegura, y sabía que no podía obligarla a nada.

—¿Has cambiado de opinión? —le preguntó en voz baja.

Carolyn no se movió.

—¿Y tú?

—Mira un poco más abajo y lo sabrás.

Clavó la vista en su erección, y dio un respingo.

—Ambos sabemos que soy demasiado grosero para tu gusto —se mofó él—. Aún estás a tiempo de irte. Esta vez la decisión es tuya. No voy a obligarte, ni a facilitarte las cosas. Si quieres volverte a vestir y largarte, adelante.

—Tengo miedo —susurró ella.

—Lo sé. Y no entendiendo por qué. Ya lo hemos hecho una vez y no has sufrido ningún trauma victoriano. Sabes que no te obligaré ni te haré daño. ¿Cuál es el problema?

Carolyn permaneció de pie, inmóvil.

—Me da miedo enamorarme de ti.

Alex no supo qué decir a eso. Una ligera y renuente sonrisa se dibujó en su boca.

—Pues no será porque yo no haya hecho todo lo posible para evitarlo.

Su frase arrancó una carcajada a Carolyn.

—Es verdad —afirmó ella.

—Escucha —la instó él—, lo sé todo de ti. De tus relaciones y tus debilidades. Warren tenía informes exhaustivos de todos los miembros de esta familia. Nunca haces tonterías en lo que a hombres se refiere. Sueles relacionarte con personas honestas y sensibles. No eres mujer de enamorarse de hombres conflictivos. Yo no seré más que un desliz en tu lista de conquistas.

—Estuve enamorada del verdadero Alex.

Alex deseó que Carolyn no pudiera apreciar su reacción.

—Sólo tenías trece años cuando él se fue —comentó bruscamente—. A esa edad las chicas no saben lo que es el amor. Y él era un mocoso egoísta y malcriado sin escrúpulos a la hora de hacer daño a los demás.

—Pero yo le amaba.

Alex quería que Carolyn dejara de decir eso. Quería que lo repitiera. Ahora ella parecía muy tranquila, como si hubiera tomado una decisión, y él estaba dispuesto a dejarla marchar.

—Oye, pequeña —dijo arrastrando las palabras intencionadamente—. Está amaneciendo y de un momento a otro empezará a haber movimiento en la casa. ¿Quieres hacerlo o no?

Alex se imaginó que Carolyn cogería la ropa y se iría. Pero lo que hizo fue mirarle lentamente, dejando que sus ojos recorrieran el cuerpo de Alex, que revolotearan alrededor de la delgada cicatriz blanca que cruzaba su cadera, para luego clavarlos en su pene.

Ése era uno de los mayores engorros de ser hombre. Era imposible fingir indiferencia estando desnudo y siendo observado por una mujer a medio vestir. Y no se trataba precisamente de una mujer cualquiera, sino de Carolyn, que era dulce, tremendamente fiel y de temperamento. La deseaba, sin más mentiras, deseaba tomarla de todas las formas imaginables. La deseaba, independientemente de lo que ella sintiera, pero no estaba dispuesto a dar un solo paso.

No hizo falta. Carolyn cruzó la habitación, y antes de que Alex advirtiera cuáles eran sus intenciones, se arrodilló frente a él y se lo introdujo en la boca.

Alex tuvo un orgasmo de inmediato, medio sorprendido e incapaz de contenerse, y ella le sujetó la cadera con sus fuertes manos, succionándole mientras él se esforzaba en vano por mantener un control que había perdido nada más entrar en contacto con la boca de Carolyn. Al terminar, ésta se sentó sobre los talones y levantó la cabeza, mirándole con ojos serenos y cómplices.

No llegaron a meterse en la cama. Alex la tumbó en la alfombra, e hizo lo propio a continuación, quitándole el resto de la ropa con precipitación salvaje. Él seguía erecto, y ella estaba completamente excitada después de lo que había hecho, de modo que la penetró profundamente, levantándole la pelvis para darle más placer.

Carolyn se estremeció toda ella, y él sintió un intenso placer al besarla y saborear los gritos contenidos de su clímax.

Su orgasmo era interminable, estremecedor, y él estuvo a punto de volver a eyacular antes de que ella se relajara, jadeando y con la mirada ausente. Alex salió de su interior, pero ella le agarró desesperada.

—Date la vuelta —ordenó—. Quiero poseerte por detrás.

Alex presumió que ella se resistiría. No fue así. Carolyn hizo lo que él quería, y su ahogado grito de placer al ser penetrada casi le provocó a él un orgasmo.

Alex quería y necesitaba aguantar más tiempo. Para poseerla de cualquier manera imaginable, más aún, para que no hubiera más secretos ni mentiras entre ellos. En esta postura, Carolyn estaba un poco tensa, y Alex trató de pensar en otra cosa para ir más despacio, pero no podía, sólo podía pensar y sentir y oír a Carolyn, los leves y desesperados gritos que profería, el delicioso olor a sexo del ambiente, la sedosa suavidad de su espalda, su cuerpo firmemente contraído.

Le metió la mano entre las piernas y la tocó, y Carolyn explotó, gritó con fuerza, emitió un sollozo de total entrega, de máximo y salvaje placer.

Y él también se entregó, llenándola con todo lo que le quedaba, vertiéndolo en ella.

Alex sintió ganas de echar la cabeza hacia atrás y aullar como un animal triunfante. Quería que esto fuera eterno, brutal, real y omnipotente. El tiempo parecía detenerse, un momento infinito y surrealista con ellos dos como únicos seres del universo.

Entonces Alex alzó la vista y vio la borrosa sombra de alguien que les contemplaba a través de las vidrieras.

Se inclinó hacia adelante y envolvió el cuerpo de Carolyn con el suyo, ocultándolo, protegiéndola. Estaba empapada de sudor, temblando, y Alex era consciente de que necesitaba llegar hasta el final tanto como él. Volvió a mirar hacia la ventana, pero quienquiera que hubiera estado observándoles ya no estaba, había desaparecido, imposible precisar si era hombre o mujer.

Rodaron hacia un lado, poniéndose rápidamente a cubierto. Alex no tenía intención de decirle a Carolyn que alguien les había visto, pero ni mucho menos quería darle más oportunidades a un miserable *voyeur*. Carolyn estaba tiritando, pero no había nada a mano con que poderla tapar, Alex contaba únicamente con la fuerza de su propio cuerpo para tratar de darle calor y tranquilizarla.

Poco a poco Carolyn se fue calmando, y volvió a respirar con normalidad. Cuando Alex casi pensaba que se había quedado dormida, pegada con fuerza a su cuerpo, oyó su voz.

—Te he mentido —susurró.

—¿Ah, sí? —El suelo no era el sitio más cómodo del mundo, pero daba igual. No tenía interés alguno en moverse—. ¿Sobre algo importante?

—¿Recuerdas que te he dicho que tenía miedo de enamorarme de ti? —Alex notaba cómo su respiración hacía vibrar todo su cuerpo—. Puede que sea demasiado tarde.

Y Alex siguió echado, estrechándola entre sus brazos, temeroso de mentirle otra vez.

18

La luz del amanecer había empezado a entrar a raudales por los ventanales que daban a la terraza, era despiadadamente intensa. «Despiadado» era una buena palabra, pensó Carolyn, intentando estar lo más quieta y encogida posible envuelta por el cuerpo de Alex. No podía esconderse de la deslumbrante luz del sol matutino que avanzaba por el alfombrado hasta llegar al sitio donde estaban estirados, entrelazados.

Carolyn no se hacía ilusiones de que Alex estuviera durmiendo. En los últimos días el destino no había sido especialmente benigno con ella, y dudaba que bendición semejante le fuera concedida. Tendría que reunir los remanentes de dignidad que le quedaran, despegarse de Alex y, de algún modo, vestirse.

Su comportamiento había sido ridículo en todos los sentidos, y lo había rematado con una idiota confesión final. Debería haberse imaginado que más tarde o más temprano acabaría diciéndoselo. Nunca se había mostrado especialmente sensible o reservada con los seres que amaba, y el hombre que fingía ser Alexander MacDowell, sin saber cómo, se había convertido en uno de los escogidos, se lo mereciera o no.

Evidentemente no se lo merecía. Era un farsante y un mentiroso. Pero había sido realmente cariñoso con Sally, actitud de todo punto intachable.

Carolyn necesitaba alejarse de Alex. Necesitaba ir a ver a Sally. Empezó a apartarse de él, y al principio sus brazos la apretaron con más fuerza, como si no quisiese que se fuera. Al soltarla, Alex se puso boca arriba, y ella supo que la estaba mirando mientras se incorporaba.

—Salte del objetivo de la ventana —le advirtió Alex con voz inesperadamente prosaica—. Nunca se sabe quién puede estar merodeando por ahí.

Tenía el sujetador a mano, lo cogió y se lo puso, no sin dificultad, de espaldas a él. Buscó el resto de la ropa. Los tejanos y la camisa estaban en medio de la habitación, pero no encontraba las braguitas.

—¿Es esto lo que buscas?

No tuvo más remedio que darse la vuelta. Alex sostenía la prenda blanca de algodón con una de sus largas manos, y su expresión era totalmente indescifrable. Carolyn se la arrancó de la mano, y se la puso en su esbelto cuerpo con toda la dignidad de la que pudo hacer acopio, que equivalía a cero. Así vestida se sentía mucho mejor, y se giró para mirarle, dispuesta a decirle que se fuera para siempre de su vida, cuando notó algo.

Alex le había vuelto la espalda, estaba de cara a la ventana, y Carolyn vio en su hombro una cicatriz en la que no había reparado antes. Era un extraño y brillante círculo con los bordes desiguales. Lo miró hipnotizada, con ojos de cobra, y sin pensarlo dos veces se aproximó para tocarlo.

Alex se dio la vuelta, sus ojos y los de Carolyn se encontraron, y él no se movió, ni se estremeció cuando ella acarició con suavidad la vieja cicatriz.

—¿Qué es esto? —murmuró.

—¿Tú qué crees, Carolyn? Es una cicatriz que tengo a causa de una bala que me dispararon hace dieciocho años.

Alguien estaba intentando forzar la puerta, y Carolyn, presa del pánico, iba de un lado a otro, agitada, pero la silla que Alex había colocado frente a ella aguantó los empujones.

—¿Carolyn, estás ahí? —La voz de George sonaba sorprendentemente seria—. Será mejor que vengas, deprisa.

Carolyn se levantó apresuradamente.

—Ya voy, George —chilló—. ¿Sally ha empeorado?

—¿Has visto a Alex? No sabemos dónde está.

Alex ya se había puesto de pie, y se había enfundado los tejanos sin importarle su desnudez ni la atenta mirada de Carolyn. Alex. El auténtico Alex.

Mientras se abotonaba la blusa, Carolyn apartó la silla de la puerta y la abrió, sin preocuparle si George o alguien más averiguaba lo que había estado haciendo.

—¿Qué pasa? —le preguntó.

Pero Alex ya estaba junto a ella, la cogió del brazo y se la llevó antes de que George pudiera responderle.

Pensó en oponer resistencia, entonces se detuvo, y se dio cuenta de la magnitud de lo sucedido.

Patsy y Warren estaban en el comedor, discutiendo acaloradamente, y sus voces llegaban desde el piso de abajo. A lo lejos, Carolyn oyó sollozar a Constanza.

Y el cuerpo de Sally yacía abandonado y sin vida en su cama de hospital. Había un frasco de pastillas desparramadas sobre la mesa de al lado, y algunas más esparcidas por la sábana blanca almidonada. Pero era obvio que, a pesar de la debilidad de su estado, había conseguido ingerir las suficientes.

Carolyn permaneció de pie, inmóvil, mientras Alex pasaba por delante de ella. Ni siquiera le habían cerrado los ojos, que miraban al techo, o quitado los tubos de oxígeno. Se preguntó vagamente dónde estaría la señora Hathaway, a continuación desterró ese pensamiento de su mente. No tenía importancia. Tía Sally había estado lista para partir, y nunca fue una mujer que se quedara de brazos cruzados pudiendo actuar.

Observó cómo Alex le cerraba los ojos a Sally, cómo luego le sacaba el tubo de oxígeno de la nariz y lo dejaba sobre la mesa, apagando las máquinas con serena eficacia. Y después se giró y miró a Carolyn, su mirada cosaca mostraba tranquilidad.

—¿Quieres despedirte de ella antes de que los demás empiecen a pelearse por el botín?

—¿Tú también te pelearás? ¿No volviste para eso?

Alex negó con la cabeza.

—Vine por ella. Vine para saber la verdad. Ahora que ella ha muerto, nada importa. Ya puedo irme.

Carolyn asintió, paralizada. Pasó junto a él y se sentó en la silla que horas antes había abandonado.

—¿Sabías que Sally haría esto?

—Me lo imaginaba.

—¿Y no trataste de impedirlo?

—¿Tú lo habrías hecho?

—No. —Se hizo un ovillo sobre la silla—. Adiós, Alex.

Y Alex se fue de la habitación sin decir una palabra.

Dispuso de más tiempo del que se había imaginado. La familia de Sally se mantuvo alejada, aunque el eco de los gritos que llegaban hasta ella hacía patente el tema de su enconada discusión. Daba igual. Carolyn se sentó en la oscuridad junto a la cama de Sally, velándola, haciendo lo que no tendría significado para nadie salvo para ella.

Aunque la persona a la que había amado y protegido ya se había ido, no quería dejarla sola. Casi con toda seguridad alguien se habría encargado ya de las formalidades, y de un momento a otro vendrían a llevarse el cadáver. Mientras tanto, estaría con ella. Era ridículo y anticuado, pero no podía evitar sentir la necesidad de honrarla.

Debieron pasar horas hasta que llegó la señora Hathaway, nerviosa, llorosa, preocupada. Echó una ojeada a Carolyn antes de recoger las pastillas desparramadas, los restos de analgésicos que estaban en la mesa contigua a la cama.

—Lamento no haber estado aquí —se excusó en voz baja—. El señor MacDowell insistió en que me tomara la noche libre, dijo que se quedaría con ella. De haberlo sospechado no me habría ido.

—Alex puede llegar a ser muy persuasivo —afirmó Carolyn apesadumbrada.

—Oh, no, fue Warren quien me pidió que me fuera —le corrigió la señora Hathaway—. Me dijo que quería estar a solas con su hermana.

Carolyn se limitó a sacudir la cabeza. Desde hacía unas horas su mente y sus emociones se habían saturado, y estaba en estado de shock. Era indiferente quién dijera qué. Quién fuera quién. Lo único importante era que Sally se había marchado, y para bien o para mal, la vida de Carolyn ya nunca sería la misma.

—No es culpa tuya —murmuró Carolyn—. Le había llegado su hora. —La discusión del salón parecía haberse aplacado un poco, y oyó el sonido de un vehículo deteniéndose frente a la casa. Miró por la ventana y vio un coche de la funeraria local. Ni más ni menos que un Mercedes, los MacDowell sólo podían tener lo mejor. Se levantó y apretó la mano de Sally por última vez.

—Era una buena mujer —comentó la señora Hathaway gimiendo.

Carolyn no se molestó en discutir esa observación. Había querido muchísimo a Sally, pero Sally Aylebourne MacDowell era demasiado fuerte, terca y cruel como para que se dijera de ella que era una buena mujer.

—Iré a ver si alguien más quiere estar un momento a solas con ella antes de que se la lleven.

—Vaya, señorita Carolyn —dijo—. Que yo arreglaré un poco a la pobre mujer.

Carolyn sabía que sería una pérdida de tiempo desde el instante en que entró en la biblioteca. Warren y George estaban en plena, acalorada discusión, y apenas si notaron su presencia, Patsy simplemente sonrió, aturdida, y Tessa omitió toda cortesía.

—Han venido a llevarse el cadáver de tía Sally —anunció con seriedad—. ¿Quiere alguien estar un rato a solas con ella?

—No seas macabra, cariño —comentó Tessa, estremeciéndose de manera afectada—. Detesto los cadáveres.

—¿Quién ha venido a llevarse el cadáver? —inquirió Warren, alzando la vista—. Yo no he hecho ninguna gestión.

—Alguien debe de haber llamado a la funeraria —supuso George—. Alguien con autoridad para hacerlo, desde luego.

—Seguro que ha sido Alex —afirmó Tessa, con una ligera y fatua sonrisa en sus labios hinchados artificialmente—. Al fin y al cabo, es su madre.

La expresión ensombrecida de Warren no pasó desapercibida.

—No creo que ninguno de nosotros necesite verla —comentó pasados unos segundos—. Después de todo, ya está muerta.

—Así es —asintió Carolyn con voz fingidamente tranquila—. Con vuestro permiso, creo que iré a dar una vuelta en coche. Necesito un poco de aire fresco.

—Pero tal vez te necesitemos... —sugirió George, pero Warren rechazó de inmediato tal objeción.

—No necesitamos la ayuda de Carolyn, hijo —dijo—. Creo que somos perfectamente capaces de manejar la situación.

Carolyn no parpadeó siquiera.

—Volveré dentro de un rato.

—Mmmm... ¿qué coche vas a coger? —le preguntó Warren—. Yo necesitaré el Mercedes y no sé...

—Cogeré mi coche. —Ante la perpleja mirada de Warren, rápidamente añadió—. El Toyota.

—¿Está a tu nombre?

—Lo compré yo, tío Warren. Con mi dinero. Y me lo llevaré cuando me vaya —advirtió, seriamente.

—Por supuesto —afirmó George cordialmente—. Nadie insinuaba lo contrario.

—No, nadie —repitió Patsy, con los ojos brillantes. Y Carolyn no sabía con seguridad si le brillaban debido a las lágrimas retenidas por la muerte de su hermana, o por alguna otra razón.

Hacía muchos días, o semanas, que Carolyn no conducía su coche. No, desde mucho antes de que apareciera Alex. Estaba aparcado en un rincón del enorme garaje, construido para asemejarse a un trastero, y parecía pequeño y poco atractivo comparado con los lujosos coches pertenecientes a la familia MacDowell. A excepción, claro está, del viejo jeep negro de Alex.

Había perdido soltura conduciendo, determinó Carolyn mientras bajaba por un largo y estrecho camino en dirección a la pequeña localidad de Stanton. Los frenos le parecían esponjosos al tacto, el acelerador lento, incluso la dirección le resultaba extrañamente recalcitrante. No era su intención quedarse con los MacDowell más tiempo del estrictamente necesario; el justo para asistir a las honras fúnebres que se organizaran, y luego se largaría de aquí. Pero sería conveniente que llevara el coche a revisión antes de emprender un viaje largo.

El vehículo estaba cogiendo velocidad, precipitándose por el estrecho y accidentado sendero con peligroso entusiasmo. Apretó el freno, pero el coche apenas respondió, acelerándose a medida que se acercaba a la cerrada curva que conducía al último tramo de camino antes de desembocar en la carretera principal.

Pisó con fuerza, pero sólo consiguió hundir el pedal contra el suelo. Trató de reducir la marcha, pero el cambio de marchas no se movía, y el cuentakilómetros seguía aumentando.

No se lo pensó dos veces. Se desabrochó el cinturón de seguridad, abrió la puerta y saltó del coche, cayendo sobre un montón de porquería mientras el vehículo continuaba sin ella. En medio de los escombros, procuró recobrar el aliento, apenas consciente del tremendo choque, del desgarrador ruido de su coche colisionando contra algo unos metros más adelante.

Se incorporó con dificultad. En las manos tenía cortes que sangraban a causa de la caída, se había torcido el tobillo y su coche, por el que tanto cariño sentía, estaba destrozado.

Tras el llanto, vinieron los temblores. Le costó levantarse, casi no podía apoyarse sobre el pie izquierdo. La casa estaba a unos dos kilómetros de distancia; no así la carretera principal, donde podría hacer autoestop. Podía desaparecer del mapa, irse para no regresar; renunciar al pequeño fideicomiso que Sally había reservado para ella, volver la espalda a la familia que en realidad nunca fue suya.

Volver la espalda a Alexander MacDowell.

El problema era que se había olvidado el bolso en casa con toda la documentación, tarjetas de crédito y dinero. La idea de desaparecer sin dejar rastro era tentadora, sin embargo, hacerla realidad no sería cosa fácil. Tal vez lo fuera para un rebelde de diecisisete años, pero no para una mujer sensata de treinta y un años.

Ya estaba a medio camino de casa cuando oyó el coche que venía por la carretera. Supo quién era al instante: ese ruido sordo era diferente a las melodías afinadas de los lujosos coches de los MacDowell. Incluso aunque no hubiera reconocido el sonido del jeep, sabía perfectamente quién se tomaría la molestia de seguirla.

¿Sería el mismo hombre que con anterioridad había saboteado su coche? ¿El hombre que la había disparado en el bosque, que estaba decidido a deshacerse de ella?

Sin embargo, ahora que Sally había muerto, ¿qué importancia podía tener todo esto? Permaneció quieta, viendo cómo el vehículo tomaba la curva, preguntándose si se la llevaría por delante mientras esperaba de pie.

El jeep se paró a escasos centímetros de ella, y él bajó del coche dando un portazo, apareciendo ante ella cual dios iracundo. Carolyn podía enorgullecerse de enfrentarse con calma a su acometida. Ni se inmutó.

—¿Quieres que te maten o qué? —preguntó Alex, agarrándola bruscamente por el brazo y sacándola a rastras de la carretera.

—No era ésa mi intención —balbuceó ella, sin forcejear.

—¿Dónde está tu coche?

—Ha chocado contra algo un poco más adelante. Me fallaron los frenos y decidí saltar. —Ni siquiera le temblaba la voz.

Alex se detuvo y la miró. Era imposible deducir algo de su expresión, aparte de que estaba furioso.

—¿Que te fallaron los frenos? —repitió—. ¿Qué coño quiere decir eso?

—Una de dos: o el coche no estaba en buen estado, o alguien está intentando matarme. Me decanto por lo segundo. Y creo que has sido tú.

Alex no salía de su asombro.

—¿Crees que quiero matarte? ¿Por qué?

—Ayer no estabas en casa cuando alguien me disparó. Según tengo entendido, todos dormían menos Patsy.

—¿Cuándo te han disparado? ¡No te he oído comentarlo en ningún momento!

—Pensé que me tomarían por loca.

—Así que decidiste esperar a que volvieran a intentarlo. ¡Pues vaya una decisión! ¿Y qué te hace pensar que tengo más razones que el resto para querer matarte? Aunque en estos momentos no podría afirmar lo contrario, porque me entran ganas de estrangularte.

—Tú eres el que más tiene que perder —respondió ella con una firmeza glacial.

—¿Por qué? ¿Qué puedo perder?

Carolyn inició su respuesta, luego se detuvo, desconcertada.

—Sally... —comenzó a decir.

—Sally está muerta. Y me importa un carajo la herencia, me pienso ir de aquí antes de que alguien decida usarme a mí también para sus prácticas de tiro. No tengo ningún motivo para quererte muerta, aparte del hecho de que haces todo lo posible para tocarme las narices. Y, además, ahora que ya soy adulto he renunciado a la idea de asesinar a quienes me estorben.

—Entonces, ¿quién ha manipulado los frenos?

Él tenía la respuesta. Por la repentina y extraña expresión de su cara, Carolyn tuvo la certeza de que él sabía con exactitud quién había intentado acabar con su vida.

—Sube al coche —le ordenó de manera arisca.

—Yo contigo no voy a ninguna parte.

—Sube al jodido coche, Carolyn, o te ataré y te meteré dentro —la amenazó con voz grave.

No pensaba escaparse. Alex le agarraba de la muñeca con tanta fuerza que le hacía daño, y con un tobillo torcido le sería imposible correr más deprisa que él.

—Está bien —accedió finalmente.

Había conseguido asustarle.

—¿Has decidido entrar en razón? ¡Vaya novedad!

—No —replicó ella—. Simplemente he pensado que si alguien tiene que matarme, prefiero que seas tú quien lo haga.

—¡Mala pécora! —exclamó Alex con simpatía, al tiempo que le abría la puerta.

Carolyn subió al coche, echando un último y nostálgico vistazo al paisaje. Entonces se fijó en que había maletas en el asiento trasero. La suya, pequeña, incluida.

Alex ya estaba frente al volante.

—Abróchate el cinturón —ordenó, poniendo el coche en marcha.

—¿Por qué mis cosas están ahí detrás? ¿Adónde vamos?

—Nos largamos de aquí. Puede que tú estés dispuesta a morir como una mártir cristiana, pero, francamente, no me apetece morir tan joven. Ya lo hice una vez, y no es tan fantástico como parece.

Carolyn enmudeció de golpe. Se abrochó el cinturón con las manos temblando, y a continuación se asió del agarradero de la puerta mientras el coche bajaba a toda pastilla por la estrecha carretera. Pasaron por delante de su coche, aplastado contra una roca que emergía junto a la cuneta, pero Alex no aminoró la marcha y siguió conduciendo. Horrorizada, Carolyn desvió la mirada.

Aguardó hasta que llegaron a la carretera principal. Estaba desierta y, consternada, cayó en la cuenta de que ya atardecía. Había perdido la noción del tiempo, tenía la sensación de no haber comido en varios días, y estaba siendo raptada por un criminal. ¿O no?

—¿Quién demonios eres? —le preguntó finalmente.

—¿Quién crees que soy? —Alex seguía con los ojos pegados a la carretera.

—Ya me he cansado de intentar averiguarlo. ¿Por qué en un alarde de originalidad no me dices la verdad, para variar?

Seguía sin mirarla. En su lugar, buscó algo en el bolsillo de los tejanos.

—Carolyn, abre la mano.

Carolyn obedeció, esperando Dios sabe qué. Cualquier cosa menos la diminuta joya de oro que puso sobre la palma de su mano.

Era su pulsera de colgantes de oro. La que Alex le había robado la noche de su huida, la única que le suplicó que no se llevara. Ahí estaba, con todos los dijes que Sally le había regalado a lo largo de los años, intactos. Incrédula, la miró fijamente. No la veía desde hacía dieciocho años, casi no recordaba lo bonita que era.

Tardó un rato en reaccionar.

—¿Cómo es que aún la tienes?

—Nunca olvidaré la cara que pusiste aquella noche —explicó Alex con indiferencia—. ¡Parecías tan desesperada! Y yo no sabía si era porque me iba o porque te arrebataba tu bien más preciado. Ya había notado que estabas totalmente colada por mí en aquel entonces. Siempre pensé que si te devolvía la pulsera, si lograba no empeñarla, cuando más tarde te la diera me dirías que yo era más importante que una maldita joya de oro.

—No me importaba su valor. Lo que me importaba era que venía de Sally. Soy lo que soy gracias a ella, a que cuidó de mí, y me quiso...

—Sigues sin entenderlo, ¿verdad? Los MacDowell nunca hacen nada por motivos altruistas.

—Sally me quería...

—Tal vez. Siempre le gustó rodearse de cosas bonitas, ya lo sabes. Pero lo cierto es que no te recogió en una esquina ni te trajo a casa por casualidad.

—¿De qué estás hablando?

—¿Nunca te has preguntado por qué a alguien como Sally MacDowell se le ocurriría traer a casa al hijo bastardo de una antigua criada? ¿A Sally, que era tan poco asidua a hacer obras de caridad?

—¡No sigas!

—¿No te lo has preguntado nunca? ¿No quieres saber de dónde vienes? ¿Por qué te trajo aquí para que formaras parte de esta familia?

—¡Ya basta! —gritó Carolyn, furiosa.

Alex permaneció un momento en silencio, concentrándose en la carretera. La miró de reojo, y volvió a mirar al frente.

—Bueno, cuando estés preparada para saber la verdad, no tienes más que preguntarme —concluyó Alex.

—No me has dado nunca la impresión de estar muy familiarizado con la verdad.

—Me guste más o menos, cuando veo que algo es cierto, me lo creo.

Una repentina sospecha surgió en la mente de Carolyn, produciéndole tal sensación de horror que no pudo deshacerse de ella.

—No irás a decirme ahora que en realidad somos hermanos, ¿no?

Alex echó la cabeza hacia atrás y soltó una carcajada.

—En absoluto. Créeme, Carolyn, no somos parientes. Ni tampoco fruto de un incesto.

—Pues si no tenemos la misma sangre, ¿cuál es el gran secreto?

—Te lo diré cuando lleguemos a donde vamos.

—¿Adónde vamos? ¿Y por qué?

—Te estoy salvando la vida, Carolyn. —Luego, como si se le acabara de ocurrir, añadió—: Y a mí también.

19

Su aspecto era deplorable. Alex no quería correr el riesgo de hacer un alto en su trayecto hacia el sur, pero como Carolyn parecía estar al límite de su resistencia, decidió parar en un restaurante de carretera cerca de la frontera de Massachusetts y prácticamente la obligó a comer algo del menú del desayuno. Comió como un autómata, negándose a mirarle, con las manos magulladas y sangrantes, la cara llena de rasguños y comportándose con temerosa tranquilidad. Alex consideró llevarla a un hospital para que le hicieran una radiografía del tobillo, pero lo descartó. Tampoco cojeaba tanto, y le interesaba llegar lo antes posible a su lugar de destino.

Debería haberse imaginado que al llegar a Woods Hole el último ferry ya habría zarpado. Mientras reservaba dos plazas en el primer barco que saliera a la mañana siguiente, Carolyn permaneció sentada en el coche con bastante pasividad, y tampoco articuló palabra cuando luego la condujo hasta un anodino hotel y pidió una habitación para pasar la noche.

Carolyn fue directa al cuarto de baño, y Alex pudo oír el agua de la ducha corriendo a toda presión. Se aseguró de que no hubiera otra forma de abandonar la habitación, para que Carolyn no pudiera escapar si de pronto sentía esa imperiosa necesidad. El motel no tenía servicio de habitaciones, pero

Alex dio con un sitio que repartía comida china a domicilio e hizo un inmenso pedido. Cuando Carolyn salió, pálida y como una sopa, vestida con una ancha camiseta y unos tejanos que le iban grandes, Alex estaba poniendo los envases de cartón sobre la mesa.

—No te molestes en decirme que no tienes hambre —anunció Alex, anticipándose a su protesta—. Necesitas comer algo, y si no colaboras te ataré a la cama y te meteré el arroz frito por la boca.

Que esbozara una sonrisa como respuesta habría sido pedir demasiado. Simplemente se sentó en una de las incómodas sillitas y bebió de la lata que Alex había sacado de la máquina de fuera.

Como no tenían platos, le pasó el envase de fideos con un par de palillos, y procedió a comerse su carne con brécol.

—Los rollitos de huevo son para ti —comentó Alex, rompiendo el silencio—. Tienen gambas.

Esa declaración la hizo volver en sí. Levantó la cabeza de golpe y le miró, sus ojos estaban tristes.

—¿Por qué estamos aquí?

—Porque hemos perdido el último ferry.

—Sabes perfectamente que no me refiero a eso. ¿Por qué hemos venido aquí? ¿Por qué vamos otra vez a Vineyard?

—Tengo que resolver algunas cosas. Quiero saber quién me disparó. Al parecer no hay forma humana de que me proporciones esa información, y no me veo capaz de aparcar el asunto, especialmente ahora que alguien ha decidido utilizarte para sus prácticas de tiro. Creí que podría olvidarme del tema y seguir adelante con mi vida, pero me temo que no soy tan benévolo como pensaba. Sobretodo cuando alguien ha empezado otra vez a hacer de las suyas.

Carolyn comió los fideos con total desgana.

—¿Qué quieres decir?

—Quienquiera que te disparara, quienquiera que manipulara tus frenos, probablemente sea la misma persona que creyó haberme matado hace dieciocho años. O al menos eso pienso. La noche que me dispararon estaban todos en Vineyard, y prefiero descartar la idea de que haya dos asesinos potenciales en la familia MacDowell.

—¿Por qué querrían matarme? Yo no tengo nada que ver contigo. —En su monótona voz no había ni pizca de provocación.

—¡Pero si es obvio! Da la casualidad de que ambos somos un gran obstáculo para cualquier interesado en aumentar su porción de herencia de la fortuna de Sally.

—Mi fideicomiso no supondrá una gran diferencia en el curso de las cosas. No, si tenemos en cuenta todo lo que ha dejado Sally. Además, ya está todo dispuesto; no se podrá cambiar aunque me muera. —Apartó los fideos de su vista.

—Bueno, tal vez nuestro atareado asesino no se haya dado cuenta de eso. O tal vez sea perfectamente consciente de que tendrías muchos más derechos si decidieras reclamarlos.

—¿Se puede saber de qué estás hablando?

—Come.

—No tengo hambre, y no pienso seguir comiendo hasta que te expliques. —La indignación empezó finalmente a mudar su inusual serenidad. La indignación y un atisbo de miedo. Carolyn no quería oír lo que él iba a decirle. No quería conocer la verdad.

—¿Nunca has querido saber cuál fue tu origen? —preguntó Alex, dejando su recipiente de comida en la mesa de formica—. ¿Nunca has preguntado nada, ni te has parado a pensar por qué Sally te trajo a casa a vivir con nosotros, los MacDowell? Porque, desde luego, no tenía por costumbre recoger a gente de la calle. —Recordando sus propios orígenes, no pudo evitar hablarle con cinismo, pero Carolyn le malinterpretó.

—No es necesario que me lo recuerdes —comentó con tristeza—. Yo no pertenezco a esta familia. Me trajeron aquí por compasión. No tengo derecho a nada.

—¿Alguna vez le preguntaste dónde te encontró?

—Eso ya lo sé. Nadie ha tratado de esconderlo nunca. Soy la hija ilegítima de alguien que solía trabajar para ella.

—¡La buena de Sally!

—No lleva ni veinticuatro horas muerta, Alex —le espetó.

—No, pero eso no la convierte en una santa, y ella sería la primera en reconocerlo.

—Conoces la historia tan bien como yo. Sally tenía cariño a esa mujer, y cuando murió decidió asegurarse de que no me faltara de nada.

—Podría haber mandado un cheque mensual. Y no me digas que ése no era su estilo. Sabes de sobra que prefería hacer obras de caridad a distancia. ¿Qué le llevó a traerte a casa?

—Está claro que tienes alguna teoría al respecto —dijo Carolyn, perdiendo la paciencia—. ¿Por qué no me la cuentas?

Alex inclinó la silla hacia atrás, escudriñándola con aire distante.

—Eres una MacDowell —afirmó categóricamente.

Carolyn ni siquiera parpadeó.

—¡Venga ya!

—¿No te has fijado nunca en el tremendo parecido? Tessa y tú podríais ser gemelas.

—Tú estás loco. Mi madre era una niñera sueca...

—Es posible. Pero tú padre es Warren MacDowell.

Se quedó lívida. Le miró, parecía que fuera a vomitar.

—No —negó rotundamente.

—Sí. No hay otra explicación. Sally era demasiado mayor, y Patsy acababa de dar a luz a Tessa. En las últimas generaciones la sangre de la familia MacDowell se ha debilitado. Demasiados casos de endogamia, me temo. Sólo hay otros dos MacDowell vivos: una tía abuela que está en una clínica de Inglaterra y un primo segundo que es muy joven además de gay. No hay nadie más.

—Yo no soy una MacDowell.

—Sabes que sí —la contradijo él—. Ése ha sido siempre tu problema. En el fondo de tu corazón sabías que eras una de ellos.

—Estás como una cabra —le insultó, pero Alex vio en sus ojos, tan parecidos a los de Tessa, una sombra de duda.

—Pregúntaselo a Warren.

Repentinamente furiosa, se alejó de la mesa.

—No pienso hacerle a Warren ni una maldita pregunta. Sally ya ha muerto y me trae sin cuidado el resto de tu asquerosa familia. Si diera la casualidad de que Warren es mi padre, estoy segura de que no lo admitiría, porque debe considerarlo el mayor error que ha cometido jamás. Y yo no quiero saberlo. No quiero volver a ver o a hablar con ningún MacDowell en lo que me quede de vida. —Miraba a su alrededor, desesperada—. Incluido tú.

—¿Se puede saber qué buscas?

—Mis zapatos. Me largo de aquí.

—No, no puedes irte —dijo Alex con aparente tranquilidad—. Ya te he dicho que tu vida está en peligro.

—Y yo que no quiero pasar ni un minuto más con ninguno de los MacDowell.

—Estupendo. No soy un MacDowell.

Se dio cuenta de inmediato de que acababa de cometer un error táctico. Carolyn era una mujer fuerte y resistente, pero los últimos días, culminados con la muerte de Sally esa misma mañana, habían sido demasiado intensos. Cogió una silla y se la lanzó.

Alex consiguió detenerla e ir tras Carolyn levantándose de un salto. Ésta ya había abierto la puerta, y estaba a punto de salir, medio descalza, cuando él la agarró por el brazo y la arrastró hacia dentro, dando un portazo y empujándola contra la puerta. Él también había perdido los estribos, pero no le importó. Se acercó a ella y la retuvo mientras luchaba por deshacerse de él, dándole puñetazos en el pecho, y patadas en las espinillas con sus pies descalzos, al tiempo que escupía una letanía de patéticos insultos sin sentido.

La sujetó por los hombros y la zarandeó con fuerza, y Carolyn se calló unos instantes a causa de la impresión. Las lágrimas rodaban por su pálida cara, lágrimas que no había vertido desde que encontraran a Sally muerta.

—No es lo tuyo decir palabrotas —murmuró.

Temblando, respiró profundamente.

—¿Quién coño eres? —le preguntó Carolyn con voz ronca.

Una sonrisa poco amable mudó la expresión del rostro de Alex.

—Eso ha estado mejor. Soy Alexander MacDowell, ya lo sabes.

—Lo que supuestamente te convierte en mi primo hermano —dedujo ella amargamente.

Alex dijo que no con la cabeza.

—En esta habitación, la única persona que tiene sangre MacDowell eres tú. Sally tuvo solamente un hijo que murió antes de nacer, e hizo las gestiones necesarias para encontrar otro bebé que sustituyera el suyo.

Carolyn cesó el forcejeo. Echó la cabeza hacia atrás, contra la puerta, y le miró fijamente.

—¿Tú te has vuelto loco o qué?

Alex sacudió la cabeza en señal de negación.

—¿Por qué crees sino que Sally se opuso totalmente a hacer las pruebas de ADN? Ella sabía que no demostrarían nada. El intruso en esta familia soy yo, Carolyn, no tú.

Carolyn levantó la cabeza y le miró, asustada, y él no pudo evitar acariciarle la cara, la piel pálida, suave y sedosa.

—No tú —repitió en voz baja, apoyando su frente contra la de ella—. No tú.

La dejó tranquila. Después de que le apartara de ella, Alex se retiró y no intentó volverla a tocar. Cegada y aturdida por el dolor, Carolyn se sintió agradecida por ello. Si volvía a tocarla, se vendría abajo, y no podía consentir tal cosa.

Tenía mucho frío. Había perdido la noción del tiempo, pero carecía de importancia. Se arrastró hacia una de las dos camas individuales y se tapó hasta la cabeza con las sábanas, desconectando del mundo exterior, del hombre que parecía haber sido el causante de todos los desastres de su vida. Si dormía, tal vez entonces todo desaparecería.

Al despertarse, una luz misteriosa inundaba el cuarto, y la cama se movía. Se quedó echada en medio de esa extraña quietud, desorientada, consciente de que algo no andaba bien e incapaz de recordarlo. La cama temblaba, y tardó un tiempo en caer en que era su cuerpo, dolorido de escalofríos, el que hacía que se moviera.

Alex estaba tumbado en la otra cama, dormido. La luz que emitía la pantalla a rayas blancas y negras de la televisión silenciada llenaba la habitación del hotel, y Carolyn se quedó unos minutos mirando la pantalla. Antes de dormirse, Alex había estado viendo el Canal del Tiempo. Ignoraba si era porque preveía un desastre natural o porque acostumbraba a escuchar las predicciones temporales. Le traía sin cuidado.

Lo único que quería era entrar en calor. Según el reloj digital eran las 3.47 de la madrugada, y el cuarto parecía un congelador. Se imaginó que vería en el aire glacial el vaho despedido por su boca. Las mantas le cubrían como capas de hielo, aislándola del frío, y Alex dormía con tejanos y camiseta, aparentemente ajeno a éste. Salvo la sábana bajera, su cama estaba deshecha, el resto lo había amontonado sobre ella, y Carolyn se sintió confusamente agradecida. En esa cueva helada estaba dispuesto a morir congelado por ella.

Carolyn había leído en alguna parte que morirse de frío no era un mal modo de irse. Perdías la sensibilidad, luego te quedabas dormido, y ahí acababa todo. Pero ella, por mucho que lo deseara, no se helaría de frío, aunque fuera tremendo y hasta doloroso, y prefirió morderse el labio antes que gritar. Lo único que podía hacer era seguir arropada por las mantas y temblar.

Intentó pegarle cuando él se echó en la cama a su lado, pero tenía los brazos aprisionados bajo el montón de mantas. Alex no hizo ademán de querer taparse, se estiró sobre ellas, envolviendo el cuerpo de Carolyn con el suyo. Estaba caliente, ardiendo, y ella pensó que debía estar muriéndose. Le daba igual. Necesitaba su calor.

Carolyn se dio cuenta de que Alex le estaba hablando. Le decía frases cariñosas y carentes de sentido mientras le calentaba el cuerpo con el suyo propio, y con una mano le acariciaba la cara suavemente. Las lágrimas de Carolyn eran también de hielo, pero el calor de esa mano las derretían, de modo que se deslizaban por su piel, quemándola.

Las palabras que Alex volcaba en su oído no tenían ningún sentido; lo sabía muy bien.

—Tranquila, Carolyn. Todo irá bien, te lo prometo. No permitiré que nada te ocurra. Tú respira hondo y deja que el calor te envuelva. No te abandonaré. Prometo cuidar de ti.

En el fondo, una parte de ella quiso echarse a reír. No necesitaba que nadie la cuidara. Hacía tiempo que había aprendido a ser fuerte, a cuidar de sí misma.

Y además, tarde o temprano todo el mundo acababa por abandonarla.

¿Qué otras tonterías le estaba diciendo? No tenía importancia. El cuerpo febril de Alex estaba dándole calor y ella notaba cómo absorbía su energía. Si no iba con cuidado, le dejaría reducido a un cubito de hielo. Debería meterle con ella bajo las mantas, compartir el calor con él. Debería decirle que no le necesitaba. Debería hacer un montón de cosas más.

Pero no podía dejar de dormir.

Alex consideró ofrecerle a Carolyn los fideos fríos para desayunar, luego decidió que eso sería demasiado cruel. En la habitación hacía un calor sofocante, y cuando finalmente la despertó, ésta estaba lenta de reflejos, empapada de sudor, debilitada por el calor y el cansancio.

—Dúchate en cinco minutos o perderemos el primer ferry, y no sé qué posibilidades tendríamos de conseguir un hueco en el siguiente.

Carolyn le miró con cara de no haber entendido nada. Alex se preguntó si recordaría algo de la pasada noche. Probablemente no, y tal vez fuera mejor así. Iba a resultarle difícil sentirse confiada, aceptar que había sido lo suficientemente vulnerable para pegarse a él y llorar en sus brazos.

Siempre y cuando Carolyn permaneciera junto a él, Alex estaba dispuesto a dejarle todo el espacio emocional que necesitara. Su tarea principal consistía en mantenerse ambos con vida. Conseguir que superara su sensación de engaño y su rabia tendría que esperar.

Ni cinco minutos tardó Carolyn en salir de la ducha y vestirse. Él ya había guardado en la maleta las escasas pertenencias de ambos y las había metido en el coche, y la estaba esperando con la puerta abierta cuando ella apareció.

—Tomaremos un café y comeremos algo en el ferry —le dijo Alex.

—No tengo hambre.

—Si vuelves a repetir eso, te mato —la amenazó tranquilamente—. Me importa un huevo si tienes hambre o no. Yo tampoco tengo hambre. Pero da la casualidad de que nuestras vidas están en peligro. Sería conveniente que comiéramos algo.

—¿Y no tendría más sentido no ir a Martha's Vineyard? Suponiendo que estés en lo cierto y que alguien quiera matarnos, ¿no sería Edgartown uno de los primeros sitios donde buscar? Seguro que darán con nosotros.

—Es que quiero que nos encuentren. Quiero que salga de su escondite. Quiero ver al hombre que me disparó hace dieciocho años. Quiero mirarle a los ojos.

—¿Al hombre?

—O a la mujer. Carolyn, sube al coche o perderemos el ferry.

—Quizá prefiera perderlo.

—Entonces quienquiera que esté intentando acabar contigo no tendrá más que venir a buscarnos a Woods Hole.

Carolyn subió al coche, y no pronunció una sola palabra hasta estar a salvo en el ferry.

En el fondo, Alex deseaba que continuara ignorándole. No quería tener que enfrentarse a preguntas de cuyas respuestas no estaba seguro. Y un error de cálculo podría ser fatal.

Al aparcar, Carolyn salió del coche. Él la dejó irse. No había manera alguna de escapar del ferry y por el momento estaban fuera de peligro. No le importaba concederle media hora de tranquilidad, si eso era lo que necesitaba.

Lo último que esperaba era verla aparecer con una bandeja que contenía dos tazas de café y un par de panecillos con mantequilla.

Volvió a sentarse en su asiento y le tendió la bandeja de cartón. Alex la miró con cautela.

—¿Has puesto gambas en el café? —preguntó.

—Te juro que me dan ganas de tirártelo encima —contestó ella—. Estoy intentando ser amable. Podrías poner algo de tu parte, al menos.

Alex observó su boca pálida, seria y decidida. Carolyn era incluso más fuerte de lo que se había imaginado. Tomó asiento junto a él, calmada, serena, y destrozada por dentro.

Y por alguna razón le pareció que su dignidad era aún más irresistible que su vulnerabilidad.

Cogió la taza de café. Estaba tremendamente dulce, exactamente como le gustaba.

—¿Así que hemos hecho una tregua?

—De momento, sí. Come un panecillo de cianuro.

Alex esbozó una sonrisa. Carolyn llevaba puestos varios jerseys, incluyendo uno suyo, y su melena rubia, aún húmeda de la ducha, descansaba enredada sobre su espalda. Todavía llevaba los tejanos desteñidos; Alex nunca había visto a nadie parecerse menos a un MacDowell. Pensando en eso podía evitar saltarle encima.

—¿Vas a decirme quién crees que es? —La prosaica pregunta de Carolyn sólo mermó ligeramente sus fantasías eróticas.

Alex dio otro sorbo de café. Quemaba, pero le importaba un bledo.

—No estoy seguro.

—Pero debes sospechar de alguien.

—Podría ser cualquiera de ellos. Patsy, Warren, Ruben o Constanza. ¡Demonios, hasta es probable que George y Tessa tengan algo que ver!

—Tessa tenía catorce años cuando te fuiste.

—Y tú estabas a punto de cumplirlos. Si hubieras tenido una pistola, ¿no crees que habrías podido dispararme? —le replicó.

—Perfectamente. Pero ¿qué motivos tendría para hacerlo?

—No lo sé —respondió Alex—. No sé por qué alguien querría matarme.

—Lo que yo no sé es cómo alguien podía no querer matarte entonces —comentó Carolyn—. La cuestión es, ¿qué conexión hay entre entonces y ahora? ¿Y por qué estás tan seguro de que alguien quiere matarte? ¿A ti o a mí, ya puestos? Puede que me haya equivocado con relación a los disparos. A lo mejor no era más que un cazador estúpido. Y los frenos también fallan a veces.

—Los frenos fallan —coincidió Alex—. Pero raras veces en un momento tan oportuno. ¿Quieres volver a casa y darles la oportunidad de que vuelvan a intentarlo? ¿Sólo para asegurarte de que realmente hay un homicida en la familia?

—¿Acaso no es eso lo que vamos a hacer yendo a Vineyard? Les estás atrayendo hacia nosotros, para que lo intenten de nuevo. Ni siquiera sé por qué nos hemos molestado en venir hasta aquí. No hacía falta que recorriéramos cuatrocientos kilómetros sólo para conseguir que alguien intente cometer un asesinato, podríamos habernos quedado en casa sanos y salvos. ¿Para qué gastar gasolina?

—Porque aquí tendremos la sartén por el mango.

—¿Ah, sí? —Carolyn no trató de ocultar su cinismo.

—Sé que vendrá. Y estaremos esperándole —afirmó Alex relajado.

—Ya estás hablando de «él» otra vez. Tú crees que es Warren, ¿verdad? Nuestro querido y adorado tío Warren, dispuesto a matar a su sobrino y a su hija —dijo con voz frágil—. Muy... típico de un MacDowell.

—No sé de quién se trata. Pero sería lo más factible. Te considera una amenaza para la herencia. A mí no. Por eso hasta el momento tú has sido el blanco.

—¿Y ahora, qué?

—Ahora creo que querrá asegurarse la jugada. No sé lo que estarán pensando en Vermont. Probablemente piensen que nos hemos ido unos cuantos días a copular con desenfreno. Pero el asesino será más listo. Sabrá por qué hemos huido.

—¿Y si no adivinan dónde estamos? A lo mejor no resulta tan obvio como creemos.

—En ese caso llamaré para decir dónde estamos —anunció Alex—. Sólo para ayudar a que las cosas sigan su curso.

Carolyn permaneció un rato en silencio, contemplando lo que quedaba de panecillo.

—De acuerdo —concedió eventualmente—. Una cosa más.

—¿Sí?

—Nada de sexo desenfrenado en Vineyard. —Sonaba muy segura.

Alex no quiso contradecirla.

—Lo que tú digas.

20

La casa de Water Street estaba impoluta; durante su ausencia había venido alguien a limpiar cualquier indicio de su última visita. Afortunadamente, el agua y la electricidad todavía estaban conectadas, y esta vez el teléfono también funcionaba. Carolyn comprobó que hubiera línea, luego colgó el auricular arqueando las cejas ligeramente. No había nadie a quien quisiera llamar.

—¿Funciona el teléfono? —Alex estaba en el vestíbulo y llevaba las maletas.

—Sí.

—Si llaman no contestes.

—Creía que querías que supieran que estamos aquí.

—Y así es —afirmó—. Pero tanto como mantener una conversación con ellos no me apetece. —Se dirigió hacia las escaleras.

—Ya llevaré yo mi maleta —se ofreció Carolyn—. Dormiré en mi antigua habitación.

—No, no lo harás. —Alex fue tajante—. Ya estoy harto de que juegues a ser Cenicienta.

—¡Vale! —exclamó ella—. Entonces dormiré abajo, y disfrutaré del lujo de la habitación de Sally.

—Lo siento —se lamentó Alex, sin parecer dolido en absoluto—, pero dormirás conmigo.

Ella le lanzó una mirada furiosa.

—Ya te he dicho que no quiero volver a dormir contigo nunca más.

Él ni se inmutó.

—Acabas de hablar igual que mi madre cuando se mostraba arrogante. No sé cómo pude no darme cuenta de lo mucho que os parecéis.

—Antes me has dicho que no era tu madre.

—Que no me diera a luz no significa que no fuera mi madre.

—De todas formas no voy a dormir contigo en la misma cama.

—No tienes por qué. Sólo te pido que compartamos la misma habitación. ¿Es que tu terca cabecita no ha entendido aún que tu vida está en peligro? Alguien quiere matarte. Alguien que piensa que estás obstaculizando una buena parte de la herencia. Esta casa es demasiado grande para que deambules por ella sin que nadie vigile tus pasos.

—¿Crees realmente que tío Warren va a presentarse aquí con una pistola? —Era incapaz de referirse a él de otro modo—. No lo entiendo. ¿Por qué iba a considerarme una amenaza? Hasta ayer noche desconocía mi relación familiar con él, y ahora que lo sé, lo único que deseo es mantenerme lo más lejos posible de su persona. No necesita matarme. Me ha repudiado toda su vida, no voy a reclamarle nada a estas alturas.

—Quizá quieras vengarte por su rechazo.

—Nunca he sido una persona vengativa —comentó categóricamente.

—Lo sé. Pero puede que Warren no sea tan observador. No ve mucho más allá de sus narices. El dinero familiar es su único interés, y le resulta imposible entender que no sea también una obsesión para los demás. De todas maneras, no sabemos si es Warren. Lo más lógico es pensar que sí, pero no hay ninguna prueba. A lo mejor Patsy no es tan tonta como parece.

—A lo mejor no —dijo Carolyn en voz baja.

—Dormiremos en la habitación que está encima del salón…

—¡Y un cuerno! Sólo tiene una cama.

—Al menos es grande. Descuida, cariño, traeré un colchón y dormiré en el suelo. Es la habitación mejor situada. Oiremos si alguien sube por las escaleras, tendremos vistas a Water Street y en caso necesario podremos escaparnos por el tejado del porche.

—¿Y qué hay de las escaleras de atrás?

—El suelo del vestíbulo cruje. Y la cama de nuestra habitación también, así que si cambias de opinión lo mejor será que lo hagamos en el colchón y no en la cama.

Carolyn le miró fijamente.

—Te encuentro muy animado teniendo en cuenta que acabas de perder a tu madre y que estás convencido de que alguien quiere matarte. ¿O es que te pone contento la sola idea de pensar en todo el dinero que acabas de heredar?

Se había pasado de la raya.

—Por supuesto que sí. ¿Por qué, si no, habría esperado dieciocho años, viviendo como un rey? ¿Es obvio, no?

—Perdona —murmuró ella.

—Y, francamente, me encantaría obtener las respuestas a las preguntas que me han estado persiguiendo durante casi dos décadas. Quiero acabar con esto, y quiero averiguar lo que hay detrás. Una vez descubierto, desapareceré de tu vida y podrás volver a ser la perfecta MacDowell, con la certeza de ser realmente uno de ellos.

Carolyn clavó la vista en él. Alex se había detenido en el rellano, y su voz era fría.

—¿Adónde irás? —preguntó ella, sin poder ocultar el tono melancólico de su voz.

La hubiera oído o no, la ignoró.

—A donde me lleve mi sustancioso dinero, pequeña —respondió, y se fue escaleras arriba.

Era un día soleado, y una fría brisa primaveral soplaba en la isla. Carolyn abrió las ventanas, dejando que el viento se colara en la antigua mansión y la siguiera mientras iba de habitación en habitación, mirando todo atentamente.

Esta casa, más que ninguna otra residencia, incluyendo el piso de Park Avenue y la finca del sur de Vermont, era «la casa» de los MacDowell por excelencia. Repleta de tesoros familiares, retratos de los MacDowell, y muebles pasados de generación en generación. Esta casa de antiguo linaje, a la que Carolyn nunca había pertenecido del todo, debería haberle parecido diferente. Ahora que sabía que tenía derecho a estar allí, debería haberse sentido como en casa.

Pero no fue así. Estuvo contemplando en el cuadro la mirada del hombre que en realidad era su abuelo, y no sintió ninguna relación de parentesco. Commodore MacDowell había sido un hombre cruel y temible, y Sally, su hija mayor, había salido a él en muchos aspectos. Carolyn le miró a los ojos y no afloró en ella sentimiento alguno.

Se sentó en la silla de Stuyvesant, que había pertenecido a sus antepasados, y en la que nunca se había atrevido a sentarse. No era más que una vieja silla de madera, desvencijada e incómoda.

La vida le había dado a Carolyn exactamente lo que siempre deseó tener, una verdadera familia, sólo que la persona que más había querido le fue arrebatada. Y lo peor del asunto era que ahora que lo había conseguido, no significaba nada para ella. No necesitaba ser una MacDowell. Después de tanto tiempo, no necesitaba ser nadie más que sí misma.

Sonó el teléfono, y sintió el impulso de cogerlo, aunque se detuvo antes de hacerlo. Sally debería haber estado al otro lado, pero estaba muerta. ¿Sería Patsy, balbuceando algo con la voz ligeramente ansiosa? ¿O Warren, fingiendo estar preocupado o sin siquiera tomarse esa molestia? ¿Cuál sería su reacción si le llamaba «papá»? Probablemente estaría horrorizado.

Quienquiera que estuviera al otro lado de la línea no pensaba rendirse a la primera. El teléfono dejó de sonar, al cabo de un par de minutos volvió a hacerlo. Su sonido era particularmente estridente, y se extendía por todos los rincones de la laberíntica y vieja casa, y Carolyn observó el aparato con patente desagrado, deseando que parase. Llamaron una tercera y, afortunadamente, última vez.

Carolyn le oyó bajando ruidosamente las escaleras de atrás, pero permaneció inmóvil. A través de las ventanas veía la bahía, y deseó, más que ninguna otra cosa en el mundo, retroceder veinte años, antes de que Alex hubiera muerto y luego renacido, antes de descubrir demasiados secretos.

Oyó que Alex abría y cerraba cajones, que hurgaba en papeles, pero siguió sin moverse. A lo mejor cerrando los ojos podría viajar en el tiempo. O por lo menos podría soñar que así era durante un rato, un rato tranquilo.

Salvo que Carolyn sabía perfectamente que en esa época los hechos no se habían desarrollado con mucha tranquilidad. Patsy y su novio de turno habían estado allí, cosa con la que ni Warren ni Sally habían estado de acuerdo. Al parecer, éste andaba metido en asuntos turbios, pero a Patsy se la veía radiante, completamente enamorada, y reacia a escuchar los consejos de nadie.

George y Tessa habían estado allí también, recordó. Tessa se había acercado al club con sus amigos, sin hacer caso a Carolyn, a pesar de que tenían la misma edad. Y George era un *boy scout*, pedante y remilgado, siempre observando y juzgando, siempre dispuesto a chivarse de las últimas gamberradas de Alex, o de las fechorías realizadas por cualquier otro.

Y luego estaba el propio Alex. ¿Cómo podía haber pensado que aquellos habían sido tiempos felices, cuando ella era una adolescente totalmente desdichada por culpa de él? Le había deseado con una intensidad que, hoy día aún recordaba. Podía evocar esos sentimientos, el dolor en el estómago, su corazón agitado, cómo soñaba con su boca.

Se rió con amargura. No era de extrañar que pudiera traer fácilmente a la memoria su pasión adolescente por él. Nunca había dejado de sentirla. Hacer realidad sus fantasías, dieciocho años después, no había hecho más que intensificarla. Había sido una estupidez rendirse a sus pies, ella que normalmente era tan prudente y se ponía tan a la defensiva. Debería haber intuido el poder que todavía ejercía sobre ella.

Alex apareció por la puerta con un fajo de papeles en una de sus fuertes manos.

—¿De qué te ríes?

—De mí —contestó Carolyn sin más—. No me había dado cuenta de lo tonta que puedo llegar a ser. —No tenía intención de darle más detalles, sobre todo porque el modo en que sus ojos de cosaco la miraban fijamente la hacía sentirse especialmente ridícula—. ¿Qué estás buscando?

—Información. Pistas, datos, pruebas.

—¿De qué?

—De mi origen. De la muerte de la mujer que me dio a luz, y de su familia, que ni siquiera estaba al corriente de su embarazo. Todo lo que sé es que pasaba los veranos en Vineyard.

—¿Por qué tanto interés?

Él se encogió de hombros.

—Por curiosidad, supongo. Hace dieciocho años que sé que no soy hijo de Sally, pero nunca me he detenido a pensar en quién me trajo al mundo.

La silla de Stuyvesant era incómoda. Carolyn se levantó y anduvo hasta el asiento que había en la esquina, junto a la ventana.

—¿Vas a decirme lo que ocurrió o no?

Alex siguió al lado de la puerta.

—¿Vas a preguntármelo?

—Es lo que estoy haciendo.

Una fría sonrisa curvó los labios de Alex, que dejó los papeles sobre la mesa. No hizo caso de tan reverenciada silla; de pequeño solía sentarse en ella sólo para molestar a Warren, pero ahora no estaba ahí. Se sentó en una silla de mimbre, que crujió en señal de protesta.

—Por desgracia no tengo las respuestas, nunca las he tenido. Recuerdo que me pillaron robando aquel coche. Y los gritos de Sally y de Warren. Ya estaban enfadados por el tema del novio de Patsy, y mi última hazaña fue la gota que colmó el vaso.

—¿Por qué robaste un coche? Sally te habría comprado uno.

—Sólo lo cogí prestado un rato —protestó Alex con displicencia— para ir dar un paseo. Iba a devolverlo sin que nadie se diera cuenta. Desgraciadamente, había un chivato entre nosotros.

—No hace falta que me digas quién era —se adelantó ella—. Era George.

—George el Granuja —convinó Alex—. No ha cambiado mucho con los años, ¿verdad?

—Sigue siendo muy guapo —respondió ella sin entusiasmo.

—No estoy hablando de su físico. Siempre tuvo unos rasgos perfectos. Y fue un acusica. Se dedicaba a merodear por ahí, observando a la gente. —De pronto se puso serio, como si acabara de acordarse de algo—. Me pregunto si seguirá haciéndolo.

—¿Haciendo, qué?

—Observar a la gente —contestó Alex distraído—. Sea como sea, recuerdo que decidí largarme. Esperé a que todo el mundo estuviera dormido, entonces volví a casa y vacié todos los bolsos que encontré. —Frunció el ceño—. Creo que había algo más, pero no logro recordarlo. Tenía que ver con Patsy. —Sacudió la cabeza—. Es igual. Estoy seguro de que no fue Patsy quien bajó a Lighthouse Beach a hurtadillas y me disparó.

—¿Y quién lo hizo?

—No tengo ni idea. Recuerdo que subí a tu habitación. Se me había ocurrido llevarte conmigo —le comentó en broma—. Por aquel entonces estabas para comerte y, además, sentías adoración por mí. Los adolescentes necesitan saberse deseados.

—Un buen rapapolvo es lo que necesitan los adolescentes —replicó ella con dureza, sin pensárselo dos veces.

Él se echó a reír.

—Me conformé con darte un beso de despedida. Si hubieras tenido un par de años más me habría acostado contigo, pero supongo que a esa edad aún me quedaba algo de moralidad. Tenía la esperanza de que ese beso te arruinara cualquier relación con otro chico. Al menos hasta mi regreso.

—Has tardado demasiado —afirmó ella.

—Tienes razón. No contaba con que me dispararan. Ni con descubrir que me habían mentido acerca de mi origen. —Se calló, y contempló la bahía.

—Aún no me has explicado lo que pasó.

Alex sacudió la cabeza de un lado a otro.

—Es que no lo recuerdo. Sé que bajé andando hasta Lighthouse Beach. Había planeado robar la barca de los Valmer. Alguien me había seguido y me disparó. Pero no logro recordarlo.

—¿Por qué no?

Él se encogió de hombros.

—Debe de ser a causa de la lesión que sufrí en la cabeza. Según me dijeron, tuve también una conmoción cerebral.

—No lo entiendo; ¿cómo puedes estar vivo? Yo vi que alguien te disparaba. —Carolyn se estremeció—. Y no hice nada por impedirlo.

—Te habrían disparado a ti también —manifestó prosaicamente—. No es tu culpa, no eras más que una niña atemorizada. Yo sobreviví, tú probablemente habrías muerto.

—Pero ¿cómo lograste sobrevivir?

Alex profirió una sonrisa.

—Gracias a unos traficantes de drogas.

—¿Qué has dicho?

—Fui a parar al agua, me imagino que quien me disparó debió de arrastrarme hasta ella. Estaba en alguna parte, agarrado a un trozo de madera flotante, cuando un grupo de indeseables me sacaron del agua. No me molesté en preguntarles qué estaban haciendo, ni ellos en explicármelo, pero lo cierto es que sabían cómo curar una herida de bala y una conmoción. Se deshicieron de mí cerca del Cabo Ann y fui a visitar a mi supuesto padre.

—¿Sabías dónde vivía?

—No. Cuando hurgué en el bolso de Sally di con su dirección en uno de los compartimentos. Pensé que era una señal.

—¿Y cuál fue su reacción al ver que su hijo había recibido un disparo?

—Me dijo que no era su hijo —expuso Alex tranquilamente—. Tras la sorpresa inicial, me lo tomé bastante bien. Pero en ese mismo instante decidí que no volvería jamás con los MacDowell. Por mucho que deseara saber lo que sería de tu vida al cabo de unos años.

—¡Basta ya! —Carolyn estalló—. No me vengas ahora con el rollo ese de que durante dieciocho años has estado vagando por el mundo y soñando conmigo, porque no te lo crees ni tú.

—Pero ya has visto que he guardado tu pulsera todo este tiempo, ¿no?

Carolyn no podía negar tal evidencia. Las posibilidades la asustaban demasiado.

—Me voy arriba a dormir la siesta —anunció bruscamente, levantándose—. No necesito tu compañía para eso, ¿verdad?

—No, si tú no quieres.

—No quiero —le espetó—. Avísame si aparece algún asesino demente.

—No te veo muy preocupada. Si crees que no estamos en peligro, ¿por qué has venido conmigo?

—No he tenido otra alternativa.

—¡Menuda chorrada! —exclamó Alex con una leve sonrisa de complicidad.

—¡Tú sí que dices chorradas! —se defendió ella, yendo hacia las escaleras.

Alex no se había equivocado, la cama crujió de manera alarmante cuando Carolyn se tumbó en ella y se tapó con el edredón. Pero no le importó. Dejó las persianas abiertas para poder contemplar la bahía. Y luego cerró los ojos y soñó.

Más le habría valido no quedarse dormida. Tuvo un sueño extraño, erótico, en el que hacían el amor con lentitud y deliciosa depravación mientras los MacDowell en pleno les observaban con absoluta desaprobación. Y le daba igual. Lo único que importaba era la textura suave y sedosa de la piel de Alex, el cremoso sabor de su cuerpo, la misteriosa excitación de sus ojos azules.

Al despertarse anochecía y Carolyn tenía un hambre voraz. La casa estaba a oscuras y en silencio, y se preguntó si Alex se habría ido a alguna parte. O si su supuesto asesino le seguía los pasos y reclamaba su primera víctima.

No se lo acababa de creer del todo. Los asesinos no formaban parte de su fantástico y seguro mundo particular, a pesar de que sostenía haber visto uno hacía mucho tiempo. Lo vivido aquella noche había sido tan traumático que lo había borrado de su mente. Las personas buenas, simpáticas y ricas no mataban. No disparaban a la gente joven; no intentaban matar a mujeres jóvenes y sensatas.

Pero por más que quisiera negar la realidad, no podía. Aún tenía rasguños y magulladuras por haberse tirado de su coche sin frenos. Aún recordaba el sonido de las balas que pasaron volando junto a ella estando en el bosque. Y sabía perfectamente cuánto dinero dejaba Sally a sus herederos. Para algunas personas eso era motivo más que suficiente para matar.

Se encontró a Alex en el salón de música con una copa en la mano, y la expresión de su rostro distante. La habitación estaba hecha una leonera, con papeles y fotos esparcidas por todas partes. Se arrodilló y, automáticamente, empezó a recogerlos.

Alex la miró, sin intentar siquiera ayudarla.

—¿Conoces a la familia Robinson? —preguntó con voz grave.

Carolyn se levantó y puso los papeles sobre la mesa.

—¿Los que viven al norte de la isla, junto a los acantilados? Casi no me acuerdo de ellos. Eran muy simpáticos, amigos de Sally. Los dos han muerto en los últimos años, y me parece que no tenían hijos.

—Tenían una hija llamada Judith.

—Es cierto, ahora me acuerdo. Tenían fotos suyas en su casa. Murió hace muchos años.

—Treinta y cinco, para ser exactos. —Alex dio un buen sorbo de whisky—. ¿Te importaría brindar conmigo por mi querida madre?

—No especialmente. Nos convendría comer algo —añadió rápidamente.

—¿Y qué me dices de tu propia madre? —insistió él—. ¿No te interesa tu pasado?

—No mucho. Como tú bien has dicho, Sally era mi madre en todos los sentidos —respondió Carolyn con calma—. Y tuya también.

—Todo esto me suena a incesto —comentó Alex con toda tranquilidad, pero ella lo ignoró. Se hallaba frente a un hombre cuya sola intención era hacer daño, y a ella se le daba bien devolver dardos verbales.

—Ni me preocupa.

—Al menos no todo lo que te contó Sally era mentira. Tu madre se llamaba Elke Olmstedder, y era la niñera sueca que había contratado para que cuidara de mí. Supongo que Warren la dejó embarazada y Sally la debió de despedir al enterarse.

—¿Te acuerdas de ella?

Alex movió la cabeza en señal de negación.

—Lo siento. Era demasiado pequeño.

Carolyn asintió, y cambió de tercio.

—Iré a ver qué podemos comer…

—¿Acaso no te importa? —intervino él—. ¿No quieres saber cómo llegaste hasta aquí?

—La verdad es que no —contestó, tranquila—. Pero cuéntamelo, si quieres.

—Tu madre murió cuando tenías dos años y me imagino que a Sally le debió de entrar un ataque de conciencia tardío. O eso, o Warren habló con ella para que te encontrara.

—Me extrañaría. Siempre he sido un estorbo para Warren. Por lo menos ahora ya sé por qué. Debió de ser idea de Sally. Apuesto a que decidió que necesitabas una hermana pequeña a la que martirizar.

—Y después de todo, resulta que eras una MacDowell —afirmó él con voz aterciopelada—. Yo diría que estaba jugando a dos bandas. Sally era buena en eso.

Carolyn se acercó a Alex y le quitó la copa de la mano, quien, para su sorpresa, no se resistió.

—Yo creo que Sally nos quería a los dos, fueran cuales fueran sus motivos. Y eso es lo que debemos recordar siempre.

—Incesto —repitió él, mirándola con ojos soñolientos y sexys.

—Que te jodan —le espetó, aunque no parecía enfadada.

—Sí —dijo él. Y se levantó y caminó hacia ella, a paso lento, sexy y resuelto.

21

Estaba huyendo de él. Nada más ponerse Alex de pie, Carolyn dio media vuelta y se fue de la habitación.

—Veré qué podemos comer —gritó con voz enérgica y sin girarse.

Sólo una estúpida pensaría que Alex no iría tras ella, y Carolyn Smith no era ninguna estúpida. Él no tenía mucha prisa, de modo que llegó a la cocina justo cuando ella vertía el resto de su bebida por la pila.

—No había acabado —protestó él con suavidad.

—Sí que habías acabado. —Carolyn metió la cabeza en la nevera—. No hay nada para comer.

—Siempre podemos comprar almejas fritas.

—¡No!

—¿Y qué me dices de una pizza? ¡Qué te apuestas a que incluso consigo que nos la manden a casa!

—Pero ¿no me habías dicho que en temporada baja estaba todo cerrado? —se extrañó ella—. Hace sólo una semana que vinimos aquí.

—En una semana pueden pasar muchas cosas —dijo con total ligereza—. Además, tal vez exageré un poco la otra vez. Al fin y al cabo, la isla tiene bastantes habitantes que viven en ella durante todo el año.

No se sentía contenta a su lado, claro que eso no era nada nuevo.

—¿Sobre qué más me has mentido?

Sobre el hecho de que no iba a dejar que durmiera sola en la cama, pensó él, pero omitió decírselo.

—Te he mentido tanto que he perdido la cuenta —explicó Alex—. En este momento creo que ya no me queda nada en el tintero, pero no puedo garantizártelo.

—¿Sobre qué otra cosa me mentirías?

«Sobre lo que siento por ti», pensó Alex. Quizá haberla traído hasta aquí no había sido la mejor idea del mundo, pero no podía abandonarla a su suerte. Sencillamente, era demasiado peligroso.

Parecía totalmente incapaz de ignorar el efecto que tenía sobre él. Carolyn fue de un lado a otro de la cocina, poniendo agua a hervir, moviéndose con serena elegancia, y él no quería sino echarla en el duro suelo de madera, arrancarle la ropa, y hundir la boca entre sus piernas. La cosa era más grave ahora que cuando tenía diecisiete años. Antes estaba obsesionado por igual por todas las mujeres, incluyendo a Carolyn, de trece años.

Sin embargo, ahora, toda esa lujuria estaba directamente canalizada hacia una sola mujer, y las estaba pasando canutas para controlarse. Estaba de espaldas a él, atareada hurgando en los armarios, y a Alex le costaba tanto resistirse como dejar de respirar. Cruzó la cocina, poniéndose justo detrás de ella, sin tocarla exactamente, tan cerca que olía el aroma a jabón de motel, olía su piel y su champú y su fragancia de mujer, ligera y erótica, y puso un brazo a cada lado de su cuerpo, reteniéndola contra el mueble de la cocina.

Carolyn no se dio la vuelta para mirarle, por mucho que él lo deseara. Se quedó petrificada, dándole la espalda.

—¿Qué crees que estás haciendo? —Habría parecido que estaba aburrida si no hubiera sido por el leve temblor de su voz, por el leve escalofrío que sacudió todo su cuerpo.

No se había dado cuenta de que Alex encontraba su espalda tan erótica como su parte frontal. Llevaba su rubia y sedosa melena recogida en una única trenza que dejaba su nuca al descubierto y Alex, como un gato en celo, quiso mordisquearla. Permaneció erguida y quieta, aprisionada entre sus brazos, y él se preguntó si alguna vez conseguiría hacerla reír. Por el momento no parecía muy probable. Por el momento parecía no haber muchos motivos para reírse.

Alex cayó en la tentación, y posó su boca sobre su nuca, besándola ahí mismo, despacio, dejando que su lengua acariciara y saboreara su piel cálida y suave. Ella se estremeció, respiró hondo, y él, para que ella le notara, apretó su pelvis contra las nalgas de Carolyn.

—No —suplicó ella con un hilo de voz.

Desplazó la boca hasta un lado de su cuello, saboreándola y provocándola.

—¿Por qué no? ¿Acaso no me deseas?

—No, no te deseo.

—Mentirosa.

Entonces Carolyn se giró, lo que fue un tremendo error táctico por su parte. Alex le dejó bastante espacio, luego se pegó a ella, sintiendo por completo la suavidad de sus senos a través de su camiseta, contra su pecho. Podía abrirse paso entre sus muslos, y refugiarse allí, donde pertenecía, sabiendo que ella sentía lo mismo. Era consciente de que Carolyn quería huir. También quería ser besada.

Alex acercó su boca a la de Carolyn, tanto que su ligero aliento llegaba hasta sus labios. Pero no avanzó más.

—¿Quieres besarme, Carolyn? —le susurró.

—Quiero que me sueltes —dijo con voz grave.

Alex dejó caer los brazos a cada lado de su cuerpo, sin retenerla.

—Pero ¿quieres darme un beso?

Ella alzó la vista y clavó los ojos en él, había rabia y traición en sus profundidades.

—Sí —afirmó—. Pero no lo haré.

Alex sonrió.

—Tal vez ahora no —convino él—. Pero tarde o temprano lo harás.

No le discutió ese punto.

—Bastardo arrogante —le insultó ella sin perder los nervios—. Preferiría que fuera más tarde.

—Yo no. —Se inclinó sobre ella, saboreando la dulce tentación, cuando el penetrante sonido del teléfono le despertó bruscamente de su sueño erótico.

Muy a su pesar, Alex dio un paso atrás.

—¿Quieres contestar tú o lo hago yo?

—Ya voy yo. —Salió corriendo de la cocina, y él se resistió a seguirla. Carolyn era perfectamente capaz de tratar con cualquier miembro del clan MacDowell, y en este momento se fiaba más de ella que de la reacción que él mismo pudiera tener.

Esperó todo lo que pudo, y luego fue hasta el salón, donde estaba el único teléfono que Sally consintió que hubiera en la planta de abajo. Carolyn estaba sentada en una silla, con la mirada perdida.

—¿Quién era?

—Tío Warren.

—No te habrás atrevido a llamarle «papá», ¿verdad?

Carolyn despertó de su ensimismamiento.

—Ni se me ha ocurrido. —Mentía, pero Alex decidió pasarlo por alto—. Me ha dicho que ha estado buscándome. Se ve que encontraron mi coche y estaban preocupados. Patsy está en el hospital. Al parecer ha tenido una especie de reacción rara a algún medicamento.

—Entiendo —afirmó él silabeando—. ¿Ha sido una sobredosis?

—No lo sé. Warren me ha dicho que sus hijos están con ella.

—¿Y dónde está tu querido papi?

—¡No le llames así! —Se le pusieron los pelos de punta—. Me imagino que está en Vermont. Está organizando el funeral por Sally, tramitando la hospitalización de Patsy, y debe estar subiéndose por las paredes porque no estoy allí al pie del cañón. —Carolyn alzó la vista y le miró—. No me ha preguntado por ti.

—¡Qué curioso! Eso significa que bien ya no le importa o que está al corriente de que estoy aquí.

—¿Qué acordasteis hacer cuando Sally muriera?

Alex se rió entre dientes.

—Supuestamente tenía que darme una sustanciosa cantidad de dinero a cambio de que yo desapareciera.

—¿Cuánto?

Él se encogió de hombros.

—No tenía intención de aceptarlo, así que no lo recuerdo muy bien. Creo que rondaba los quinientos mil dólares.

—Yo diría que está preocupado por si planeas chantajearle. A menos que se imagine que eres el verdadero Alex.

—Warren no es tan listo. ¿Estás segura de que llamaba desde Vermont?

—Estar segura del todo es imposible —dijo ella de mal humor.

—Exacto. En esta vida no se puede estar seguro de nada.

—Sobre todo en esta familia —puntualizó ella con amargura.

—De la que, indiscutiblemente, formas parte. ¡Por fin! —señaló Alex.

—No lo creo.

Había conseguido sorprenderle.

—¿Qué quieres decir? —Parecía hasta ofendido.

Ella le miró.

—Quiero decir que tú sí eres un perfecto MacDowell, ¿no es cierto, Alex? A pesar de que su sangre no corra por tus venas. Eres un embustero cruel, guapo y egoísta, dispuesto a hacer cualquier cosa para lograr tus objetivos, sin importarte a quién tengas que pisotear. Yo diría que eres la quintaesencia de los MacDowell.

Sus palabras le hirieron en lo más hondo.

—¡Ni que tú fueras una santa!

—No. Pero yo no antepongo mis deseos a los del resto del mundo, sin importarme a quién haga daño. Y no miento.

—¿Que no mientes? Creo que deberías añadir las alucinaciones a tu lista de pecados —sugirió él. No las tenía todas consigo como para acercarse más a Carolyn; apoyándose contra el quicio de la puerta del fondo del salón evitaba tocarla.

—No, no miento —repitió ella indignada, cometiendo el error de levantarse de la silla y caminar hacia él, demasiado enfadada para ser consciente del peligro.

—¿Qué opinas de mí?

—¿Por qué lo preguntas? Sabes de sobra lo que pienso de ti.

Alex dio un gran bostezo.

—Sí, lo sé. Me desprecias, piensas que soy peor que la basura, que soy un mentiroso y un tramposo y que ni siquiera tengo la decencia de admitir que soy un impostor. Que soy tan mezquino como siempre, que soy tu cruz, y que desearías que quienquiera que me disparara hubiera tenido mejor puntería. ¿Te parece que lo he resumido bien?

—Más o menos. —Se acercó a él, un gran error—. Pero te olvidas de algo.

—¿De qué?

Carolyn tuvo la desfachatez de sonreírle, una de esas sonrisas que significaba vete-al-infierno, chúpate-ésa.

—Piénsalo y dímelo cuando lo sepas —contestó con dulzura.

Y pasó por delante de él sin darle tiempo a tocarla.

En esa casa las horas se hacían eternas. Hubo una época en que Carolyn adoraba la mansión de Water Street con una pasión posesiva y nostálgica, la quería con profunda y avergonzada nostalgia. Para la familia MacDowell la casa era una especie de trofeo; transmitida de generación en generación, situada con mayestática elegancia al norte de Water Street, con un amplio porche que tenía vistas a la bahía y la isla de Chappaquiddick, sus exquisitas líneas y su mobiliario histórico eran símbolo del enorme privilegio que suponía ser un MacDowell. Los hermanos se habían peleado por ella, y aunque Sally no la había visitado durante los últimos diez años, nunca renunció a la parte que le pertenecía ni a su control sobre la misma.

Ahora sería de Patsy o de Warren. O posiblemente de Alex, si la quería. Alex había dicho que no tenía el menor interés en su herencia, pero era un declarado mentiroso, pensó Carolyn con ironía. ¿Y quién podría ser capaz de renunciar a una herencia de tanto calibre como esa casa?

Ella podría. Le sorprendió darse cuenta de ello y se sintió liberada. Podía volver la espalda a esta enorme y anticuada casa de Edgartown, cargada de historia y perfección, donde incluso de pequeña se le instaba a comportarse, a no alborotar en exceso, a no desordenarla, a no hacer nada en detrimento de su prístina belleza. Era una casa enorme, construida por un capitán de barco para albergar a su media docena de hijos, pero desde hacía muchas generaciones no resonaban voces de niños por los pasillos, ni siquiera cuando Alex y los demás eran pequeños. Era una casa muerta, y Carolyn descubrió que podía prescindir de ella con la misma facilidad con que podía prescindir de los MacDowell. Sin duda, una dura prueba en su vida, aunque tenía la suerte de aprender la lección a los treinta y un años y no más tarde. Las cosas más ansiadas en esta vida, con el tiempo casi siempre se convertían en las más inútiles y superficiales.

Carolyn contempló a Alex, en el otro extremo de la habitación. Estaba estirado en el diván de mimbre, una silla extraordinariamente incómoda a su juicio, aunque a él no parecía importarle. Tenía los ojos cerrados, pero no se hacía ilusiones respecto a que estuviera durmiendo. Aun así, le permitía observarle con detenimiento, pues tenía la sombría certeza de que ésta sería, quizá, la última vez.

Inútil y superficial. Alex, indudablemente, lo era, al igual que era guapo y poco honrado, y patológicamente egoísta. También representaba lo que ella había deseado por encima de todo en esta vida, más que la familia, más que ser una verdadera MacDowell, más que este perfecto sepulcro estival.

Y le seguía queriendo. Seguía suspirando por Alex, como una adolescente estúpida con las hormonas alteradas. Contempló su cuerpo esbelto y delgado, su jugosa boca, sus ojos de cosaco, y se acaloró.

Y él no lo sabría jamás. Bueno, es posible que lo dedujera. Al fin y al cabo, era un hombre bastante inteligente, e intuitivo como las mujeres. Él sabía perfectamente que ella le deseaba, pero también que podía controlarse sin problemas.

Lo que no sabía era que ella aún le quería profunda y apasionadamente. Y, teniendo en cuenta que el tiempo, el dolor y la dura verdad no podían menguar sus sentimientos, probablemente siempre lo haría.

No acabaría siendo una mujer amargada que llorara un amor perdido; era más sensata que eso. En cuanto se librara de los MacDowell seguiría adelante con su vida, encontraría un hombre amable y bueno con el que casarse. Tendría niños, niños que nunca entregaría a una anciana rica dispuesta a comprarlos. Y sólo en algunas calurosas noches de verano, o, quién sabe, de un otoño frío y seco, pensaría en Alexander MacDowell y recordaría al hombre que amaba.

—¿Nunca has tenido la sensación de que alguien te está observando? —La voz de Alex llegó hasta ella, sobresaltándola. No se había molestado en abrir los ojos, pero debía haber notado que ella le estaba observando.

—He sido yo.

Entonces abrió los ojos, y la miró secretamente divertido.

—No me refería a ti. Por supuesto que me miras, tanto como yo a ti. Lo admitas o no, ambos sufrimos una lujuria terminal, y aunque logremos no tocarnos, no podemos evitar mirarnos.

—Lujuria terminal —repitió Carolyn—. ¡Qué forma tan bonita de describirlo!

—¿Lo niegas?

—Yo no llamaría lujuria a lo que siento por ti —comentó con sequedad.

—No pienso discutir por esto. Estaba hablando de la casa. Siempre he tenido la sensación de que alguien me observa. A lo mejor es porque hay muchas ventanas con vistas a Water Street.

—Estamos en temporada baja. Hace muchas horas que no se ve a nadie caminando por la calle y pasan poquísimos coches.

—Entonces, ¿por qué tengo la sensación de que hay alguien espiándome? ¿O es que estoy paranoico?

—Probablemente estés paranoico.

—¿Probablemente?

—Yo también tengo esa sensación.

Alex se incorporó con rapidez, el antiguo diván de mimbre crujió.

—A lo mejor han venido antes de lo que yo pensaba.

—¿Quién?

Sacudió la cabeza.

—No lo sé. Patsy está desintoxicándose, así que supongo que podemos descartarla.

—Y a sus hijos también, porque están con ella. Sólo queda Warren.

—Tal vez —afirmó Alex—. Tal vez no. —Se levantó—. Me voy fuera para ver si tenemos alguna visita.

—¿Y pretendes dejarme aquí sola? ¡Ni en broma!

—¿Me estás diciendo que quieres que te proteja? ¡Qué conmovedor, Carolyn! Pensé que no aceptarías nada que viniera de mí.

Carolyn clavó la vista en él.

—Alex, eres un verdadero plasta.

—Lo sé. ¿Por qué no subes al cuarto y cierras la puerta con pestillo mientras yo echo un vistazo y me cercioro de que todo esté en orden?

—¡Eso es imposible! Este sitio tiene muchos años, si alguien está resuelto a entrar aquí estoy convencida de que podrá hacerlo sin problema.

—Podría conectar el sistema de seguridad, es el más sofisticado del mercado.

—Y cualquier miembro de la familia MacDowell podría burlarlo.

—No, si cambio la contraseña —comentó despreocupadamente—. Es bastante fácil si se sabe hacer. Vete arriba y espérame en el cuarto. Volveré enseguida.

—¿Quieres que te reciba desnuda, bañada y perfumada como es debido? —preguntó ella en tono mordaz.

Alex no cayó en la trampa.

—Lo que tú decidas estará bien.

Carolyn no se tomó la molestia de responderle. Se fue arriba pisando con fuerza, haciendo mucho ruido al caminar, por si acaso algún intruso asesino se las había arreglado para entrar por la entrada trasera. En ese momento no estaba de humor para enfrentarse a nadie. Y a Alexander MacDowell y su lujuria menos aún.

A la semana de su última visita la luna estaba menguando, pero seguía brillando sobre el agua. Las hojas cubrían los árboles, ocultando gran parte de la calle, y ya había más luces de punta a punta de la bahía. A principios de mayo el lugar empezaba a cobrar vida.

Alex ya había colocado un colchón en la habitación, empujando la elevada cama hacia las ventanas para hacerle un hueco, aunque no se había preocupado de traer algo tan civilizado como unas sábanas. Y ella no estaba dispuesta a ocuparse de eso. Se quitó los tejanos y se metió en la cama, sin sacarse el sujetador y las braguitas que llevaba debajo de la camiseta. Probablemente también debería haberse dejado puestos los tejanos, además de cubrirse con más ropa, salvo que sabía que ni con toda la ropa del mundo conseguiría mantener a Alex MacDowell a distancia. Tenía que confiar en su propio e imprevisible instinto de supervivencia.

Apagó las luces y se acurrucó en la cama, tapándose con el edredón. La habitación estaba mal ventilada, olía a la humedad típica de las casas cerradas, y entreabrió una de las ventanas, dejando que entrara por la rendija el fresco aire primaveral.

Era fresco, húmedo y extrañamente reconfortante. Se hundió aún más bajo el edredón y deseó dormirse antes de que llegara Alex y pudiera sentirse tentada.

Alex la había mentido, cómo no, pero mentir a Carolyn Smith ya se había convertido en un hábito. Podía reprogramar el sistema de seguridad, pero no había ninguna garantía de que eso impidiera el acceso a cualquier MacDowell decidido a entrar. Conocían demasiado bien este lugar.

Claro que, con la cantidad de dinero que estaba en juego, quienquiera que estuviera detrás de todo esto podía siempre recurrir a un profesional que se encargara de liquidarles.

Pero no creía que llegaran a ese extremo. Todavía podía ver la silueta de la persona que le disparó en la playa de Edgartown, a pesar de que a su obstinada mente se le escapaba la cara en cuestión. No obstante, estaba convencido de que era un rostro conocido.

En ocasiones se había preguntado si era la propia Sally la que le había seguido hasta la playa y había intentado matarle. Alex había sido una pesadilla, un problema para ella, y al enterarse de que no había ninguna razón biológica por la que Sally tuviera que quererle, no le quedaba más remedio que aceptar la posibilidad de que fuera ella la que había procurado deshacerse de él.

Al volver a casa supo que no había sido ella. Pero por alguna razón, desde su regreso hacía unas cuantas semanas, no se hallaba más cerca de saber la respuesta.

De lo único que estaba más cerca era de Carolyn Smith.

La encontró en la cama, hecha un ovillo y bien abrigada, de espaldas a él, como si no existiera. La luz de la luna entraba a raudales por la ventana, extendiendo un haz plateado por toda la habitación, y Alex se preguntó cuál sería su reacción si se tumbaba en la cama junto a ella.

No se atrevió a hacerlo. Había aprendido a sobrevivir gracias a sus instintos, y éstos le decían que su enemigo andaba cerca. No podía permitirse el lujo de ser distraído por la irresistible mujer que amaba.

Enamorarse de ella era un terrible error, claro que eso no era ninguna novedad. La había querido desde que tuvo uso de razón, e incluso durante su autoimpuesto exilio había seguido soñando con ella.

No se entretuvo desnudándose, sencillamente se dejó caer sobre el colchón y se estiró. La brisa que entraba por la ventana abierta era fría, cosa que agradeció. Fuera se oía el agua del puerto, un sonido suave, relajante, y se preguntó si sería capaz de dormirse.

Entonces se durmió.

22

Carolyn no estaba segura de lo que la había despertado. La habitación estaba muy oscura, iluminada únicamente por la tenue y plateada luz de la luna, y dedujo que debían ser las dos o las tres de la mañana. Permaneció muy quieta en la cama, escuchando, todos sus sentidos alerta de inmediato. Y luego se dio cuenta de que Alex también estaba despierto.

—¿Alex? —La voz de Carolyn no era más que un mero susurro en el aire de la noche.

—¿Sí? —respondió él al cabo de un momento, sin moverse.

Carolyn se apoyó en los codos y le miró desde la cama. Estaba echado sobre el desnudo colchón, completamente vestido, sin sábanas, mantas ni almohadas. Si había dormido desde luego no había sido mucho rato; incluso a la tenue luz de la luna se le veía ojeroso y ausente.

—Alex —repitió ella, sin saber lo que iba a preguntarle, sin saber cómo preguntárselo.

—No lo hagas.

—Que no haga, ¿qué?

Alex, desesperado, cerró los ojos.

—No me mires así, no te acerques a mí para llorar, no me digas que te sientes perdida y herida. Por lo que más quieras, Carolyn, déjame en paz.

Ella apartó las sábanas y empezó a bajar de la cama.

—Entonces me iré a otra habitación...

Alex la agarró por el desnudo tobillo con su mano grande y fuerte.

—No, no te irás. Échate y duerme.

—No puedo dormir.

—Y yo no puedo ser tu somnífero.

—¿A qué te refieres?

—A que todo esto ya me resulta bastante difícil de por sí, sin tener, además, que dar consuelo célibe. Estoy sufriendo. Y te necesito. Estoy haciendo todo lo posible para respetar tus deseos y no tocarte, pero me sería de gran ayuda que no me miraras con esos malditos ojazos y...

De pronto, Carolyn se sentía más tranquila.

—Sólo quería hacerte una pregunta.

Él suspiró, tratando, obviamente, de controlar sus impulsos.

—¿Qué?

—¿En serio cruje esta cama?

Por un momento, Alex parecía confundido.

—Sí. Compruébalo tú misma.

Ella se movió, y la cama crujió ruidosamente. Volvió a moverse, y se sentó en el colchón, junto a él.

—¿De verdad me necesitas? —murmuró ella, acariciándole la cara. Le pareció que, a diferencia de sus manos, la piel de Alex estaba caliente, y notó que se le entrecortaba el aliento.

—Te necesito —contestó él bruscamente.

—Muy bien —susurró Carolyn. Y se inclinó hacia delante y le besó en la boca, con tal dulzura que Alex debería haber adivinado que le amaba.

Pero los hombres no eran los seres más observadores del planeta, lo cual, en cierto modo, era una bendición. Alex aceptó el beso ofrecido, deslizando las manos por la espalda de Carolyn, meciéndola. Y a continuación le devolvió el beso, un beso lento, largo y suave, distinto a todos los que le había dado con anterioridad. La había besado con encendida pasión. La había besado con rabia y sed de venganza y lujuria incontrolable. Pero nunca con un placer tan dulce y puro.

Carolyn notó que el deseo se le arremolinaba en la boca del estómago, subiendo en espiral hacia sus senos. Cuando él la tumbó de espaldas, ella accedió de buen grado, cerrando los ojos mientras la boca caliente de Alex recorría sus mejillas, sus párpados y el contorno de sus labios, depositando besos en ellos.

Y luego se incorporó, y ella, desconcertada, abrió los ojos en plena oscuridad. Él la estaba mirando, era imposible descifrar su expresión.

—Pensaba que me necesitabas —dijo ella.

—Y te necesito. Es sólo que no estoy seguro de querer una mártir en mi cama.

Carolyn se rió, extrañamente divertida.

—Pero, ¿tú eres tonto o lo haces ver? —comentó entre dientes—. Créeme, no me importa nada que me obligues a disfrutar de un buen sexo. Estoy dispuesta a tan noble sacrificio.

—¿Buen sexo? —repitió él, sin intentar tocarla.

Carolyn empezó a ponerse seria. ¡Había estado tan convencida de estar a salvo entregándose a él! De que la quería, al menos físicamente, tanto como ella a él. Ahora ya no estaba tan segura.

—¿Estás dispuesto a ofrecerme algo más? —le preguntó ella.

Alex permaneció inmóvil, mirándola durante largo rato, pensativo. Y después se saco el jersey por la cabeza, tirándolo por los aires, y su pecho parecía oro blanco a la luz de la luna.

—Sí —respondió.

Ella nunca le había creído capaz de una dulzura tan poco frecuente. Nunca había pensado realmente que él pudiera hacerle el amor, el Amor con mayúsculas. No se había dado cuenta de lo peligroso que podía llegar a ser dejar que la amara.

Alex le quitó la ropa, despacio, sacándole la camiseta por la cabeza con deliciosa lentitud, posando los labios en cada centímetro de piel que quedaba al descubierto. La piel de Alex estaba caliente, a diferencia del aire frío de la noche, dorado por la luz de la luna, y ella se sintió extraña, flotando, como una diosa pagana con el pelo esparcido por su cuerpo desnudo. Sus manos, primero hábiles y luego deliciosamente menos suaves, la excitaban, y ella arqueó la espalda, gritando, tan sólo para que él la besara, ahogando su grito, tragándoselo.

Se apartó de ella, apoyándose contra la pared, contemplándola con ojos siniestros, y ella supo lo que él quería. Alex le ofreció la mano y ella la cogió, se acercó y se sentó a horcajadas sobre él, agarrándose a sus anchos hombros, temblando.

—Carolyn, mírame —susurró, era una súplica no una orden, y ella se forzó a abrir los ojos, a clavar la vista en la profunda intensidad de sus rasgados ojos de cosaco, a medida que se hundía en toda su feroz longitud, llenándose con su pene. Estaba hipnotizada, en silencio, extasiada, por la intensidad de su rostro, por la invasión de su cuerpo, y cuando, finalmente, lo tuvo completamente dentro, muy dentro, los espasmos empezaron a sacudir su cuerpo.

Carolyn se dejó llevar, le besó en la boca, en la cara, eran besos hambrientos y llenos de ansiedad, y durante todo ese rato Alex mantuvo el cuerpo de Carolyn firmemente apretado contra el suyo, hasta que nada más que su sola presencia la hizo llegar al clímax, enterrando la cara en su hombro para amortiguar los gritos mientras su cuerpo estallaba y su alma se consumía, y él hizo lo propio, latiendo con ardor, en lo más hondo de ella.

Se desplomó sobre Alex como una muñeca de trapo, él la rodeaba con los brazos, abrazándola, protegiéndola, amándola. Ella quería llorar, quería decirle…, cuando de repente percibió un olor tremendamente acre.

Él debió notarlo a la vez que ella. La apartó levantándola en brazos, con un cuidado que contradecía su fuerza.

—Vístete —le susurró—. Deprisa.

Carolyn se puso de inmediato a buscar su camiseta.

—¿A qué huele?

—A gasolina. —Una palabra tan común y tan terrible en sus ramificaciones. Alex, ya vestido, se proyectaba sobre Carolyn, y cuando ésta se estaba poniendo los tejanos se produjo la explosión, una bola de fuego que la deslumbró.

Las llamas les rodearon casi al instante, una pared de fuego que iba de un lado a otro de los ventanales, y no había escapatoria. Alex abrió la puerta de la habitación de una patada, cogió a Carolyn de la mano y la llevó hacia la nube de humo del vestíbulo.

El fuego envolvió la histórica mansión con cortinas incandescentes, no obstante, Alex debió de recordar que la parte posterior de la casa estaba parcialmente enladrillada. En esa zona no había tejado de porche alguno, de haberlo habido las llamas lo habrían engullido, pero él se limitó a conducirla a su antigua habitación, levantó una silla y la estrelló contra la ventana.

—¡Vamos! —gritó, sorteando los afilados restos de cristal.

Aterrorizada, Carolyn se resistió, pero no había tiempo que perder, de modo que Alex la cogió en brazos, la empujó por la ventana y, a continuación, la siguió.

Alex también se había acordado de que la zona trasera de la casa estaba rodeada por un boj lo suficientemente espeso y resistente para amortiguar su caída. Carolyn permaneció allí tumbada por un momento, dolorida, con los pulmones llenos de humo mientras el cielo se convertía en un infierno, y entonces Alex se estrelló contra el seto aterrizando junto a ella, casi sobre ella.

Se levantó al instante, llevando a Carolyn a rastras. Podía oír las sirenas de los bomberos a lo lejos, pero él parecía decidido a ignorarlas. La condujo a través de los desérticos jardines traseros de las casas de verano, le hizo saltar muros de piedra y vallados, adentrándola en las sombras cuando los coches de bomberos pasaron delante de ellos a toda velocidad.

—El coche... —logró balbucear Carolyn.

—Encontraremos otro —replicó él con brusquedad—. El autor del incendio estará esperando hasta asegurarse de que no hayamos salido de ésta con vida. No pienso jugármela otra vez.

—¿Y dónde encontraremos otro coche? —protestó ella—. En plena noche...

—Soy un experto robando coches, ¿recuerdas? Eso desencadenó todo el follón hace dieciocho años. He perdido práctica desde entonces, pero seguro que es como montar en bicicleta, una vez se ha aprendido, nunca se llega uno a olvidar del todo.

Carolyn le miró, sorprendida. Viéndole, cualquiera diría que estaba contento, y las llamas que salían disparadas hacia el cielo daban a sus facciones un aire satánico.

—Alguien acaba de intentar matarnos —afirmó ella con la voz más áspera a causa del humo—, y la casa está hecha añicos. ¿Se puede saber por qué narices estás de tan buen humor?

—Porque se están acercando, y están siendo menos precavidos —respondió él—. En cuestión de horas sabremos quién está detrás de todo esto.

—En cuestión de horas podríamos estar muertos. —Carolyn fue categórica.

—Eso también. —Bajó la cabeza y la miró—. ¿Quieres que encuentre un sitio seguro donde puedas esconderte?

—¿Acaso hay alguno?

—No lo sé.

—No pienso separarme de ti —comentó ella, sin importarle cómo pudiera sonar.

—Lo sé —dijo él—. Tampoco te dejaría. —La cogió de la mano, y se adentraron en la noche iluminada por las llamas.

Alex robó una camioneta con gran facilidad, haciendo un puente con los cables y poniéndola en marcha con asombrosa celeridad incluso antes de que Carolyn se hubiera sentado. El vehículo estaba oxidado y hecho polvo, y si en su día había tenido cinturones de seguridad, un dueño impaciente los había retirado, pero el motor funcionó a la perfección cuando Alex cogió la autovía con dirección al extremo oeste de la isla.

Carolyn notó que algo se le clavaba bajo las nalgas, y encontró una lata de cerveza aplastada.

—Podías haber robado un Mercedes —protestó.

—Los Mercedes tienen sistemas antirrobo. Necesitábamos un medio de transporte, no un coche de lujo —puntualizó él, concentrado en la carretera. A medida que la antigua madera de la histórica mansión de los MacDowell ardía en llamas, el cielo nocturno, a sus espaldas, se convertía en un brillante lienzo rojo, naranja y azul ahumado. Pero en las carreteras no había tráfico y Carolyn decidió mirar hacia delante.

—¿Quién ha sido? —preguntó ella en voz baja.

—Aún no lo sé.

—¿Adónde vamos?

Alex no respondió. No hacía falta. Iba en dirección a Gay Head, y ella supo de inmediato lo que él quería encontrar.

—La primera a la izquierda —ordenó Carolyn finalmente, cuando ya se acercaban al acantilado.

Él aminoró la marcha y, a la luz de la luna, se volvió para mirarla.

—¿Qué?

—Que gires a la izquierda. Quieres ver la casa de los Robinson, ¿no? Está al final de esa calle.

Una sonrisa, tremendamente sexy, se dibujó en su cara lentamente.

—¿Desde cuándo me conoces tan bien?

—Desde hace décadas —le respondió ella.

La casa de los Robinson carecía del esplendor arquitectónico que caracterizaba la mansión que los MacDowell tenían en Edgartown. Menemsha y el extremo sudoeste de la isla eran mucho más rurales y de inferior nivel social, al menos en comparación con Vineyard. La familia Robinson había tenido en propiedad una casita de campo aislada en la parte posterior de los acantilados de Squibnocket, cerca de Gay Head. En el jardín había un letrero desgastado en el que ponía «Se vende», y el lugar parecía abandonado y desierto.

Alex paró la furgoneta robada en el camino de entrada y bajó del vehículo. El siniestro incendio ya había empezado a desvanecerse en el horizonte, naturalmente, no se había propagado al resto de antiguas casas que rodeaban la de los MacDowell. La luna estaba a poca altura en el cielo, lista para ponerse, y sólo una delgada línea rosa surcaba el lado este del horizonte. Debe de estar a punto de amanecer, pensó Carolyn aturdida, bajando también de la camioneta, con el cuerpo agarrotado y dolorido.

—Este lugar parece abandonado. —Alex se había detenido frente a las escaleras, levantando la vista hacia la casita de campo.

—Ya te he dicho que los padres murieron y que los únicos herederos eran unos primos lejanos. La casa ya lleva un tiempo en venta. Le han puesto un precio demasiado alto, y nadie se ha preocupado en bajarlo.

Alex mostró tanta destreza allanando casas como robando coches. Entraron juntos, dentro estaba oscuro y olía a humedad, le dieron al interruptor pero no había luz. Hacía frío, un frío húmedo que penetraba en los huesos, y Carolyn se hundió en una de las sillas de roble de estilo antiguo, temblando, mientras Alex rondaba por la casa con ayuda de una pequeña linterna.

Pensó que se había olvidado de ella. Alex, de espaldas a Carolyn, estaba echando un vistazo a unos marcos de fotos que había colgados en la pared, y ella se rodeó con sus propios brazos, intentando controlar sus escalofríos.

—Voy a encender el fuego —anunció Alex, sin siquiera mirarla. Estaba contemplando una vieja foto de los años cuarenta de una chica cuya cara, lozana y de expresión dulce, le resultaba extrañamente familiar. Se dio cuenta de que estaba ante la imagen de su madre biológica.

—Ya lo hago yo —se ofreció Carolyn, pero no llegó hasta la chimenea de piedra, porque Alex, que estaba delante de ella, la hizo sentarse de nuevo.

Alex se quitó el jersey, su piel desnuda aparentemente insensible al frío aire de la noche.

—Ponte esto.

—No digas tonterías, te vas helar —protestó Carolyn, pero él no le hizo caso y procedió a ponérselo por la cabeza. Estaba caliente y olía a él, eso acabó de convencerla.

En cuestión de minutos el fuego ya estaba encendido, calentando el rústico salón, llenándolo de luz.

Una vez hubo conseguido que las llamas fueran de notable tamaño, Alex se sentó sobre los talones, se giró y la miró.

—¿Puedo hacerte un comentario?

—¿Puedo impedirlo?

Esbozó una ligera sonrisa.

—Cabe la posibilidad de que no logremos sobrevivir.

—Una posibilidad bastante probable si tenemos en cuenta por todo la que hemos pasado hasta ahora —añadió ella.

—¿Qué era lo que tenías que decirme?

—¿De qué estás hablando?

—Ayer por la tarde me dijiste que pensabas algo de mí que yo ignoraba. A lo mejor te referías a que me deseas.

—Sabes de sobra que te deseo —comentó ella con voz deliberadamente gélida. No tenía ganas de hablar de esto, ahora no. No, con el olor a casa quemada todavía pegado a su pelo y su ropa; no, teniendo a Alex de rodillas y sin camiseta frente a ella; no, con el cielo volviéndose rosa al amanecer y un asesino suelto esperándoles.

—Entonces, ¿qué era? —Inclinó la cabeza hacia atrás, mirándola, completamente callado—. No estarás enamorada de mí, ¿verdad?

Fue extraño el modo en que el corazón de Carolyn pudo dejar de latir, el aliento se le quedó atrapado en el cuerpo, y aun así pudo seguir aparentando tranquilidad.

—¡Qué estupidez!

Él se encogió de hombros.

—Me gustaría saber si alguien llorará mi muerte cuando desaparezca.

—Créeme, si te mueres, te echaré de menos —dijo Carolyn irónicamente—. Aunque lo más posible es que si tú no sobrevives, yo tampoco lo haga.

—Carolyn, ¿estás enamorada de mí?

—Eres muy pesado. Toda la vida me has sacado de quicio.

—Aún no has contestado a mi pregunta. ¿Estás enamorada de mí?

Carolyn estaba indignada.

—¡Claro que sí! Eres un maldito idiota. Siempre lo he estado y creo que siempre lo estaré, y no me gusta en absoluto. ¿Contento?

—Sí —contestó él, alargando los brazos para acariciarle la cara. La luz de la chimenea de esa vieja casa rústica le iluminaba, y ella supo que no tenía escapatoria.

No estaba dispuesta a ceder sin más. Se apartó de él, se levantó de la silla apresuradamente y se dirigió hacia la puerta principal.

—Voy a comprobar una cosa —le anunció, nerviosa, abriéndola de golpe, dispuesta a salir.

Al ver a ese hombre allí de pie dejó de tener frío. A pesar de que estaba lejos y de que el cambio de luz del amanecer y la lumbre que emanaba de la habitación dificultaban su visión, supo quién era desde el principio.

Era la primera vez que miraba a Warren MacDowell a los ojos desde que se enterara de que era su padre. El efecto era sobrecogedor, y Carolyn permaneció en la entrada, helada, aterrorizada, esperando a que ocurriera Dios sabe qué. Se trataba de su padre, y no sintió nada que no sintiera ya. No la sacudió repentinamente ninguna clase de amor filial. Tampoco el resentimiento. Estaba demasiado concentrada asumiendo la posibilidad de morir.

Siempre le había visto impecablemente ataviado. Aún llevaba la americana, pero no había rastro de la corbata, la camisa estaba arrugada y sucia, y tenía hollín por toda la cara. Su pelo canoso estaba despeinado, y la expresión de su rostro, siniestramente serena, era lo que más miedo daba.

—Deduje que estarías aquí —dijo—. ¿Dónde está Alex?

Carolyn no cometió el error de mirar hacia atrás. Desde su posición, Warren no podía verle, una pequeña ventaja de la que había que aprovecharse.

—Quién sabe —logró responder, espantada al oír que le temblaba la voz.

—Es el auténtico Alex, ¿verdad? —quiso saber Warren, cansado—. Me ha engañado, claro que siempre ha sido un maquinador y un embustero. He sido un imbécil al no darme cuenta de la verdad, estaba absolutamente convencido de que estaba muerto.

—Es difícil acabar con los MacDowell.

—Ambos sabemos que en realidad no es un MacDowell —comentó Warren amablemente—. En cambio tú sí lo eres.

—¿Es que de pronto has desarrollado sentimientos paternales hacia tu querida hija? —Su tono de voz era frío y cínico.

—No fuiste una hija deseada. Fue Sally la que, muy a mi pesar, te trajo a casa. Yo nunca he tenido madera de padre. Fuiste un error del que hubiera preferido olvidarme, pero a mi hermana le gustaba hacer las cosas a su manera. Quiso que fueras la compañera de juegos de Alex. Aunque dudo mucho que se imaginara la clase de juegos que os ha tenido ocupados últimamente. —Pese a su aspecto desaliñado conservaba el mismo mal humor de siempre.

—Eso no explica por qué quieres matarnos, Warren.

Se quedó completamente perplejo.

—¿Mataros? ¿Por qué iba a hacerlo? He venido para… —No pudo acabar la frase, su cara estaba surcada por el miedo. Y entonces, en silencio, se desplomó a los pies de Carolyn, y ella, al mirar hacia abajo, vio en su chaqueta, hecha perfectamente a medida, una mancha roja que se hacía cada vez más grande.

Estaba demasiado atemorizada para gritar. Alzó la vista, paralizada por el miedo, y se encontró con la cara de su primo George, engreída y plenamente satisfecha.

—Eres realmente estúpida, Carolyn —le insultó—. Si ni siquiera tenía una pistola. ¿Por qué narices iba a querer matarte? El pobre idiota sólo quería salvarte la vida.

—Eras tú —comentó Carolyn conmocionada.

—Evidentemente —afirmó George—. Y ahora, ¿por qué no os dais prisa los dos y venís conmigo para que podamos acabar de una vez por todas con esta historia? Necesito volver con mi querida madre antes de que alguien empiece a preguntarse dónde estoy. ¿Qué? ¿Nos vamos? —E hizo un suave gesto con la mano en la que llevaba una gran pistola de color negro.

23

El amanecer fue espléndido. Subieron a pie el sinuoso sendero en dirección a los acantilados, un grotesco cortejo fúnebre. Atrás, en un enorme charco de sangre, habían dejado el cadáver de Warren, y ahora caminaban, escalaban la misma colina a la que habían subido de pequeños, con George parloteando contento mientras les conducía montaña arriba.

—¿Qué tal anda tu memoria ahora, Alex? —se burló George—. ¿Estás volviendo a recordar tu turbio pasado?

—Una parte, sí —respondió Alex, agarrando con fuerza a Carolyn de la mano—. Hace maravillas verte con una pistola en la mano.

—Apuesto a que sí. Aún no entiendo cómo conseguiste engañar a tío Warren y que creyera que eras un impostor. Supe que eras tú nada más verte. Yo fui quien te mató la primera vez. Hasta mi madre te reconoció, aunque ella estaba convencida de que habías regresado de entre los muertos para atormentarla.

—¿Sabían ellos que me disparaste hace dieciocho años? ¿Estaban metidos en esto? —Alex sonaba distante, poco interesado en lo que debería haber sido de suma importancia.

—Sí y no. Lo supieron cuando ya era demasiado tarde, y no tuvieron más remedio que encubrirme. Al fin y al cabo, lo había hecho por ellos, ¿no? Y tía Sally siempre fue patéticamente protectora, naturalmente no le habría importado lo más mínimo el escándalo que habría supuesto que me acusaran de asesinato. Aunque, por supuesto, Patsy y Warren se habrían asegurado de que no se me acusara, pero aun así habría sido un follón.

—¿Puedes refrescarme la memoria? —le preguntó Alex recalcando las palabras—. ¿Por qué a mí? Aparte del hecho de que era realmente insoportable. Si mal no recuerdo, tampoco es que tú fueras un santo por aquel entonces.

—Ah, ahí es donde te equivocas. Yo era el hijo perfecto. Adoraba a mi madre, y siempre estaba pendiente de lo que más le convenía. Ya sabes que soy muy observador. La noche que te ibas me sorprendiste espiando a mi madre y su novio. Estaban montándose un número sadomasoquista, lo que lo hacía aún más divertido. Me estropeaste el plan.

—¿Qué es lo que hice?

—Me amenazaste con darme una paliza si no dejaba de mirar. Claro que es difícil romper ese hábito. —Sonrió alegremente—. El otro día en la biblioteca también pasé un buen rato observándoos. Me hubiera encantado una repetición antes de quemar la casa de Edgartown, pero habéis sido muy poco complacientes. No me cabe la menor duda de que debéis haber copulado como conejos, es sólo que os mantuvisteis fuera de mi ángulo de visión.

Carolyn sintió náuseas.

—¿Estuviste mirándonos?

—Miro a todo el mundo. Es mi mayor placer en la vida, lo aprendí hace muchos años. Normalmente no me hace falta recurrir a ninguna estratagema. Pertenezco a un club neoyorquino muy discreto que organiza este tipo de cosas para interesados como yo.

—Querrás decir para pervertidos como tú —le espetó Carolyn.

—Querida prima, no se puede hablar de perversión entre adultos que actúan libremente. Y yo diría que tú actuaste con total libertad. Alex tiene un don especial, ¿no crees? —George suspiró con fuerza—. No sé a quién me apetecería más tirarme, a ti o a él. Aunque dudo que ninguno de los dos estuviese muy dispuesto a cooperar. Aun así, ¡sería tan divertido que el otro mirara!

—¿A qué viene tanta prisa? —preguntó Alex con suavidad, sin hacer caso de la expresión de pánico de Carolyn—. Si tú estás dispuesto a hacerlo, yo también.

George se echó a reír.

—Eso es muy considerado por tu parte, pero no voy a caer en tu trampa. ¿Crees que ganando tiempo conseguirás engañarme? Me temo que he aprendido a renunciar a mis apetitos en beneficio de un bien mayor. Al despuntar el sol ya estaréis muertos. Un salto suicida por el acantilado.

—¿Qué podría empujarnos a hacer tal cosa?

—Yo no soy psicólogo; no sé cómo funciona una mente —dijo George con indiferencia—. ¿Qué podría empujarte a manipular el coche de nuestra querida Carolyn y luego a llevártela contigo? ¿Y a matar a tu tío a sangre fría cuando te sigue para intentar detenerte? ¿Qué explicación tiene eso? ¿O el hecho de que redujeras a cenizas la casa de Edgartown? Cuando esté junto a la cama de mi madre y vengan a darnos la triste noticia me mostraré confundido. Estaremos todos consternados por la pena. —Sonrió con dulzura.

—¿No te parece que quemar la casa ha sido un tanto drástico? Supongo que estás haciendo esto por dinero, pero te den lo que te den por el seguro, la casa valía más.

—Ya, pero sabes tan bien como yo que no se puede hacer una tortilla sin romper algunos huevos. Pensaba que Warren entendía eso. —Habían llegado a la cima, y el sol salía por el horizonte, enviando magníficos rayos de luz por el oscuro cielo.

—George —dijo Carolyn en voz baja—, sigo sin entender por qué quieres hacernos daño. ¿Tanto te importa el dinero? ¡Pero si te sobra!

—Nunca se tiene demasiado, Carolyn. Siempre has sido patéticamente ingenua. Mi tren de vida es tremendamente caro. Pero tienes razón, ése no es el verdadero motivo.

—¿Y cuál es?

—¿Acaso no es obvio? Seguro que Alex ya se lo ha imaginado. No sois auténticos MacDowell. Tú eres una bastarda, y él el sustituto clandestino de otro bebé. Ninguno de los dos pertenece a la familia, ninguno se merece ni siquiera un centavo de la fortuna que mis antepasados han ido amasando a lo largo de generaciones. Sois un par de impostores. Toda la vida lo he sabido, como os he dicho antes, tengo el hábito de mirar y escuchar. Siempre he sabido que, tarde o temprano, tendría que deshacerme de Alex, y cuando me pilló espiando con deleite los pecadillos de mi madre, decidí que ése era un momento tan bueno como otro cualquiera. No estaba seguro de tener que hacer algo o no contigo, Carolyn, pero con la vejez Warren se estaba volviendo sentimental. Me advirtió que no te pusiera una mano encima. Hasta entonces no era mi intención hacer nada, pero su preocupación paternal era demasiado peligrosa. —Se detuvo. Estaban al borde del precipicio, muy pronunciado. Abajo había rocas, rodeadas por el agua del mar, y a la izquierda, bañado por el rosado resplandor del alba, estaba el faro de Gay

Head—. Es hora de saltar, chicos. Podéis cogeros de la mano, si queréis.

—¿Y qué pasa si no saltamos? —se opuso Alex—. Te resultaría mucho más difícil tener que explicar unos agujeros de bala en nuestros cuerpos, ¿no?

—No necesariamente. En el agua desaparecerían. Cuando dieran con vosotros no habría suficientes restos para poder identificaros, y menos aún para encontrar una explicación a vuestras muertes. Es un riesgo que estoy dispuesto a correr si no colaboráis. El mar te salvó una vez. Dudo mucho que vuelva a hacerlo.

En el promontorio hacía viento, y por encima de sus cabezas las gaviotas chirriaban y daban vueltas mientras el sol salía. Carolyn levantó una mano para quitarse el pelo de la cara, y le pareció oír un coche a lo lejos.

George también lo oyó.

—Viene alguien —anunció con simpatía—. ¿Quién quiere saltar primero?

El rugido de un viejo motor se extendió por toda la ladera, mientras las luces del vehículo se confundían con las del crepúsculo, iluminándoles como en un cuadro bíblico vivo, y acercándose a ellos a una velocidad que, a juicio de Carolyn, superaba la ficción. George se quedó petrificado, como un ciervo sorprendido por la linterna de un cazador furtivo, mientras el viejo camión le pasó por encima a toda pastilla. Y Carolyn, completamente desesperada, supo de pronto de quién se trataba.

—¡Al suelo! —gritó Alex, agarrándola por la cintura y empujándola contra el rocoso precipicio, protegiéndola con su cuerpo, cubriéndole rápidamente los oídos con sus manos y apretándole la cara contra su hombro.

Pero no podía tapar el sonido, ni ocultar la verdad. El camión robado se estrelló contra el cuerpo de George, salió disparado por los aires y rodó precipicio abajo hasta chocar contra las rocas y estallar en llamas. Y Carolyn pudo ver la cara de Warren, pálida y decidida, mientras embestía a George y conducía a ambos a la muerte al pie del acantilado.

Lentamente, Alex deshizo el nudo que formaban sus cuerpos y se levantó con esfuerzo. Le tendió una mano a Carolyn, pero ésta volvió la cabeza, negándose a moverse. Él caminó hasta el borde del acantilado y contempló la escena durante largo rato.

Ya había salido el sol. Las gaviotas sobrevolaban sus cabezas en círculos y gritaban, a lo lejos se oyó la sirena de un coche de policía. Y en el corazón de Carolyn, algo floreció y murió.

24

Se fue. Cinco días más tarde Alex se fue sin mediar palabra. Carolyn era consciente de la sarta de mentiras que éste había contado a la policía, y, obedeciendo consternada, le siguió el juego. Carecía de importancia el porqué de tales mentiras, lo único relevante era que Alex ni se había acercado a ella, ni la había tocado desde que la policía apareciera en aquel acantilado rocoso y se los llevara consigo.

Vivía aturdida. Sally recibió sepultura con pompa y solemnidad, y a su lado enterraron a Warren. Lo de George fue completamente distinto, una ceremonia pequeña e íntima, con la sola asistencia de sus dos hermanas. La última sobredosis de Patsy impidió que el oxígeno le llegara al cerebro durante el tiempo suficiente para causarle daños significativos, y se refugió en un mundo feliz e irreal lleno de telenovelas y vodka y enfermeras que la cuidaban las veinticuatro horas del día.

Y Alex ya no estaba. Alex, que había dicho a la policía que era un impostor, que el verdadero Alexander MacDowell había sido asesinado por su primo George hacía dieciocho años. Una mentira tan elaborada como sencilla, tan verosímil que despertó dudas en Carolyn. Warren había ido en su busca, con la intención de desenmascarar a su sobrino asesino. Y había dejado suficientes pruebas documentales que demostraban que era Samuel Kinkaid, precisamente quien decía ser. Un trotamundos expatriado.

Pasaron los meses, tras la primavera llegó el verano, al que sucedió el otoño, y Carolyn seguía sin tener escapatoria. La mayoría de los MacDowell ya se habían ido, pero ella continuaba ligada a la casa, a la familia. Patsy se instaló en la antigua habitación de Sally, y si ocasionalmente recordaba que en su día había tenido un hijo, era un pensamiento fugaz, perdido en una neblina de fantasía y medicamentos.

Por alguna estúpida razón Carolyn seguía esperando que Alex regresara. Que se presentara en su habitación en plena noche, que apareciera por el umbral de la puerta como había hecho aquella mañana de invierno, convirtiendo su vida en un caos. Pero no volvió. Y cuando cayeron los primeros copos de nieve, Carolyn se dio cuenta de que no podía esperar más.

De toda la miríada de abogados que había contratado la familia MacDowell, el que le inspiraba más confianza era Gerald Townsend. Éste, poco a poco, respetando su necesidad de mantenerse a distancia, la había ido introduciendo en la complejidad de los testamentos, y Carolyn había contado con él para tomar las decisiones adecuadas. Nunca habían comentado lo ocurrido, se limitaban a hablar con educación de fondos, mercados financieros y fideicomisos.

Pero ya era hora de irse.

—Me preguntaba cuándo encontrarías un momento para hacerme preguntas —comentó el anciano con amabilidad al verla entrar en la biblioteca de la casa de Vermont. Carolyn se había ofrecido a desplazarse hasta su oficina, pero él había insistido en ir a visitarla. Había hecho hincapié en que clientes tan importantes como los MacDowell merecían un trato especial, y ella no se molestó en llevarle la contraria.

—No tengo nada que preguntar —apuntó ella—. Sólo quiero tener acceso a mi fideicomiso para poderme largar de aquí. Todo lo demás ya está solucionado, ¿no? No tengo que hacer nada más.

—No, no tienes que hacer nada más —repitió el abogado—. Eres libre. Eso es lo querías oír, ¿verdad? Le dije a Sally que debía haberte dejado marchar hace años, pero era una mujer muy posesiva y te quería con locura.

—Tampoco me hubiera ido —dijo ella.

—No, supongo que no. —Suspiró—. Todo este asunto ha sido penoso.

—Sí, así es —afirmó ella con sequedad.

—No logro entender cómo ese muchacho pudo renunciar a tanto dinero —explicó.

—No era Alex. —Carolyn se sabía la mentira de memoria.

—No seas ridícula; ambos sabemos que era él. Pero se empeñó en que no quería llevarse un duro de la fortuna de los MacDowell, y ahora ya es tarde para cambiar de idea. Si él hubiera querido, yo podría haberme sacado algún resorte de la manga. Lo más curioso es que aun habiendo perdido el tren esté agradecido.

Carolyn levantó la cabeza de golpe.

—¿Has estado en contacto con él?

—¡Por supuesto que sí! He precisado de su cooperación para asegurar los aspectos legales pertinentes. También me he encargado de todo para que comprara una casita en Martha´s Vineyard, aunque, dadas las circunstancias, me pregunto para qué la querrá.

—La casa de los Robinson —se apresuró a decir Carolyn, era una afirmación, no una pregunta.

—Exacto. Aunque, pensándolo bien, lo puedo imaginar.

—¿Dónde está ahora?

—En Italia. Me parece que tiene una casa en un pueblecito de la Toscana. Al menos allí es donde le he estado enviando todo el correo.

—¿Y de qué vive?

—Creo que cuando tenía unos veinte años fundó una pequeña empresa por cuya venta le dieron una considerable cantidad de dinero. Hace lo que le interesa. No tiene ni de lejos el mismo volumen de activos que los MacDowell, o que tú por ejemplo, pero no todos tenemos las mismas necesidades.

Carolyn le miró, estupefacta.

—¿Yo? No es que me queje del fideicomiso que me dejó Sally, pero no es más que un buen pico con que complementar mis ingresos.

Ahora era el abogado el que miraba estupefacto.

—Vamos a ver, Carolyn, ¿no te has enterado de todo el tinglado legal de estos últimos seis meses?

—No.

—Después de que Alex fuese declarado muerto, la herencia de Sally, una vez quitado tu legado y el de los distintos criados, se dividió equitativamente entre sus dos hermanos.

—Eso ya lo sabía.

—¿Y no sabías que eras la única heredera de Warren?

Le miró, boquiabierta.

—Imposible.

—Lo digo en serio, has firmado papeles reconociéndolo. Hace más de diez años que Warren hizo su testamento. Éramos buenos amigos, Carolyn, y a pesar de sus deslices nunca fue un irresponsable. Su herencia, de por sí grande, junto con la mitad de la de Sally, asciende a una importante suma de dinero. —Se mostró dubitativo—. Supongo que el joven Kinkaid estuvo siempre al corriente de ello.

—¿Él sabía que yo era la heredera de todo eso?

—Sí.

—Y se fue.

—Así es —dijo Townsend—. Estoy seguro de que en la Toscana es bastante feliz. Supongo que Citté-del-Monte debe ser un pueblo precioso, aunque debe de ser difícil llegar si no se conoce el camino. Afortunadamente, ha tenido el detalle de darme un plano exacto de dónde vive por si hubiera una emergencia.

—¡Qué suerte! —exclamó Carolyn.

—Tal vez podría proporcionártelo, por si alguna vez te hace falta —sugirió el anciano inocentemente—. No me pareció oportuno decírtelo antes. En mayo te llevaste un susto terrible con todo lo que ocurrió, y supongo que el señor Kinkaid también necesitaba un poco de tiempo. Pero estoy convencido de que a estas alturas no hay nada de malo en que te dé la información. Al fin y al cabo, ¿qué uso podrías hacer de él? —Su agradable sonrisa era terriblemente paternal, y Carolyn se dio cuenta de que tenía lágrimas en los ojos cuando le devolvió la sonrisa.

—Eso, ¿qué uso podría hacer de él? —repitió ella.

El señor Townsend tenía razón, encontrar Citté-del-Monte resultaba casi imposible. Incluso con el plano detallado que le había dado el abogado, Carolyn se perdió tres veces por las tortuosas carreteras comarcales. Cuando bajaba en el pequeño Fiat que había alquilado por la estrecha carretera que conducía al pueblo en ruinas, se sintió agotada y muerta de miedo.

No tenía ni idea de lo que le diría. Tal vez un simple adiós. Alex se había ido sin siquiera despedirse; sabiendo que ella le amaba. Se merecía algo, aunque fuera una educada despedida.

Incluso en otoño la vegetación era una tupida maraña. La granja estucada estaba siendo reparada, se veía que el tejado era nuevo, olía a madera recién cortada. A lo lejos se oía un martilleo y la voz de un hombre riéndose.

Carolyn bajó del coche, dejando las bolsas en el maletero, y anduvo hacia la casa sobre las piedras irregulares. Y de pronto se detuvo, presa de un pánico indescriptible, al ver que por la puerta principal salía una guapa mujer pelirroja que, a un lado de su generosa cadera, sostenía un bebé de pelo oscuro.

—¿En qué puedo ayudarla? —preguntó contenta, con acento británico.

Carolyn quiso salir corriendo. Pese a tanta mentira e incertidumbre, nunca se le pasó por la cabeza que Alex pudiera estar casado. La mujer seguía allí de pie, tranquila, saludándola, y Carolyn deseó que la tierra se abriera y la engullera.

—Debo… debo haberme equivocado de casa —dijo con voz débil y desesperada—. Estoy buscando… buscando a mi primo. Ha alquilado una casa por aquí cerca.

La hermosa mujer puso cara de confundida.

—No sabía que había más americanos en la zona. Se lo preguntaré a mi marido, tal vez lo sepa. ¿Cómo se llama tu primo?

—¡Es igual, déjalo! —exclamó Carolyn, dando media vuelta—. Me debo haber equivocado de pueblo. O quizá incluso de país. Siento haberte molestado.

Cuando se dio cuenta de que el martilleo había cesado y de que las voces masculinas se estaban aproximando ya era demasiado tarde. Casi había llegado al coche cuando Alex apareció por detrás de la casa, sin camisa, bronceado, con el pelo demasiado largo, la cara sin afeitar, y unos sonrientes ojos cosacos. Se quedó paralizada, sin poder apartar la vista de él.

Naturalmente, Alex reparó en ella de inmediato, y dejó de reírse de golpe, helado. El hombre que estaba a su lado le dio un empujón amistoso, diciendo palabrotas y riéndose en voz baja.

—¡Menos mal que ya estáis aquí! —chilló la mujer con el bebé en brazos—. Esta mujer se ha perdido. Busca a su primo. Paolo, ¿conoces a algún otro americano que viva por aquí?

El segundo hombre movió la cabeza en señal de negación.

—No, cara. Sólo conozco a este mamarracho de aquí.

—Pasó junto a la silueta petrificada de Alex y plantó un beso en la mejilla de la mujer: ¿Nos quedamos a cenar?

La mujer británica miró primero la cara de sorpresa de Alex y luego la de Carolyn, y una sonrisa curvó sus labios.

—Me temo que no, cariño. Creo que esta mujer ya ha encontrado lo que buscaba. —Le entregó al bebé—. Vámonos, cariño.

Carolyn ni siquiera les vio marcharse. La singular finca debía de contar con otra entrada, porque desaparecieron de repente. Alex no dio ni un paso hacia ella.

—¿Qué haces aquí?

Sonaba más reservado que molesto, pero a ella no le preocupó lo más mínimo.

—En Vermont ha empezado a nevar y no podía aguantar otro invierno allí. Pensé que era tu mujer —le comentó bruscamente.

Alex se sobresaltó.

—¿Anna? Está casada con Paolo. Yo nunca he estado casado. Ya te lo dije.

—Me dijiste muchas cosas.

Una ligera sonrisa curvó su sensual boca, esa boca que ella recordaba con tanta precisión.

—Sí, tienes razón.

—¿Por qué no cogiste el dinero? Sally quería que lo tuvieras tú.

—En vida Sally ya se salió con la suya en demasiados aspectos. Era dinero sucio, y yo no lo necesitaba.

—¿Y yo, qué?

Alex se encogió de hombros, despreocupado, pero ella, más allá de esa estudiada indiferencia, vio algo en él que provocó que le sudaran las palmas de las manos y se le hiciera un delicioso nudo en el estómago.

—No sé si necesitas todo ese dinero. Es cosa tuya.

—Ya sabes que no estoy hablando de eso —dijo ella—. Has dicho que no necesitabas el dinero. ¿Y a mí? ¿Me necesitas a mí?

Alex parecía atrapado.

—¿Tengo que contestarte?

—Teniendo en cuenta que he atravesado medio mundo para preguntártelo, sí.

Carolyn no se había percatado de que Alex se estaba acercando a ella con paso lento y firme, y sintió que no era el único que estaba atrapado, ella también lo estaba. Los dos, el predador y la presa.

Se detuvo frente a ella, bajo el sol mediterráneo su piel era suave y sedosa, y deseó lanzarse sobre él. Alex le puso la mano sobre la nuca, una mano grande, fuerte, áspera porque tenía durezas, pero suave sobre su piel.

—Te necesito —afirmó—. Incluso podría soportar vivir con todo ese maldito dinero si fuera preciso.

La besó, fue un beso lento e intenso, apasionado, como si fuese el último de su vida. Al terminar vio que Carolyn tenía lágrimas en los ojos y sonrió.

—¡Eres encantador! —susurró ella.

—¡Encantador! —convino él—. Tendré que cancelar mi billete de avión. Iba a ir a buscarte la semana que viene.

—Las grandes mentes piensan igual —afirmó ella. Las manos de Alex estaban sobre sus pechos, y deseó con todas sus fuerzas tumbarse con él bajo el intenso sol de la Toscana.

—Aún no te lo he dicho —anunció él.

—¿El qué?

—Que estoy enamorado de ti. Lo he estado desde que tenías trece años.

Ella levantó la vista y sonrió y empezó a desabrocharse la blusa.

—Ya sé que estás enamorado —repitió ella—. ¿Y has tardado todos estos años en descubrirlo?

—No —respondió Alex—. Sólo tenía que darte el tiempo suficiente para asegurarme de que sabías lo que hacías.

—Al menos no te casarás conmigo por dinero.

Alex arqueó las cejas.

—¿Quién ha dicho que voy a casarme contigo?

—¿Te gustaría?

—En cuanto encuentre un cura —respondió Alex. La estrechó entre sus brazos—. ¿Y sabes qué? —Pegó su boca al oído de Carolyn, provocándola.

—¿Qué? —repitió ella un poco ida.

—En la Toscana no nieva casi nunca.